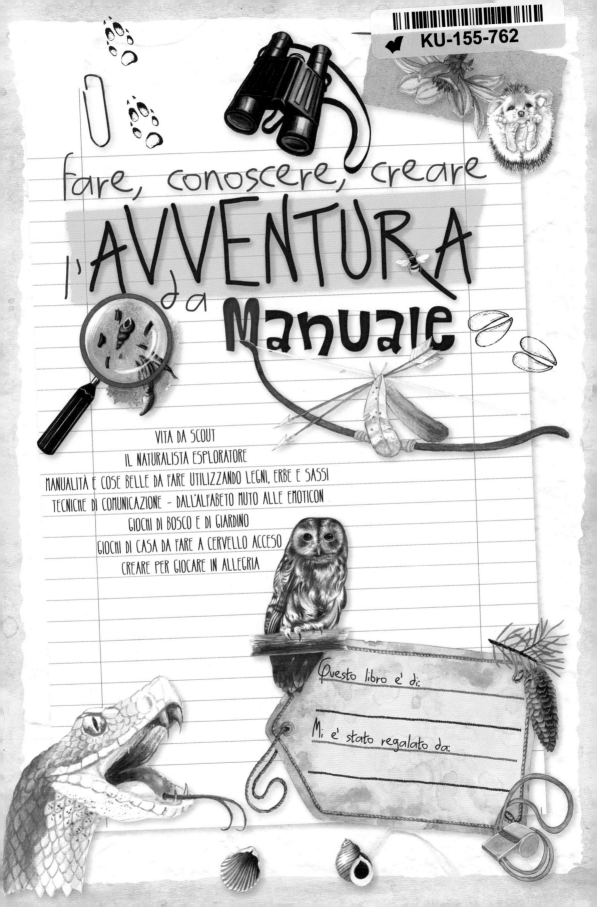

fare, conoscere, creare
l'AVVENTURA da Manuale

VITA DA SCOUT

IL NATURALISTA ESPLORATORE

MANUALITÀ E COSE BELLE DA FARE UTILIZZANDO LEGNI, ERBE E SASSI

TECNICHE DI COMUNICAZIONE – DALL'ALFABETO MUTO ALLE EMOTICON

GIOCHI DI BOSCO E DI GIARDINO

GIOCHI DI CASA DA FARE A CERVELLO ACCESO

CREARE PER GIOCARE IN ALLEGRIA

Questo libro e' di:

Mi e' stato regalato da:

Realizzazione editoriale
EDIZIONI DEL BALDO

Testo a cura di
ANASTASIA ZANONCELLI

Cura redazionale
PAOLA MANCINI

Illustrazioni
MARIO STOPPELE, GIULIA PIANIGIANI, SILVIA GUGLIELMI,
FRANCESCA MAZZINI, STEFANIA SCALONE, SELENE CONTI,
MARTA TONIN E COSTANTINA FIORINI

Grafica e impaginazione
BARBARA MINOZZO

*Questo noi sappiamo: la terra non appartiene all'uomo,
è l'uomo che appartiene alla terra. Tutte le cose sono
collegate, come il sangue che unisce una famiglia.
Non è stato l'uomo a tessere la tela della vita, egli ne è soltanto
un filo. Qualunque cosa egli faccia alla tela, lo fa a se stesso.*
Capo Seattle
nativo americano delle tribù Duwamish e Suquamish

*In tutte le cose della natura
esiste qualcosa di meraviglioso.*
Aristotele

I edizione ottobre 2014
II edizione ottobre 2021
© **Edizioni del Baldo**

Via M.G. Agnesi, 49 - 37014
Castelnuovo del Garda - Verona
Tel. 045 8960275 Fax 045 4852084

www.pensieribelli.it
Rivenditori: www.rivenditori.edizionidelbaldo.it

Finito di stampare nel mese di ottobre 2021
presso Tipolitografia Pagani s.r.l. - Brescia

Sei pronto a vivere l'avventura?

L'AVVENTURA HA MOLTI VOLTI

paguro

Per qualcuno è indispensabile andare all'aperto. Ci si sposta in ambienti diversi: chi al mare, chi in montagna, chi su di un prato... a volte il cammino è alla luce del sole e a volte invece si è guidati dalle stelle. Sono molti i compagni che incontriamo: amici nuovi e di vecchia data, ma anche altri esseri viventi, che siamo abituati a vedere e di cui però può sfuggirci il nome.

A volte si tratta di qualcosa di inanimato, che attira la nostra attenzione perché luccica, è colorato, è strano.

Si diventa esploratori, osservatori, si può anche provare a catalogare e magari a collezionare.

Per molti l'avventura comincia organizzando: materiali, strumenti, piani, mappe... magari poi non servono o chissà, servono in una maniera diversa da come ci si aspettava, ma comunque si è pronti ad ogni evenienza, ci si è preparati proprio a puntino!

Per molti l'avventura arriva dentro casa, rotola fra i cassetti, fruga tra le cianfrusaglie che ognuno tiene stipate e crea, inventa, ridona luce e colore a oggetti dimenticati.

Chiama amici e parenti e che lo spettacolo abbia inizio! Spettacolo da niente, oppure un grande spettacolo, è tutto un vero divertimento, da godere al calduccio, magari proprio mentre fuori scroscia un temporale!

Per molti l'avventura ha il sapore del gioco, da fare in solitaria o con gli amici, si cercano le regole, a volte si cambiano e si inventano, si può anche un po' barare, ma solo un pochino, per gioco...

Per molti l'avventura gioca a nascondino e per scovarla si deve un po' investigare: si usano codici segreti, inchiostri che scompaiono, si parla a distanza anche senza far rumore e si cerca di stanarla questa preda così ben nascosta!

Per molti l'avventura sta racchiusa dentro un libro, dentro questo manuale: ci si perde a sfogliarlo e si vivono mille e mille storie, una per ciascuna delle immagini che troviamo.

Allora, cosa aspetti?
Scegli anche tu e vivi la tua avventura!

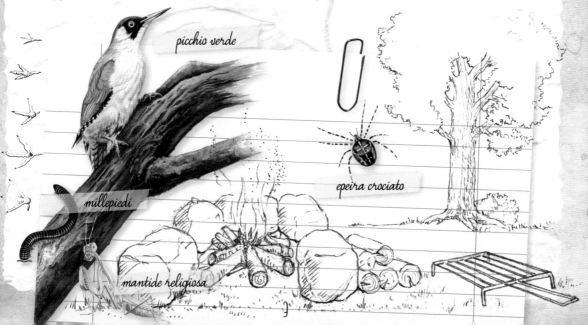

picchio verde

millepiedi

epeira crociato

mantide religiosa

Notes

È una stella,
ma non risplende, cos'è?

La stella marina

granchio

Manuale
dell'ESPLORATORE

pipistrello

cicala

ALLA SCOPERTA DEGLI AMBIENTI
E DELLE LORO CARATTERISTICHE
CON OCCHI FURBETTI
E SENSI ALL'ERTA!

lupo

riccio

MISSIONE NATURA

LE REGOLE D'ORO PER IL PERFETTO ESPLORATORE DELLA NATURA!

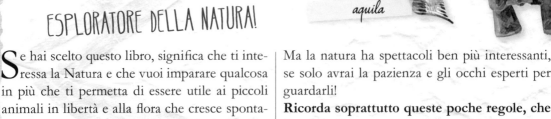

aquila

Se hai scelto questo libro, significa che ti interessa la Natura e che vuoi imparare qualcosa in più che ti permetta di essere utile ai piccoli animali in libertà e alla flora che cresce spontanea. In questo manuale troverai molte indicazioni per riconoscere la fauna più comune nei vari ambienti che potrai esplorare e suggerimenti smart per creare strutture artificiali per ospitarla o contribuire a sfamarla nei momenti di maggiore difficoltà. Troverai anche pratiche schede per osservare con occhio da vero esperto le specie vegetali più diffuse e indicazioni per attivare una loro tutela. **Ma prima di iniziare, è meglio precisare alcune cose.**

Contrariamente a quanto si vede in molte trasmissioni televisive, soprattutto nei cartoni animati, gli animali sono animali, non sono esseri umani. E per loro noi siamo al massimo dei coinquilini del loro territorio o, peggio, dei pericoli e dei predatori. Perciò dimentica le immagini di uccellini che ti svolazzano attorno, di scoiattoli che fanno a gara per farsi vedere da te e altre cose del genere. Non è natura, è solo fantasia!

Ma la natura ha spettacoli ben più interessanti, se solo avrai la pazienza e gli occhi esperti per guardarli!

Ricorda soprattutto queste poche regole, che faranno di te un vero esploratore della Natura:

■ Un animale o una pianta selvatici hanno il diritto di rimanere nel loro habitat, che è il luogo ideale per loro dove vivere ma anche dove morire.

■ In nessun caso devi sentirti autorizzato a tenere piante spontanee o animali selvatici in luoghi diversi da quelli in cui normalmente vivono: sono protetti anche dalle leggi dello stato!

■ Non toccare mai, se non è assolutamente indispensabile per la loro incolumità, animali selvatici. Se lo fai, indossa dei guanti.

In questa maniera non lascerai loro addosso odori estranei che li possono far allontanare dai loro simili e, per gli uccelli, non ungerai le loro penne, rovinandole.

■ Informati dei centri di aiuto più vicini a te. Nel caso succeda tu debba prestare soccorso a qualche animale in difficoltà, potrai rivolgerti a persone ben informate ed esperte.

picchio rosso

BUONA AVVENTURA...

marmotta

Le RADICI

Le radici servono a fissare la pianta al terreno e hanno il compito di succhiare dalla terra l'acqua nella quale sono disciolti i sali minerali necessari al nutrimento (la cosiddetta linfa grezza).

NELLA RADICE SI DISTINGUONO LE SEGUENTI PARTI:

■ **il colletto**, che è la parte di inizio radice che la collega al fusto.

■ La radice **primaria**, che è quella più importante e anche la prima a svilupparsi.

■ Le radici **secondarie**, che sono le radici sviluppatesi in un secondo momento.

■ **L'apice radicale,** che è la parte ultima di ciascuna radice, quella parte che si fa strada attraverso il terreno.

LA RADICE PUÒ ESSERE:

■ **A fittone:** se la radice primaria si sviluppa molto di più delle secondarie.

■ **Fibrosa:** se la radice si presenta sotto forma di filamenti, priva di ramificazioni.

■ **Ramificata:** se la radice principale si ramifica in un certo numero di radici secondarie più o meno uguali.

■ **Fascicolata:** se la radice si sviluppa in parti uguali diramandosi fin dal colletto.

■ **Tuberiforme:** se è ingrossata per la presenza di tessuti di riserva.

■ **Napiforme:** se la radice è molto ingrossata, come nel caso della carota o del rapanello.

■ **Aerea:** se cresce in altezza e fuori dal terreno e ha funzione di aerazione, ad esempio per le piante tropicali.

■ **Avventizia:** se si è sviluppata non dall'apice radicale ma da qualsiasi altra parte della pianta, come ad esempio quella dell'edera che se ne serve per arrampicarsi.

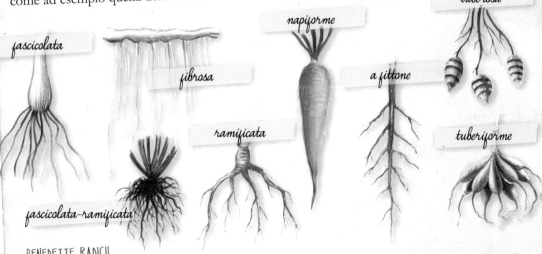

fascicolata · fibrosa · napiforme · tuberosa · ramificata · a fittone · tuberiforme · fascicolata-ramificata

BENEDETTE RADICI!

Le radici sono molto utili non solo alle piante ma anche all'uomo. Alcune come carota, cipolla, rapanelli, patate, zenzero, rafano, sedano rapa, rapa, bietola ecc. altro non sono che radici che noi comunemente mangiamo, preferendole alle altre parti della pianta che non sono altrettanto appetibili. Alcune radici hanno proprietà curative: ortica, tarassaco, liquirizia, ginseng ecc. Di molte altre piante medicinali vengono utilizzate proprio le radici per ottenere gli effetti curativi studiati dalla scienza erboristica. Le radici inoltre hanno la funzione di consolidare il terreno: per questo la presenza di alberi previene il pericolo di frane e smottamenti.

Radici

Gli ALBERI in natura

Gli alberi appartengono al regno vegetale e grazie alla fotosintesi clorofilliana, un'operazione chimica che avviene nelle foglie, sono in grado di produrre da soli le sostanze utili per il loro sviluppo. Un albero può essere suddiviso in varie parti, importanti da osservare per comprendere la sua vita e per riconoscere una specie dall'altra.

Una distinzione importante tra gli alberi è quella tra sempreverdi e a foglie caduche. I sempreverdi sono quelli che non lasciano cadere le foglie durante la stagione invernale o secca. Questo non significa che le loro foglie non muoiono mai, ma si rinnovano non tutte insieme.
Gli alberi a foglie caduche invece perdono tutte le foglie nello stesso periodo, rimanendo spogli.

LE FUNZIONI DELLE PARTI DI UN ALBERO

foglie: fotosintesi clorofilliana

fiore: organo riproduttivo

radici: ancoraggio e assorbimento del nutrimento

chioma

frutt protezio e dispersio dei se

tronco o fust sostegno e traspor della li

Di solito gli alberi a foglie caduche sono latifoglie, ovvero con foglie larghe, di diversa forma. Altri tipi di piante sono invece le aghifoglie, che hanno le foglie ridotte ad aghi. Le aghifoglie sono sempreverdi. L'unica eccezione è il larice!
Un albero si può riconoscere quasi subito, anche da lontano, dal suo profilo: le latifoglie hanno forma ovale o piuttosto arrotondata. Le aghifoglie invece hanno forma piramidale o triangolare. Per questo motivo, appunto perché assomigliano a un cono, vengono anche chiamate conifere.

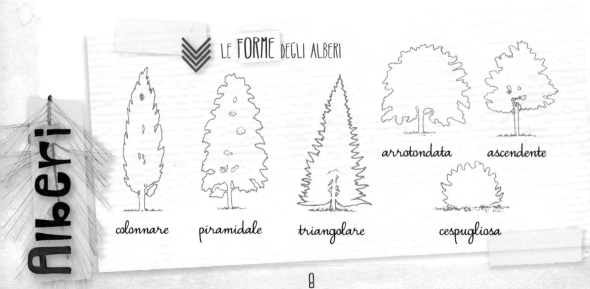

LE FORME DEGLI ALBERI

colonnare — piramidale — triangolare — arrotondata — ascendente — cespugliosa

Alberi

LE FORME DELLE FOGLIE

- aghiforme
- auricolata
- digitata
- ellittica
- lanceolata
- palmata
- sagittata

LA DISPOSIZIONE DELLE FOGLIE

- alternata
- opposta
- opposta incrociata
- verticillata
- paripennata
- imparipennata
- pennata

I MARGINI DELLE FOGLIE

- crenato
- dentato
- intero
- pennato
- seghettato
- sinuoso

Le foglie si distinguono in base alla forma, alla disposizione sul tronco: se nascono da punti del tronco diversi sono alternate, se invece si originano dallo stesso punto sono opposte se due, verticillate se più di due, e, distinzione importante, in base **al loro margine**.

Alberi

QUANTI ANNI HAI???

Riconoscere l'età di un albero è semplice: basta contare gli anelli concentrici che si vedono quando si taglia il tronco. L'albero ne produce uno all'anno. Alcuni sono più larghi, quando la pianta non ha sofferto per clima o siccità, altri più stretti, cresciuti in periodi difficili per l'albero.

Ma se l'albero è vivo? Non dovrai abbatterlo, vero? NO!!! Basta prelevare una minuscola fetta del tronco attraverso un "carotaggio", ovvero un'incisione fatta con uno strumento apposito. Questa operazione deve essere effettuata però solo da botanici esperti e se è davvero necessario. Le ferite indeboliscono l'albero e lo rendono più esposto agli attacchi dei parassiti!

Se non ti serve un conteggio esattissimo, puoi anche misurare la circonferenza del tronco e confrontarla con la larghezza solita per quella specie di albero.

Sezione di un FUSTO

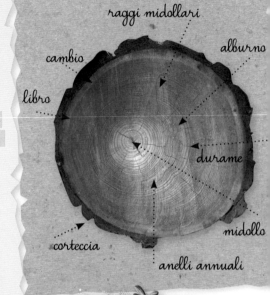

raggi midollari
alburno
cambio
libro
durame
corteccia
midollo
anelli annuali

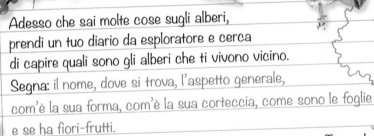

Adesso che sai molte cose sugli alberi, prendi un tuo diario da esploratore e cerca di capire quali sono gli alberi che ti vivono vicino.

Segna: il nome, dove si trova, l'aspetto generale, com'è la sua forma, com'è la sua corteccia, come sono le foglie e se ha fiori-frutti.

Se vuoi anche essere utile, segna se ha parassiti, muffe, se la sua crescita è bloccata da recinzioni, se qualcuno lo ha inciso sulla corteccia o vi ha attaccato cartelli. Poi riferisci al proprietario o alle autorità del territorio i modi idonei per salvaguardarlo. Avrai un albero per amico!

Alberi

Figura 1 (pagina 11)
1: macchia mediterranea; 2: ginepri; 3: agrumi; 4: pini d'Aleppo; 5: pini domestici; 6: olivi; 7: cipressi; 8: sughere o lecci; 9: roverelle; 10: sughere, lecci, roverelle; 11: pini marittimi; 12: ginestre; 13: cerri; 14: faggi; 15: castagni; 16: faggi; 17: abeti; 18: pini neri; 19: ginepri e faggi cespugliosi.

Figura 2 (pagina 11)
1: pioppeto; 2: frutteto; 3: salici; 4: bosco di pianura; 5: boschi di roverella; 6: aceri, carpino, frassino; 7: ginestre; 8: robinie; 9: castagneto; 10: bosco di cerro; 11: faggeto; 12: pino silvestre; 13: faggi e abeti; 14: abete rosso e abete bianco; 15: larici; 16: pini cembri; 17: arbusti di pino mugo, alberi isolati di pino cembro, rododendri e ginepri.

1. ALBERI e ARBUSTI TIPICI DELL'ITALIA COSTIERA e CENTROMERIDIONALE

Gli alberi e l'altitudine

In pianura e nelle zone di bassa montagna crescono in prevalenza **latifoglie**: querce, aceri, castagni, frassini, platani, olmi, noci, lecci ecc. Man mano che si sale a mezza montagna, dai 700-800 metri, le latifoglie sono affiancate da **aghifoglie**: abete rosso, larice, abete bianco, pino silvestre ecc. Oltre i 1400-1500 metri rare saranno le latifoglie (per lo più betulle) e sempre più presenti le aghifoglie. **Salendo sopra i 1800-2000 metri non ci saranno più alberi.** Non resistono a quelle altitudini.

2. ALBERI e ARBUSTI DELL'ITALIA SUBMONTANA, MONTANA e SETTENTRIONALE

Alberi

11

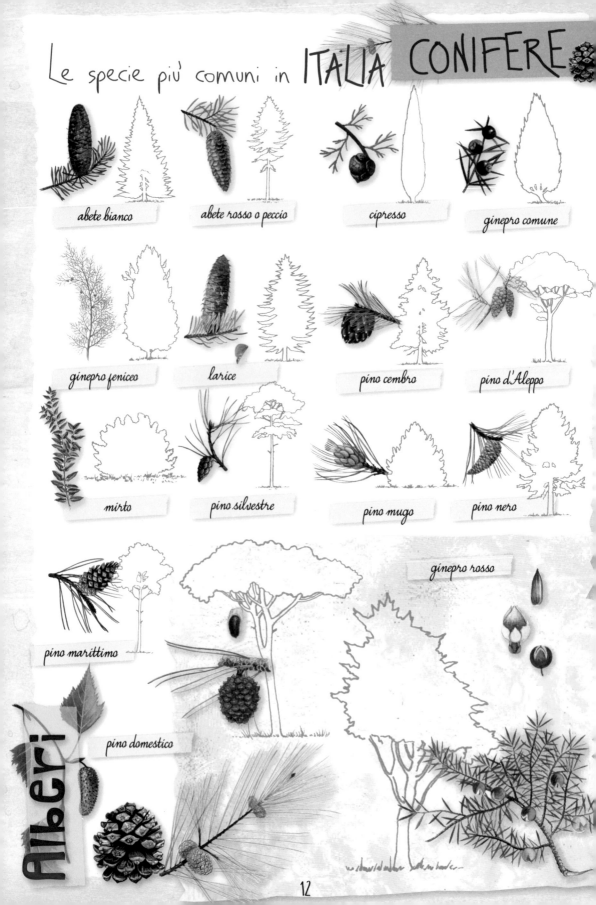

abete bianco

abete rosso o peccio

cipresso

ginepro comune

ginepro feniceo

larice

pino cembro

pino d'Aleppo

mirto

pino silvestre

pino mugo

pino nero

ginepro rosso

pino marittimo

pino domestico

Alberi

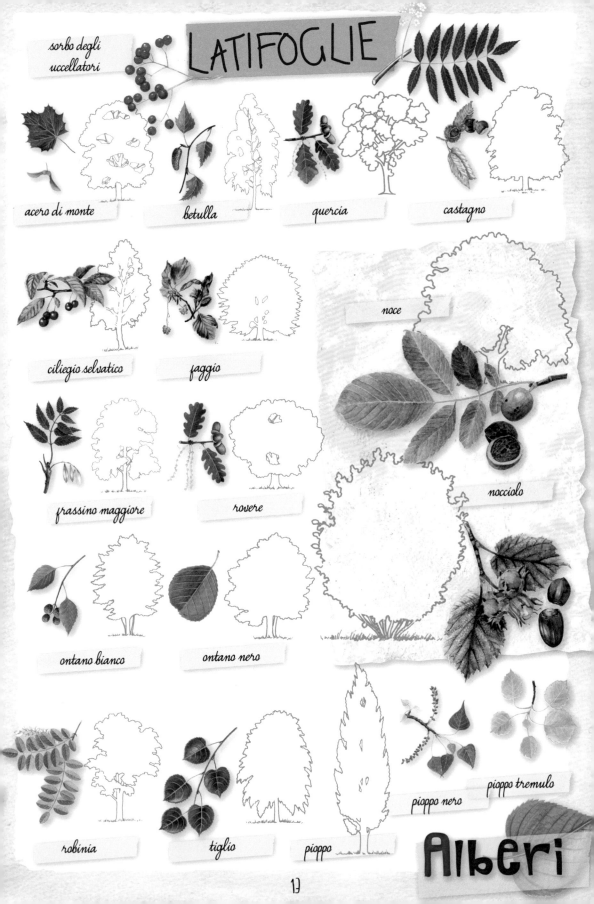

sorbo degli uccellatori

LATIFOGLIE

acero di monte

betulla

quercia

castagno

ciliegio selvatico

faggio

noce

frassino maggiore

rovere

nocciolo

ontano bianco

ontano nero

pioppo tremulo

pioppo nero

robinia

tiglio

pioppo

Alberi

13

La bellezza dei FIORI

A cosa serve il profumo dei fiori?

Ad attirare gli insetti, che per i fiori sono vitali, perché servono come impollinatori. Provvedono cioè a portare il polline dagli stami ai pistilli, permettendo l'incontro tra i semi femminili e l'elemento maschile. Se gli insetti non svolgessero questa funzione, molti fiori e molte piante ormai non esisterebbero più! I fiori hanno ciascuno un proprio odore particolare e hanno proprie abitudini in fatto di profumo: alcuni emettono profumo sempre, alcuni solo di giorno, altri solo di notte.

I fiori del Cactus cereo del Messico, che raggiunge anche i 10 metri di altezza, emettono zaffate di profumo a intervalli regolari, ogni 15-20 minuti, come se avessero un timer incorporato!

"Tre cose ci sono rimaste del paradiso: le stelle, i fiori e i bambini."

Dante Alighieri

Il fiore è una parte molto importante della pianta, perché produce i semi destinati a dare vita a nuove piante.

Le parti della PIANTA

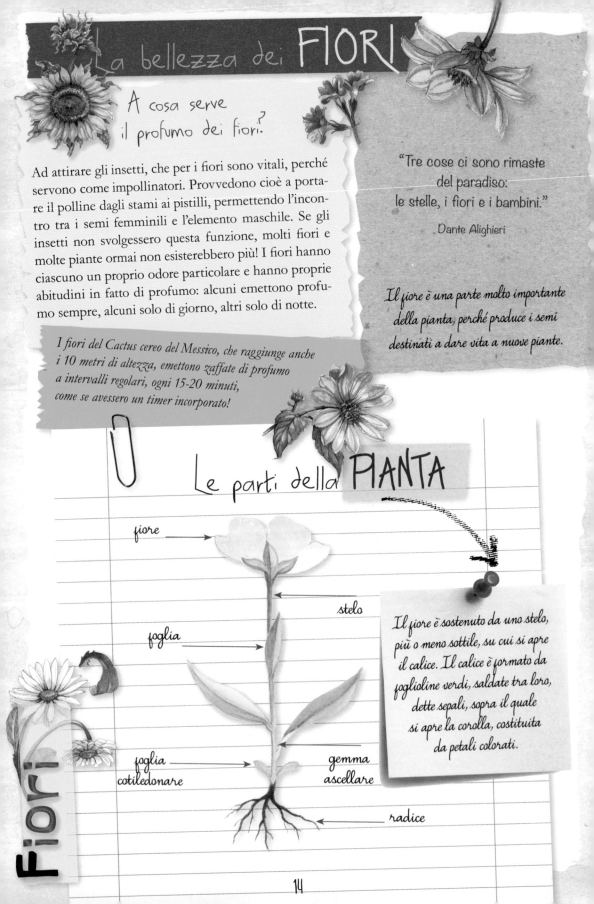

fiore

stelo

foglia

foglia cotiledonare

gemma ascellare

radice

Il fiore è sostenuto da uno stelo, più o meno sottile, su cui si apre il calice. Il calice è formato da foglioline verdi, saldate tra loro, dette sepali, sopra il quale si apre la corolla, costituita da petali colorati.

Fiori

Le forme delle COROLLE

a fauce

labiata

lobata

bilobata

papilionata

ligulata   tubulosa

Non tutti i fiori hanno le corolle disposte nello stesso modo. I petali possono assumere colori, grandezze, forme e disposizioni diversi e sempre bellissimi!

Le forme delle INFIORESCENZE

Spesso i fiori sono uniti in grappoli, chiamate infiorescenze. Le più comuni sono queste:

capolino

ombrella

spiga

pannocchia

ombrella composta

grappolo

Le parti del FIORE

L'interno del fiore presenta il pistillo, che racchiude i semi femminili detti ovuli. Attorno a questo ci sono gli stami, che, giunti a maturazione, portano sopra a dei bottoncini superiori, detti antere, il polline, l'elemento maschile che serve a far riprodurre il fiore.

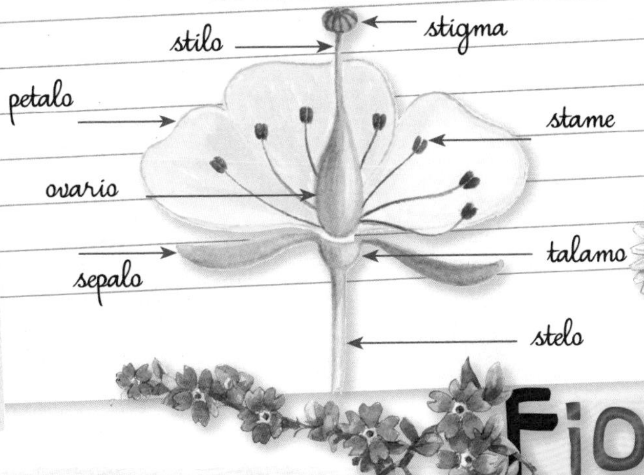

stilo → stigma

petalo

stame

ovario

talamo

sepalo

stelo

Fiori

15

Come fare un ERBARIO

L'erbario è una raccolta di fiori o piante essiccate che ti servirà ad osservarle meglio e a diventare un vero esperto di botanica!

1 . LA RACCOLTA

Un erbario nasce all'aperto, da ciò che osservi mentre sei nella natura. Prendi con te un quaderno dove appuntare le tue impressioni su quanto raccogli. È importante ricordare dove e cosa hai raccolto.

Per la raccolta costruisci una cartella con due pezzi di cartone robusto di 40x25 cm. Puoi ricoprirla con tessuto e munirla di nastri o cinghie per facilitare il trasporto. All'interno metti dei quotidiani vecchi, tra i cui fogli porrai quanto raccolto.

2 . L'ESSICCAZIONE

Una volta arrivato a casa, usa una pressa per essiccare. Non hai una pressa?!? Non ti preoccupare: prendi due strati di cartone o di legno compensato e in mezzo poni i tuoi campioni raccolti ben disposti tra fogli di carta di giornale o di carta assorbente (anche quella da cucina).

Fai attenzione a disporli bene, senza sovrapporli. Poi poni sopra a tutto un bel peso e aspetta qualche giorno.

Erbario

3. LA CATALOGAZIONE »»

Dopo essere stati essiccati, i fiori e le foglie sono sottili e fragili. Maneggiali quindi con cura, magari con una pinzetta. Ora puoi riportare nel tuo erbario le parti raccolte, fissandole con scotch o con spillini, e creare delle schede di questo tipo:

Iris
Iris pseudacorus

Cartamo
Carthamus tinctorius

Nome:

Luogo di raccolta:

Data:

ATTENZIONE:

- Raccogli i campioni a metà giornata, quando non sono più coperti di rugiada.
- Prendi un solo esemplare per specie.
- Scegli i fiori e le foglie migliori, non rovinati e integri.
- Elimina qualsiasi insetto, ragnatela, terriccio.

Erbario

Coda cavallina
o Equiseto
Equisetum arvense

Castagno
Castanea sativa

Rovere
Quercus robur

Trifoglio
dei prati
*Trifolium
pratense*

Girasole
*Helianthus
annuus*

In queste pagine ti abbiamo preparato
un finto erbario perché tu possa esercitarti
sulla raccolta di informazioni
necessarie a schede botaniche complete.
Ma un vero erbario è un'esperienza
ben più entusiasmante!

Nome:

Luogo di raccolta:

Data:

Nome:

Luogo di raccolta:

Data:

Nome:

Luogo di raccolta:

Data:

Ninfea
Nymphaea alba

Papavero o Rosolaccio
Papaver rhoeas

Valeriana
Valeriana officinalis

Frangola
*Rhamnus
frangula*

Ippocastano
*Aesculus
hippocastanum*

Erba Sofia
Descurainia sophia

Malva
Malva silvestris

Olmo
Ulmus campestris

Robinia
Robinia pseudoacacia

Alchemilla
Alchemilla vulgaris

Menta *Mentha*

Eucalipto
Eucalyptus globulus

Agrimonia
Agrimonia eupatoria

Viola
Viola eugeniae

Nontiscordardimé
Myosotis scorpioides

Nome:

Luogo di raccolta:

Data:

Nome:

Luogo di raccolta:

Data:

Nome:

Luogo di raccolta:

Data:

Nome:

Luogo di raccolta:

Data:

Portulaca o Porcellana
Portulaca oleracea

Gelso bianco
Morus alba

Buon Enrico
Chenopodium bonus Henricus

Capelvenere
Adiantum capillus Veneris

Sorbo degli uccellatori
Sorbus aucuparia

Cappero
Capparis spinosa

Frassino
Fraxinus excelsior

I nidi ARTIFICIALI

NIDI APERTI

A CASSETTA, O A TRONCHETTO CHIUSO

Il nido aperto deve essere posto in posizione tale che non si riempia d'acqua se piove di stravento.

I nidi chiusi sono semplici da costruire. La LIPU (Lega per la protezione degli uccelli) ha diffuso le misure ideali a ciascuna specie di uccelli per il nido e per il foro di entrata dello stesso. Sul web ti sarà facile trovarli!

■ Nido a cassetta

Questo nido ha un coperchio apribile e un foro di entrata che deve avere una giusta dimensione a seconda dell'uccellino che vogliamo ospitare: 32-34 mm di diametro per le specie più grandi, 28 mm per quelle più piccole. Le Cince, ad esempio, non entreranno mai in un nido, seppur costruito a regola d'arte, che non sentano sicuro. Non pensare perciò di aiutarle costruendo un grande foro di ingresso perché da questo potrebbero entrare le gazze o altri corvidi e fare razzia di uova o uccidere gli uccellini stessi.

■ Nido a tronchetto

Questo nido viene così chiamato perché spesso viene ricavato da un tronco scavato. Ha forma cilindrica e non squadrata. Non si differenzia però molto dal nido a cassetta, poiché è anch'esso un nido chiuso, con un coperchio e un foro d'ingresso.

■ Nidi aperti

Sono dei nidi che hanno un tetto ma, al posto del foro di entrata, presentano una parte del pannello frontale tagliata, di modo che il nido sia facilmente raggiungibile e altrettanto facilmente possa essere abbandona-

AL RISPARMIO

to dall'uccello. L'uccello non rimarrà all'ombra, ma le fasi di luce/buio dipenderanno dai fattori esterni, quali il tempo atmosferico e la posizione del nido nella vegetazione. Merli, pettirossi e rapaci come barbagianni o civette preferiscono nidi di questo tipo.

▶ Tempi di installazione

Il nido deve essere posto con largo anticipo nel luogo prescelto, per diventare un elemento abituale. Meglio quindi collocarlo in autunno-inverno, anche se le specie normalmente interessate al birdgardening in Italia non nidificano prima della primavera. Non ponete però i nidi troppo in anticipo, per evitare che diventino rifugi per insetti o per piccoli roditori.

uccelli

Se vedete la cincia, a cui avete offerto il vostro nido artificiale, beccettare il foro di ingresso non è perché lo voglia allargare ma è un modo che ha il maschio di questa specie per invitare la femmina a visitare il nido.

Nidiata di cinciarelle nel nido artificiale.

Nidiata di codirossi nel nido artificiale.

Un codirosso, quando è all'erta o nervoso, assume un comportamento che è caratteristico della specie allorché è posata, fa cioè il cosiddetto "inchino". È un uccello che, comunque, si posa per breve tempo, in quanto non sta mai fermo e la sua coda vibra costantemente.

NIDO PER CIVETTA

Deve essere un parallelepipedo lungo almeno 75 centimetri e alto 20 con due fori di entrata successivi, l'uno su un pannello iniziale e l'altro su un pannello più interno, disposti diagonalmente e non allineati tra loro.
Il nido può essere collocato a un'altezza variabile tra i 2 e i 7 metri dal suolo e deve avere un letto all'interno di segatura o paglia.

UCCELLI

21

le MANGIATOIE

Mangiatoie con materiali naturali riciclati

Esistono in commercio abbeveratoi con piccole pompe che permettono agli uccellini di avere acqua sempre fresca con cui abbeverarsi.

Mangiatoia coperta

La protezione, posta a 1,5 metri di altezza, scongiura l'attacco di predatori, come i gatti.

Palo con cono di protezione alle mangiatoie

Le mangiatoie possono essere di diverso materiale. Se di legno, considerate che il legno deve resistere alle intemperie esterne, perciò deve essere trattato con vernici, meglio se atossiche e inodori.

■ Mangiatoia a tramoggia
Sono mangiatoie appese, con una tramoggia, ovvero un cono rovesciato a cui è stato praticato un foro in fondo da cui esce il cibo, depositandosi su di un vassoio o su di una rete. Spesso gli uccelli prendono il cibo, sfilandolo dalla tramoggia, a testa in giù. Rimangono sufficientemente pulite.

■ Mangiatoie scoperte o mangiatoie a vassoio
È il tipo di mangiatoia più semplice da costruire. Si tratta di un ripiano con dei bordi che impediscono la caduta del cibo, ma al contempo con dei fori per lo scolo dell'acqua sui bordi e una leggera inclinazione per eliminare l'acqua piovana. È una mangiatoia da appendere a un balcone o ad un albero con l'uso di una catenella. È la mangiatoia a cui possono attingere tutti i tipi di uccelli, anche piccioni, tortore o

corvidi di grossa taglia, che però scacceranno altre specie più piccole. L'aspetto negativo è che deve essere rifornita molto spesso e soprattutto che gli uccelli, non eliminando la pula dei semi mangiati o potendo defecare sul ripiano, la sporcano facilmente.

■ Mangiatoie coperte
Le mangiatoie coperte dissuadono le specie avicole di maggiori dimensioni, come piccioni, taccole, gazze e tortore e sono le più frequenti per proteggere il cibo offerto dalle intemperie. Se posizionate su di un palo di sostegno, devono essere a una altezza tale da scongiurare l'attacco di gatti o altri predatori. A volte basta che sul palo di sostegno sia posto un tronco di cono o una banda di latta o di plastica a metà; in egual modo la tettoia migliore è quella a cono spiovente.

■ Mangiatoie a rete o a silo
Sono le mangiatoie preferite da cince e da picchi. Sono costituite da reti di plastica o di metallo a maglia non troppo piccola, all'interno delle quali sono disposte le granaglie. La fantasia può poi trasformare dei cartoni del latte o della bottiglie di plastica, a cui siano stati praticati dei fori, in ottime mangiatoie che forniranno cibo gradualmente.

UCCELLI

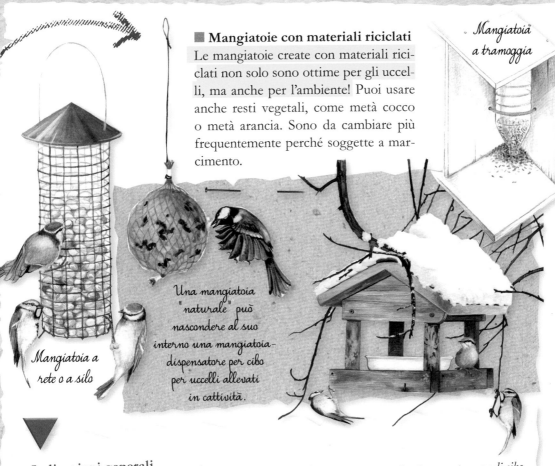

■ Mangiatoie con materiali riciclati

Le mangiatoie create con materiali riciclati non solo sono ottime per gli uccelli, ma anche per l'ambiente! Puoi usare anche resti vegetali, come metà cocco o metà arancia. Sono da cambiare più frequentemente perché soggette a marcimento.

Mangiatoia a tramoggia

Mangiatoia a rete o a silo

Una mangiatoia "naturale" può nascondere al suo interno una mangiatoia-dispensatore per cibo per uccelli allevati in cattività.

Indicazioni generali

- Posiziona le mangiatoie soltanto in inverno, per non disabituare gli uccellini alla ricerca autonoma di cibo nei mesi in cui possono approvvigionarsi da soli.

- Non esagerare col fornire il cibo, per non attirare troppi uccelli in un solo luogo confondendone le zone territoriali e per non rischiare di far ammuffire il cibo messo a disposizione.

- Ricorda di non dare mai cibo salato o piccante che risulta tossico.

- Posiziona le mangiatoie a terra, solo se sei sicuro che non ci siano gatti o altri predatori, oppure a 1,5 m di altezza da terra.

- Riempi le mangiatoie di sera, per far affrontare agli uccellini la nottata con energie sufficienti a scaldarsi, e di mattina, per far sì che affrontino la giornata alla ricerca di cibo in forze.

- Scegli cibi naturali, privi di additivi chimici. Il grasso andrà fornito in piccoli pezzi.

- Cerca di mantenere la mangiatoia libera da feci e pulita; il pericolo più grave è la trasmissione di forme batteriche come la salmonellosi.

- Se scegli di fornire anche acqua, cambiala ogni giorno, per evitare che trasmetta malattie.

- Cerca di porre la mangiatoia al riparo dal vento, soprattutto da quello freddo del Nord, riparata magari dietro un filare di alberi, una siepe, un muretto.

- Una volta che gli uccellini si saranno abituati nei mesi invernali a far conto della presenza della mangiatoia, non puoi toglierla, pena un aumento della mortalità nella popolazione che hai fino a quel momento sfamato.

NUTRIRE gli uccelli

picchio verde

NON BASTA COSTRUIRE UNA MANGIATOIA, BISOGNA ANCHE SAPERE QUALE CIBO DARE AGLI UCCELLINI PER SFAMARLI.

Le specie in genere si dividono in granivore e insettivore.
Le specie granivore sono quelle che si nutrono di semi e hanno un becco più spesso e robusto, come piccioni, passeri, fringuelli e zigoli.
Le specie insettivore invece si nutrono d'insetti quando ce ne sono e di semi teneri d'inverno; hanno becco meno forte, sottile e appuntito e preferiscono fiocchi d'avena, frutta fresca o secca se sgusciata e tritata, grasso.
Per le specie più piccole sarà comunque buon accorgimento spezzare a metà i semi di zucca e tritare la frutta secca.

MERLI Bacche di biancospino, di farinaccio, di sambuco, di sorbo, fiocchi d'avena, frutta fresca, uva passa ma anche briciole di pane dolce e biscotti CINCE Polpa di cocco, semi di canapa, di girasole, di mais, di zucca, frutta secca, cotica, arachidi NON salate CINCIARELLE Frutta fresca TORDI, STORNI E CAPINERE Frutta fresca PETTIROSSI Fiocchi d'avena, frutta fresca, bacche di biancospino, di farinaccio, di sambuco, di sorbo, uva passa FRINGUELLI Semi di canapa, di mais, di girasole PASSERE SCOPAIOLE Uva passa, fiocchi d'avena, bacche di biancospino, di farinaccio, di sambuco, di sorbo PICCHIO MURATORE Arachidi NON salate, frutta secca, semi di girasole, semi di zucca, polpa di cocco VERDONI Semi di canapa, di mais, di girasole CARDELLINI Semi di canapa, di mais

semi di canapa

semi di lino

semi di mais

semi di zucca

semi di avena

semi di miglio

semi di girasole

Come preparare una palla di semi e grasso per gli uccellini

Ingredienti: margarina o strutto, biscotti secchi, arachidi sgusciate e non salate, semi di girasole non salati, uvetta.

Sbriciola i biscotti e sciogli la margarina in un contenitore. Unisci poi i semi e l'uvetta. Se hai qualche avanzo gustoso (briciole di panettone e pandoro, pezzi di crosta di formaggio, ritagli di salumi ecc) inseriscili nel pastone. Usa poi una retina, come quella che contiene gli agrumi, per appendere la palla nutritiva a un ramo.

SEMI DI...

uccelli

il BECCO giusto per...

beccare granaglie

spaccare il cibo

prendere pesci

sondare la melma

filtrare l'acqua

cacciare insetti

frugare nella melma

mangiare carne

le ORME di...

anatra

folaga

fagiano

piccione

passero

gabbiano

oca

gazza

le SAGOME e le ZAMPE

sagoma a collo lungo

sagoma tondeggiante

sagoma allungata

sagoma compatta

sagoma a zampe lunghe

zampe per aggrapparsi

zampe per camminare

zampe per cacciare

zampe per nuotare

zampe per nuotare sott'acqua

zampe per appollaiarsi

zampe per camminare nel fango

zampe per arrampicarsi

le tecniche di VOLO...

volo per decollare dolcemente

volo planato

volo in formazione

volo con coda incavata a "forcola" per la velocità

volo in linea

coda con frecce

volo planato

volo a zig zag

volo in picchiata

volo ondeggiante

UCCelli

25

I PIÙ COMUNI UCCELLI

upupa

fringuello

cuculo

averla capirossa

cannareccione

averla maggiore

cincia dal ciuffo

picchio muratore

gazza ladra

tortora

regolo

piccolo di cincia

cincia bigia

Lo sapevi che?
Il birdwatching è un hobby che consiste nell'osservazione e nello studio dei comportamenti di uccelli liberi nel loro ambiente naturale. È un'attività che può essere svolta in ogni momento, basta avere con sé un buon binocolo e una guida di riferimento.

basettino

cincia mora

BIRDWATCHING

cinciallegra o cincia maggiore

codibugnolo

cinciarella

fiorrancino

uccelli

L'uovo è un meccanismo perfetto che genera una nuova vita.
Esso è costituito da:
- un guscio esterno, che negli uccelli è duro, ma lascia passare l'aria per permettere alla creatura che si forma all'interno di respirare.
- Due membrane testacee che regolano l'accesso dell'aria e proteggono l'interno dell'uovo da una eccessiva evaporazione.
- L'albume, che è un liquido gelatinoso trasparente e che costituisce il nutrimento del pulcino.
- Il tuorlo, dall'aspetto tondeggiante e di colore giallo-arancione. In questa parte si genera l'embrione che poi diventerà pulcino.

averla piccola

scricciolo

capinera

NATI DA ...

capinera

cincia dal ciuffo

pettirosso

cuculo

gheppio

picchio muratore

fringuello

merlo

DIVERSI TIPI DI UOVA

merlo

pettirosso

balestruccio

corvo

picchio rosso

cardellino

passero

martin pescatore

piccione

rondone

picchio verde

rondine

Uccelli

27

Le HEDGEHOG HOUSE:

CASE PER I RICCI

NUTRIRE I RICCI

■ Se prima della fine dell'autunno ti pare che al tuo riccio possa scarseggiare cibo per prepararsi adeguatamente al letargo, gli puoi fornire una dieta ricca di proteine, con cibo per gatti o furetti, tarme del miele e della farina, grilli, piccole quantità di frutta, tuorli d'uovo.

■ Non dare latte bovino ai ricci perché può farli star male.

■ Fa' in modo che il riccio abbia sempre una fonte d'acqua pulita a disposizione.

Il riccio europeo (*Eurinaceus Europeus*) è un mammifero insettivoro. Non è consigliabile tenerlo in cattività ma un buon modo per averlo vicino è quello di ospitarlo nei nostri giardini e nei nostri orti. Questo animale vi aiuterà a liberarvi da insetti molesti ma anche da piccoli roditori e addirittura da serpenti. È lungo una trentina di centimetri, con capo largo e muso piccolo e appuntito. Gli occhi sono piccoli e scuri, le orecchie larghe, corte e arrotondate. Si sostiene su zampe brevi, con lunghe dita munite di robusti artigli. Ha aculei di 2-3 cm di colore grigio con punta biancastra. Di indole poco socievole, esce al crepuscolo e di notte, mentre di giorno si rifugia in tane di paglia e foglie, situate sotto le rocce o i cespugli. Se cade o se si sente in pericolo salta e sfodera gli aculei, appallottolandosi in modo da non lasciare scoperte aree deboli.

■ **Indicazioni di massima per costruire un nido per ricci**

Per costruire un nido per ricci dovrai usare materiali resistenti alle intemperie, come legno rivestito di vernice o di colla vinilica oppure terracotta. La casetta dovrà avere forma cubica con un lato di 30-40 cm minimo. Isolala dal terreno per evitare che il riccio soffra, soprattutto in letargo, dell'umidità. Applica alla casetta un tunnel d'entrata a sezione quadrata di 10x10 cm lungo circa mezzo metro. Applica sul retro della tana un tubo di plastica di aerazione, che sia schermato all'interno da una rete metallica a maglie sottili per evitare l'ingresso di rettili o di altri roditori che disturbino il riccio o in cerca di uova. Prepara una lettiera di terra, foglie e paglia e provvedi con rami e fronde a mascherare il nido. Evita di usare come lettiera quelle per gatti o segatura resinosa che possono dare problemi agli occhi dell'animale.

Ricci

La casa per PIPISTRELLI BAT-BOX

Le ali dei pipistrelli sono totalmente diverse da quelle degli uccelli. Infatti le loro dita sono unite da una membrana cutanea chiamata patagio, che si estende fino ai lati del corpo e agli arti inferiori.

■ Ci sono diverse specie di pipistrelli con diverse esigenze: alcuni vivono in alberi cavi, altri tra le rocce o le crepe dei muri, altri ancora dietro le imposte o nei solai. **La bat-box più semplice da costruire è quella che può sostituire i nidi in alberi vecchi o in cavità di rocce.**

■ Si tratta di un nido a cassetta con entrata molto stretta (3x5 cm) per impedire agli altri uccelli di servirsene o di entrare. L'altezza deve essere di 60 cm e la larghezza di 35 cm o più. L'interno deve essere diviso in camere larghe 2 cm (più grandi possono attirare le vespe) dove si installeranno più individui maschi o una colonia di femmine. Importante è che ci sia una zona di atterraggio sotto il foro d'entrata di 10-15 cm per favorire l'ingresso del pipistrello.

■ Il periodo migliore per posizionarla è l'inizio dell'estate, quando le temperature più alte favoriscono la presenza di insetti. In inverno i pipistrelli si ritirano in letargo in grotte o cavità sotterranee.

■ Dato che i pipistrelli amano vivere in branco, posizionare più cassette allineate può essere un buon metodo per attirare questi animali, ricordando che per la territorialità dei maschi dominanti è meglio disporle ad almeno 5 metri di distanza l'una dall'altra.

■ Ricorda che mai i pipistrelli devono essere catturati e costretti ad abitare la vostra cassetta. **La loro deve essere una libera scelta!**

Nella lingua cinese la parola felicità si pronuncia allo stesso modo di pipistrello. In Cina quindi questo animaletto non è assolutamente associato a qualcosa di negativo, non preannuncia morte, non succhia sangue, non è un vampiro trasformato né un animale del demonio... Anzi, è simbolo di lunga vita e fortuna!

Il pipistrello è un animaletto molto utile che riesce a mangiare fino a 2000 zanzare a notte. Contrariamente agli altri animali volanti che sono uccelli, lui è un Chirottero, quindi un mammifero.

Pipistrelli

Come distinguere BISCIA e VIPERA

La vipera è un serpente ben riconoscibile per la testa triangolare e a punta, il corpo tozzo e la coda che termina più sottile del corpo. Inoltre ha occhi con pupille verticali, simili a quelle dei gatti, mentre le innocue bisce hanno pupille rotonde. Seppure siano serpenti pacifici, che preferiscono scappare di fronte all'uomo, è sempre meglio fare attenzione alla loro possibile presenza. Pensa che in Italia almeno 300 persone all'anno vengono morse da vipere!

CAMBIAMO PELLE

L'accrescimento corporeo, eventuali ferite e, soprattutto, l'usura costituiscono i motivi principali per cui un rettile è costretto a rinnovare lo strato epidermico.
I serpenti cambiano la porzione più esterna della pelle con un unico processo, che avviene più volte all'anno. Normalmente mutano la vecchia pelle in un solo pezzo (soprattutto gli individui in buona salute), che si rivolta come un guanto, a partire dal muso (l'animale praticamente esce dall'apertura boccale).

ATTENZIONE!!!

Cosa fare in caso di morso di vipera?

■ Non bisogna agitarsi. Meglio non correre o fare camminate, ma attendere l'aiuto nel luogo in cui si è stati morsi.

■ Non bisogna agire sul morso con tagli, succhiate, lacci emostatici, contrariamente a quanto spesso viene detto.

■ L'uso del siero è sicuro solo se viene praticato in ambiente ospedaliero, perché può dare luogo a shock anafilattico più pericoloso del morso stesso.

■ Pertanto la cosa migliore da fare è far intervenire personale medico: per fortuna il veleno di vipera, seppure molto doloroso e irritante, non ha effetti letali nell'immediato.

Rettili

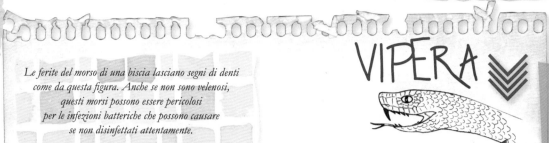

VIPERA

Le ferite del morso di una biscia lasciano segni di denti come da questa figura. Anche se non sono velenosi, questi morsi possono essere pericolosi per le infezioni batteriche che possono causare se non disinfettati attentamente.

La vipera è l'unico serpente velenoso presente in Italia. Si nutre principalmente di lucertole e di roditori. Ad eccezione della Sardegna, vive in tutte le zone d'Italia, preferendo la montagna. In inverno cade in letargo.

Le ferite prodotte da morso di vipera sono caratterizzate da due forellini, prodotti dai denti che hanno il veleno, talvolta seguiti da segni di denti più piccoli.

Le placche della pelle della testa sono grandi e regolari. La testa è un po' affusolata, poco distinta dal collo.

Le placche della pelle della testa sono piccole e irregolari. La testa ha forma triangolare ben distinta dal collo e piatta.

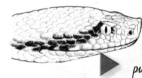

pupilla verticale

Il corpo della biscia è lungo e snello con coda snella.

pupilla tonda

BISCIA

La vipera ha corpo tozzo con coda corta.

Rettili

lucertola adriatica

In Italia sono presenti almeno sette generi di lucertola. Alcune sono proprie solo di piccoli territori isolati, come la Podarcis sicula coerulea, di colorazione nera e azzurra, che vive solo sui Faraglioni di Capri. Le lucertole si nutrono di insetti e di altri artropodi. Viene cacciata da uccelli e serpenti. In inverno va in letargo in tane sotterranee o scavate nei muri.

lucertola campestre

La lucertola, se si sente predata, contrae alcuni muscoli della coda e questa si stacca. Mentre il pezzo finale della coda ancora si contorce e si muove, essa ha tempo di fuggire al predatore che rimane imbrogliato da questo trucco. La lucertola poi può far ricrescere una coda altrettanto lunga e non subisce un danno mortale da questo distacco.

lucertola agile

geco comune

salamandra pezzata

testuggine greca

Rettili

RANE, ROSPI E...

iguana

Le rane non sono le femmine dei rospi! Rane e rospi sono due specie di animali diversi, anche se appartengono entrambi all'ordine degli Anuri e sono anfibi. Questo significa che possono vivere in acqua ma anche fuori dall'acqua. Non hanno coda, o meglio, la perdono dopo una mutazione dallo stadio di girini, quando hanno branchie come pesci e vivono sott'acqua. Hanno grandi zampe posteriori adatte al salto e la lingua può essere estroflessa per catturare insetti, coleotteri, vermi, lombrichi e piccoli vertebrati.

Le iguane non sono animali italiani. Il loro habitat naturale è il Sudamerica. Esistono comunque esemplari che sono stati importati e che vivono in cattività in rettilari. Per tenere un'iguana in casa bisogna essere ben informati ed esperti sull'animale, altrimenti si rischia di farlo soffrire o addirittura morire!

lumache

La chiocciola è un mollusco che striscia sul piede e utilizza la conchiglia come casa, per difendersi da pericoli esterni o da condizioni climatiche sfavorevoli. Il pericolo maggiore per una chiocciola, o lumaca, come viene comunemente chiamata, è la disidratazione. La conchiglia sviluppa il guscio con una crescita a spirale che si arrotola in senso antiorario.

raganella tirrenica

discoglosso dipinto

rana esculenta

rana ridibunda

rana dalmatina

rana verde italiana

rana di stagno italiana

rana toro

ANFIBI E...

Alcuni insetti possono pungere l'uomo. Le zanzare, le pulci, i pidocchi e alcune mosche della famiglia dei Ditteri pungono i vertebrati, tra cui l'uom per ricavarne nutrimento, in particolare sangue. Si chiamano ematofagi, cioè insetti che si nutrono di sangue. Altri insetti, invece, pungono l'uomo per dife Sarà capitato anche a te di doverti guardare dall'atta di un'ape, di una vespa o di un calabrone! Anche le larve di alcuni Lepidotteri, la famiglia a cui appartengono farfalle e falene, hanno peli sul corpo collegati a ghiandole velenifere.

SE PUNGONO...?

ape

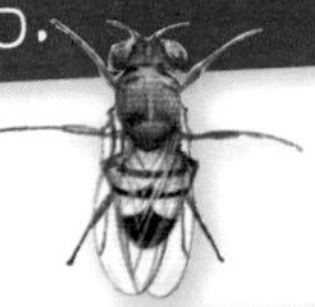

moscerino della frutta

bombo

mosca domestica

calabrone

grillo

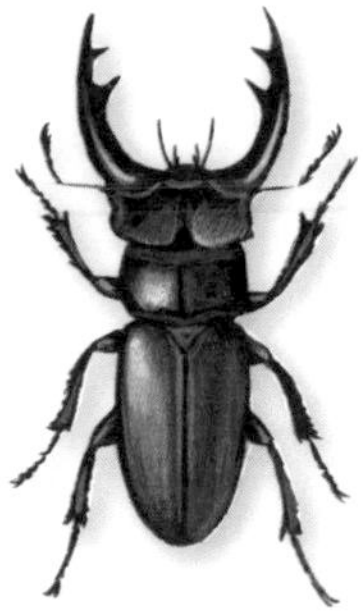

cervo volante

gerride

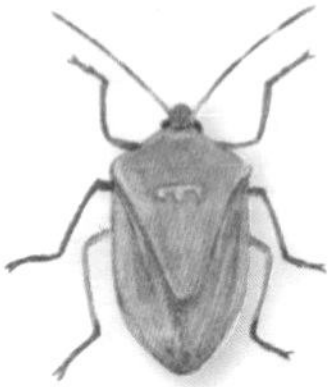

cimice

ragno

coccinella

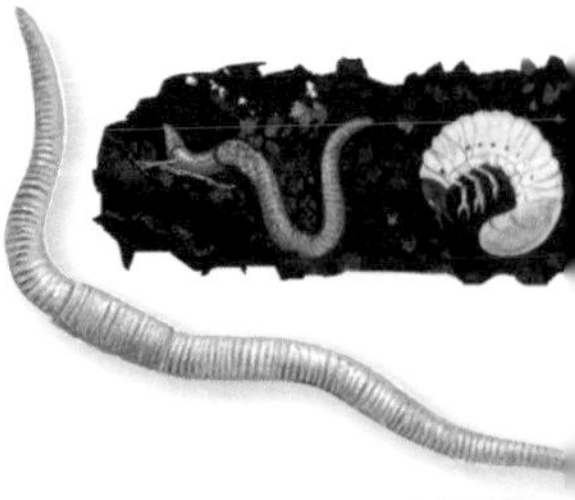

lombrico

Insetti

cicala

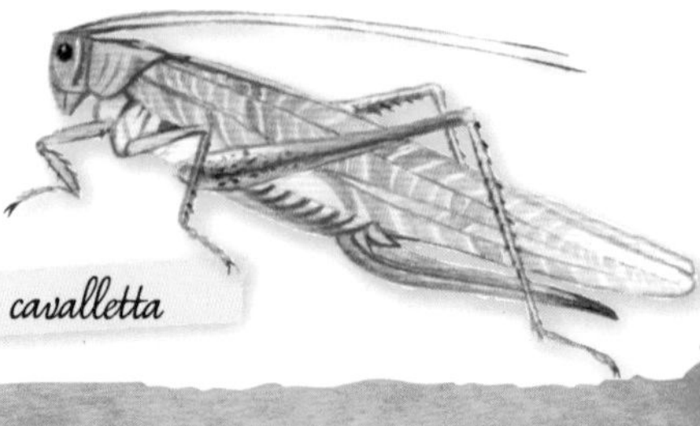

cavalletta

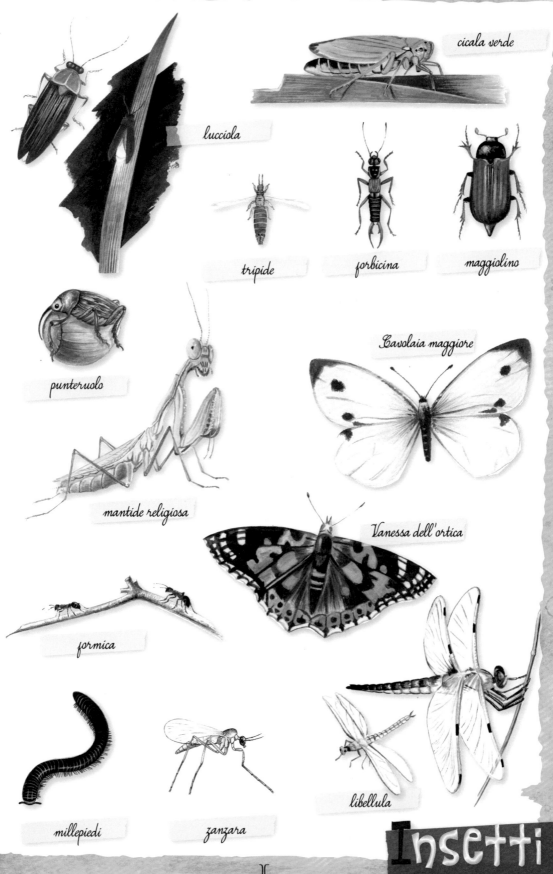

cicala verde

lucciola

tripide

forbicina

maggiolino

punteruolo

Cavolaia maggiore

mantide religiosa

Vanessa dell'ortica

formica

millepiedi

zanzara

libellula

Insetti

35

Come costruire un FORMICAIO

DIMENSIONI

■ Un terrario per formiche è una scatola di vetro o di plexiglas delle dimensioni, ad esempio, di 30x15x20 centimetri ma anche più grande.

■ Si può usare anche un acquario in disuso, l'importante è che venga dotato di un coperchio in plastica con i bordi aderenti alle pareti e dei piccoli fori di aerazione che però impediscano la fuoriuscita delle nostre ospiti.

■ Si può anche optare per una retina a maglie molto sottili da applicare in cima.

Le formiche si nutrono differentemente a seconda della specie: quelle granivore saranno contente di qualche seme o di fiocchi di cereali, quelle carnivore di qualche larva.

NUTRIMENTO

LO SAPEVI CHE?

Una formica rossa di media è lunga 5 millimetri. La formica testa rossa, con corpo nero, ha dimensioni che vanno dai 3 ai 4 millimetri.

ALLESTIMENTO

Il terrario va riempito di terriccio fine fino a 5 centimetri dal bordo. La terra deve essere mantenuta leggermente umida e andrà spruzzata d'acqua con un vaporizzatore se diventa troppo secca.

■ Il formicaio va posto in un luogo tranquillo e poco illuminato.

■ Puoi oscurare tre dei lati esterni del formicaio con del cartoncino nero, in modo da indurre le formiche a scavare gallerie verso il lato rimasto in luce: sarà interessante osservarle al lavoro o vedere l'organizzazione dei loro cunicoli.

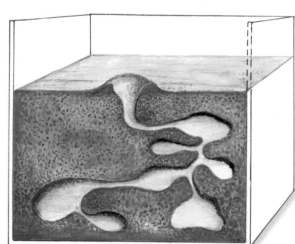

Insetti

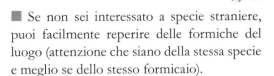

REPERIMENTO DELLE FORMICHE

■ Se non sei interessato a specie straniere, puoi facilmente reperire delle formiche del luogo (attenzione che siano della stessa specie e meglio se dello stesso formicaio).

■ Ma un formicaio non è un formicaio senza una formica regina. Per procurartela dovrai allora attendere la creazione del tuo formicaio in una sera di inizio estate o di fine agosto quando dai formicai escono delle formiche con le ali: alcuni sono maschi, che dopo l'accoppiamento muoiono, altre sono femmine che, dopo l'accoppiamento perdono le ali e diventano regine.

Poni alcune di loro in un barattolo grande e attendi che si sveli quale sia la femmina che diverrà regina. Con 4-5 operaie e una regina puoi già cominciare a formare il tuo formicaio. Non cedere alla tentazione di porne troppe, anzi, regolarmente dovrai liberare alcune operaie, altrimenti il formicaio collasserebbe per l'eccessiva popolazione in uno spazio ristretto.

■ Quando apri il terrario per nutrire le formiche o per pulirlo, evita di rimanere in casa: scegli il giardino o un terrazzo, così se ci sarà qualche fuga, non sarà in giro per casa.

Caccia alle ZANZARE

Le zanzare hanno un olfatto, ahimé, finissimo. Ci sono alcuni odori però che le disturbano e che possiamo utilizzare per tenerle distanti: la Menta poleggio e la Lippia citriodora o cedrina - non quelli che si usano in cucina, ma varietà dove gli oli essenziali sono particolarmente concentrati - oltre ad altre erbe aromatiche, come basilico, rosmarino, citronella, verbena, chiodi di garofano e piante come il geranio, hanno nei loro oli essenziali profumi sgraditi a questo insetto. Se mangi aglio o cipolla, la tua pelle e il tuo sudore emetteranno odori che risultano sgradevoli alle zanzare.

Fai attenzione a non risultare... sgradevole anche a qualcun altro!

Anche fare il pieno di vitamina C pare allontani questi insetti.

Inoltre, le zanzare, non si sa bene per quale motivo, non sopportano la luce di colore giallo!

C'ero vicino... La prossima volta la prendo!

SCIAFF

Insetti

37

IMPRONTE e riconoscimento degli animali

Può capitare, se sei un bravo esploratore della natura, che alcuni animali, che difficilmente riuscirai a vedere allo stato naturale, lascino comunque traccia del loro passaggio attraverso impronte, penne, ciuffi di pelo, uova rotte ecc.

Innanzitutto devi essere molto bravo ad accorgerti di questi indizi. Se decidi di raccoglierli, cerca di tenerli in un luogo dove non si rovinino, perché sono a volte piuttosto fragili. Quelli che non si possono raccogliere, si possono comunque fotografare.

Ma sarai bravissimo se, dopo averli raccolti, saprai anche identificarli, attribuendoli all'animale che li ha lasciati. Per questo ti forniamo una piccola guida di riconoscimento che sicuramente ti sarà utile!

volpe

Per andare a CACCIA di ORME:

■ Ricorda che molti animali selvatici hanno abitudini notturne, quindi meglio andare in cerca di loro tracce alle prime ore del mattino.

■ Cerca di battere sentieri poco frequentati, senza andare a cacciarti nei guai! Molti altri potrebbero essere sul tuo stesso cammino, senza però fare attenzione a dove mettono i piedi!

■ Le giornate umide, dopo un temporale, sono le migliori per trovare orme. Il terreno, infatti, ha maggiore possibilità di conservare tracce.

Impronte

lupo

scoiattolo

cane

mucca

camoscio

tasso

capriolo

orso

capra

cervo

cinghiale

pecora

lepre

gatto

topo

Impronte

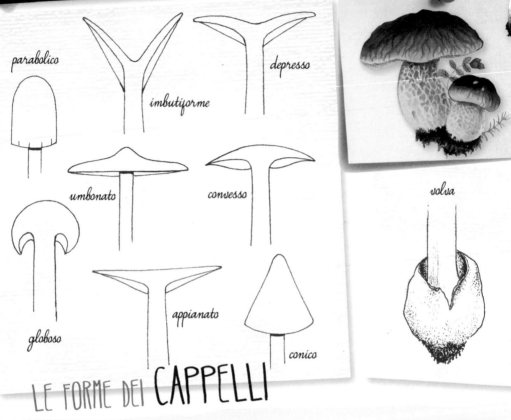

parabolico

imbutiforme

depresso

umbonato

convesso

volva

globoso

appianato

conico

LE FORME DEI CAPPELLI

▼ Morfologia e riconoscimento ▼

Per imparare a conoscere i funghi è essenziale una cosa: saperli osservare. Questa affermazione, anche se sembra ovvia, ci farà capire quanto sia importante porre attenzione ai minimi particolari, cosa che normalmente viene trascurata dai raccoglitori di funghi, i quali si basano sull'aspetto generale e sul colore. Il fungo va osservato invece in tutti i suoi particolari, dal cappello alla base del gambo - anche se spesso è interrato - perché a volte quest'ultimo può essere l'unico dato che ci potrà dire di quale genere o specie si tratta.

Osserva bene le tavole in queste pagine, per capire di che forma sono il cappello e il gambo e come sono disposte le lamelle.

I funghi non sono animali e non sono vegetali, ma costituiscono un mondo a parte, anche se hanno tratti comuni con i precedenti due. Come alcune piante, infatti, sono tallofiti, cioè assomigliano a quel genere di vegetali che non hanno un corpo differenziato realmente in vere radici, foglie, fusto, fiori e frutti.

I funghi non contengono però clorofilla, perciò non possono compiere la fotosintesi clorofilliana. Per vivere, devono farlo a spese di altri organismi, dai quali ricavano la sostanza organica. Per questo possono vivere anche in assenza di luce, in zone del sottobosco completamente buie, ma dove ci sono piante o animali morti in decomposizione.

Funghi

A SECONDA DI COME SI NUTRONO SI DISTINGUONO IN:

■ **saprofiti**: traggono zuccheri con cui alimentarsi da materie morte e contribuiscono a distruggere i rifiuti organici.

■ **parassiti**: sono le muffe che danneggiano le piante e, a lungo andare, ne provocano la morte.

■ **simbionti**: vivono in collaborazione con le piante. Infatti il fungo nel terreno succhia gli zuccheri e le sostanze tanniche che le piante fanno pervenire alle radici come prodotto della fotosintesi ma in cambio cede agli alberi sali minerali utili alla crescita della pianta stessa.

● Ci sono alcuni funghi che possono causare patologie nell'uomo, negli animali e nelle piante. Alcuni di questi non sono visibili a occhio nudo! Quando si viene attaccati da questi esseri, si parla di micosi. Essi producono infezioni in diverse parti del corpo e spesso devono essere combattuti con una cura antibiotica. Nelle piante possono portare a marciume, ad esempio, le radici.

● L'uomo ha ricavato dai funghi molte sostanze utili, alcune delle quali sono impiegate in farmacia: costituiscono antimicrobici e antibiotici.

I funghi sono stati anche utilizzati per la lotta biologica, per eliminare inquinanti chimici pericolosi.

● Molto spesso i funghi crescono in cerchio, perché gettano le loro spore nel raggio attorno al proprio cappello rotondo. Un tempo, in cui non si conosceva l'origine dei funghi e non si immaginava potesse esserci questo meccanismo di riproduzione, gli uomini credevano che i funghi fossero piante magiche, cresciute attorno a streghe o fate, oppure cresciute attorno ai loro balli. Per questo era proibito andare al centro di un cerchio di funghi perché si diceva che, con il loro potere magico, potessero impossessarsi del malcapitato e trasportarlo in un mondo magico!

BOLETACEAE

tubuli

reticolo

pori

LE FORME DELLE LAMELLE

forcate

anastomosate

Osserva la parte inferiore del cappello (imenoforo): qui troverai le lamelle, che possono essere più o meno vicine le une alle altre, essere intercalate da altre più piccole, o presentare delle deformazioni che caratterizzano alcune specie assumendo i termini riportati nella figura a fianco. Le lamelle sono fondamentali per la sopravvivenza della specie perché sono rivestite di un apparato che contiene milioni di cellule riproduttrici dette spore. Una volta che queste sono mature, si staccano dalle lamelle e cadono sul terreno. Sarà poi il vento a diffonderle nei dintorni consentendo la nascita di nuovi funghi.

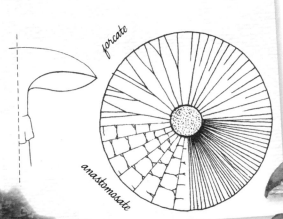

Funghi

La crescita e la riproduzione dei funghi

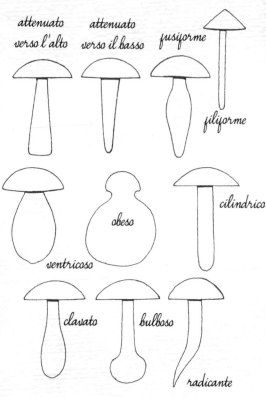

attenuato verso l'alto

attenuato verso il basso

fusiforme

filiforme

cilindrico

obeso

ventricoso

clavato

bulboso

radicante

I funghi sono noti per crescere quasi miracolosamente da un giorno all'altro, spuntando dal terreno. In realtà sotto il terreno le spore di funghi precedenti hanno germinato, dando vita al micelio.

Il micelio, se trova le condizioni favorevoli, dà vita a un giovane fungo, che apparirà sviluppandosi in poche ore della notte o, in alcune specie, nel giro di alcuni giorni.

La spora è l'elemento riproduttivo del fungo. Capire il colore, la dimensione, la forma permette la classificazione del fungo.

sporata

carpoforo

miceli primari

micelio secondario

La RACCOLTA

responsabile dei funghi

La raccolta dei funghi è un'operazione delicata e deve essere tenuto un comportamento corretto e responsabile.

■ Informati se servono permessi e se ci sono giornate e orari precisi per la raccolta.

■ Innanzitutto devi porre i funghi in un cestino, per permettere la caduta delle spore che riprodurranno altri funghi.

■ Non strappare il fungo, ma staccalo dalla base con l'aiuto di un coltellino, senza smuovere il terreno attorno per non danneggiare il micelio.

■ Rimuovi totalmente le specie che non conosci, dissotterrando il gambo per permettere una precisa identificazione.

■ Metti le specie che non conosci a distanza da quelle che si possono consumare. Se fossero velenose, anche il solo contatto con i funghi commestibili potrebbe rendere tutto il tuo raccolto velenoso.

■ Affidati a un esperto micologo per il riconoscimento dei funghi prima di consumarli.

ovulo

champignon

piopparello

porcino

mazza da tamburo

finferlo

finferla

chiodini

brisa

Funghi

ROCCE e MINERALI

Gli scienziati che studiano le rocce si chiamano geologi. Essi distinguono innanzitutto le rocce tra sedimentarie, magmatiche e metamorfiche.

■ Le rocce sedimentarie

sono quelle che si formano per erosione, con l'azione dell'acqua o del vento. I materiali erosi, di diverse dimensioni, si trasformano in rocce grazie alle forze di consolidamento che agiscono sulla crosta terrestre. Le rocce sedimentarie più frequenti sono i calcari, le argille, le arenarie, il carbone e il petrolio. Spesso queste rocce contengono fossili.

■ Le rocce magmatiche

sono quelle createsi con la fuoriuscita del magma dalle profondità della Terra. Sono vulcaniche o effusive quelle formatesi in superficie con il raffreddamento rapido della lava e plutoniche o intrusive quelle prodotte con il raffreddamento lento del magma in profondità.

■ Le rocce metamorfiche

sono quelle che si sono trasformate perché sono state inghiottite nelle profondità della crosta terrestre, in seguito a movimenti di corrugamento. Le variazioni di temperatura e pressione che subiscono le riorganizzano. Compaiono quando l'erosione scava la crosta terrestre fino a farle riaffiorare.

LE ROCCE, QUANDO SONO ATTRAVERSATE DALLA LUCE, POSSONO COMPORTARSI IN DIVERSE MANIERE:

■ alcune riflettono la luce come fanno i metalli. Hanno una lucentezza metallica.

■ alcune assomigliano al vetro. Hanno una lucentezza vitrea.

■ alcune sembrano delle conchiglie di madreperla. Hanno lucentezza madreperlacea.

■ alcune non riflettono molto la luce e sembrano terrose. Non hanno lucentezza.

Molti minerali appaiono colorati. Il loro colore dipende dal fatto che vengono colpiti da un fascio di luce bianca e riflettono, cioè non assorbono e fanno tornare indietro, un determinato gruppo di raggi di luce.

I minerali hanno moltissimi colori, alcuni chiari, altri scuri. Anche se il colore è una loro caratteristica importante, non sempre è un indizio sicuro per identificarli. Infatti ci possono essere anche delle impurità che contribuiscono a far riflettere al minerale un fascio di luce diverso da quello che normalmente rifletterebbe se fosse puro. Il quarzo, ad esempio, è uno dei minerali che muta molto facilmente il colore: il quarzo ametista è viola, il quarzo citrino è giallo, il quarzo morione è nero...

Uno dei modi per identificare il colore reale di un minerale è quello di sfregarlo su una mattonella. La striscia che lascia non sempre ha il colore del metallo che abbiamo in mano!

Rocce e...

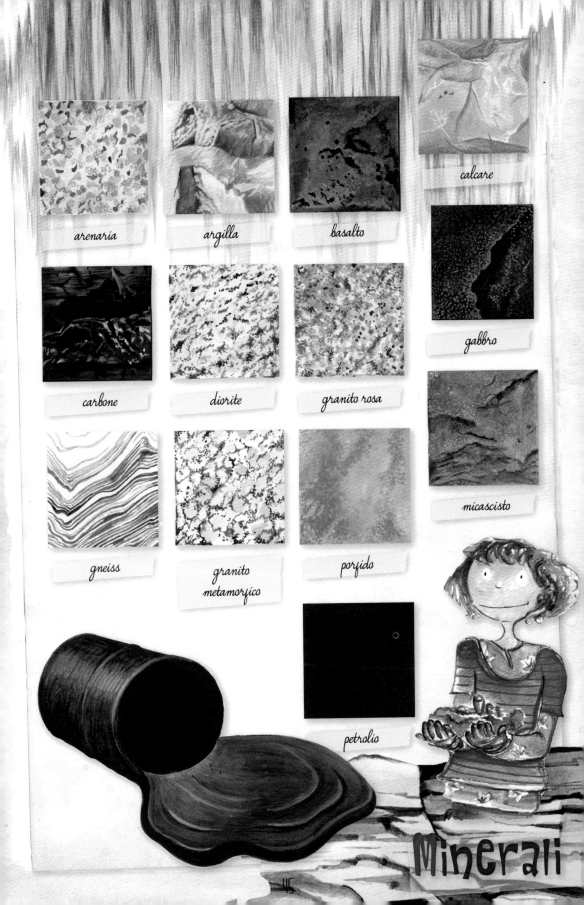

arenaria

argilla

basalto

calcare

carbone

diorite

granito rosa

gabbro

gneiss

granito
metamorfico

porfido

micascisto

petrolio

Minerali

115

Le meduse sono animali bellissimi ma possono essere anche molto pericolosi! Se anche in Italia non esistono specie mortali per l'uomo, possono comunque essere davvero urticanti.

Se quindi vedi che in acqua ci sono delle meduse, il modo migliore per evitarle è non entrare in acqua! Infatti questi animali si spostano verticalmente e sono mosse dalle correnti, perciò siamo noi che andiamo loro addosso, non loro che si aggrappano a noi. A volte non vediamo i loro tentacoli. La Pelagia ha tentacoli che raggiungono i 10 metri, la Physalia anche i 20!

COSA FARE SE SI VIENE PUNTI DA UNA MEDUSA?

Esci subito dall'acqua e mantieni la calma, quindi chiama aiuto e nel frattempo sciacqua la ferita con acqua di mare. Non usare acqua dolce, che potrebbe far disperdere ancora parte del veleno non penetrato.

Quindi puoi applicare una crema al cloruro d'alluminio che trovi in farmacia. Per evitare che rimanga la cicatrice, non esporre la parte colpita al sole fintantoché non è completamente guarita.

chrysaora

MEDUSE E RIMEDI

medusa Aurelia

Se ti capita di arrivare in spiaggia in un momento di bassa marea, ti accorgerai di come questo limitato spazio tra terra e mare sia popolato di tante e diverse specie viventi. E anche se, a prima vista, non vedi nessuna forma di vita, osservando con una lente di ingrandimento o con un microscopio questo terreno, vedrai quante sorprese ti riserva!

■ Le mareee sono oscillazioni periodiche del mare dovute alle forze di attrazione della Luna e del Sole. Due volte al giorno c'è un innalzamento del livello marino detto alta marea e due volte al giorno un abbassamento del livello marino detto bassa marea. L'innalzamento si chiama flusso, l'abbassamento riflusso. Flussi e riflussi possono dare origine a vere e proprie correnti di marea che cambiano senso ogni 6 ore.

Bellezze...

L'ambiente litoraneo è molto difficile da abitare, a causa delle modifiche continue del territorio, dell'erosione operata dall'acqua e dalla sabbia, della disidratazione. L'ossigeno invece è abbondante, fornito dal movimento delle onde.

LA FAUNA

■ Forme viventi di scogliera:

- **la fauna sopramarina**, quella soprastante il livello dell'alta marea;

- **la fauna tra l'alta e la bassa marea**, come il "pomodoro di mare" (*Actinia equina*) che apre la corona dei suoi tentacoli nei periodi di emersione e li richiude in quelli di sommersione.

- **la fauna di scogliera sommersa**, che vive in una ricca vegetazione di alghe, come il granchio Maia verrucosa, che si attacca alle alghe con degli uncini che ha sul dorso.

■ **La fauna dei fondi detritici**, isolati o cementati da alghe incrostanti, come la stella di mare *Astropecten aurantiacus*.

■ Forme viventi di spiaggia, molto più numerose.

■ Fauna di fondali arenosi, come gamberetti delle sabbie (*Crangon*), seppiole, granchi ecc.

■ Fauna di praterie sottomarine, costituite da sabbia, melma e piante marine come la Posidonia e la Zostera. Qui troviamo i simpatici cavallucci marini (*Hippocampus*) e i pesci-ago (*Sygnathus*) ma anche molluschi in conchiglia.

TIPI DA... SPIAGGIA

Per essere un completo esploratore, ti serviranno pochi strumenti che ti permetteranno di catturare quanto desideri osservare. Ricordati sempre di rispettare ogni forma vivente che osservi, senza farla soffrire inutilmente e restituendola alla libertà una volta che l'avrai ben catalogata!

Taverna del Pirata

PALETTA

COLTELLINO MULTIUSO

LENTE D'INGRANDIMENTO

PILA

RETINO

... al mare

Conchiglie

Le conchiglie sono rivestimenti rigidi e duri che ricoprono e proteggono il corpo molle e senza scheletro dei molluschi. Quelle che trovi sulla spiaggia sono, per lo più, gusci residui e i molluschi sono morti o assenti. Le conchiglie sono diversissime tra loro: crescono con l'animale attraverso delle linee di accrescimento dette scie. Un particolare tipo di conchiglia è quella dei bivalvi, costituita da due valve tenute chiuse da muscoli adduttori, che si articolano attraverso una cerniera dorsale.

Lo sapevi che?

Le conchiglie sono create dal mollusco con strati successivi di calcite, una sostanza minerale che viene prodotta dalle ghiandole della regione posteriore dell'animale. La calcite si lega alle fibre di aragonite per formare la conchiolina. I colori delle conchiglie derivano da vari pigmenti, alcuni dati dalla dieta dell'animale, altri tipici della secrezione prodotta dalla specie. Alcune iridescenze, invece, dipendono da come la luce passa attraverso gli strati di calcite e aragonite che formano il guscio.

conchiglia patella

I ricci di mare sono animali molto diffusi nel mar Mediterraneo.
In tutto il mondo ce ne sono circa 950 specie, alcune delle quali
raggiungono i 5000 metri di profondità.
Essi hanno uno scheletro di protezione
a cui sono fissati aculei piuttosto lunghi e duri.
La bocca si trova nella parte inferiore, a contatto con la sabbia.
La parte superiore invece presenta un foro
da cui escono le scorie che l'organismo produce.

riccio di mare

le conchiglie

acteon eloisae

aporrhais pespelecani

conus cedonulli

cypraea tigris

epitonium scalare

gibbula magus

lambis millepeda

mactra corallina

mitra papalis

murex trunculus

murex brandaris

I colori hanno una loro vita propria, si trovano anche nella parte interna delle conchiglie assopite nelle profondità marine - è un indizio di feste segrete; grazie a una scoperta fortunata potremmo parteciparvi anche noi.
ERNST JÜNGER

pecten jacobaeus

rudicardium tuberculatum

NEI MARI E... OCEANI

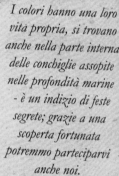

Lo sapevi che?
Esistono ben 130 mila specie di conchiglie in tutto il mondo, di tutte le forme e dimensioni. Ci sono quelle adatte a resistere ai frangenti (quelle lisce, quelle più forti contro la risacca (quelle che si ancorano agli scogli) e quelle che sono più resistenti ai predatori (ad esempio quelle acuminate).

turritella communis

oliva bulbosa

le conchiglie

STELLA DI MARE

La stella di mare ha cinque braccia che si diramano da un corpo centrale. Ce ne sono alcune che possono avere anche 10-15 braccia! Vivono in ogni genere di mare, ma in quelli tropicali trovi le forme più grandi e appariscenti. Quelle del mar Mediterraneo sono comunque affascinanti! Passano tutto il giorno in cerca di cibo: piccoli crostacei e molluschi, tra cui ricci e cozze. La stella marina, infatti, riesce con le sue forti braccia ad aprire le conchiglie più resistenti e a cibarsi del mollusco che vive all'interno.

Il **Porcellino degli scogli** (*Ligia italica*) si nutre dei detriti che trova durante i suoi spostamenti sugli scogli. Sebbene tenda a rimanere al di sopra del livello del mare, sugli scogli, dove si muove rapidamente, può sopravvivere anche se sommerso. Respira infatti con le branchie. È un buon nuotatore.

porcellino degli scogli

I crostacei sono animali prevalentemente acquatici caratterizzati da due paia di antenne sul capo e dalla presenza di alcune appendici che si aprono con due "dita". Spesso hanno addome e capo fusi insieme in un carapace (come i granchi).

■ Colonizzatori frequenti del bagnasciuga sono i talitridi, che, grazie ai balzi che riescono a compiere, se disturbati, tra i detriti lasciati dai flutti nella sabbia, si sono aggiudicati il suggestivo nome di "pulci di mare".

pesce ago

granchio da spiaggia

Crostacei ❯❯

gamberetto rosa

Il granchio ha 10 zampe, 5 per ogni lato. La prima coppia di zampe, dette chele, serve come arma di difesa. Nell'esemplare maschio sotto l'addome c'è solo un paio di zampe, mentre nell'esemplare femmina ve ne sono due, che servono a sostenere le uova durante il periodo della deposizione. Tra i granchi, è famoso il granchio corridore, che può rifugiarsi tra gli scogli a velocità sorprendente! L'andatura migliore per un granchio è la camminata laterale, a causa della posizione delle zampe. Ogni tanto questi esserini ruotano di 180° per invertire il ruolo delle zampe che tirano e di quelle che spingono. Molte specie possono vivere in simbiosi con coralli duri e molli, echinodermi e spugne. Sono spesso animali notturni perché i loro predatori più temuti, i pesci, dormono. Nelle ore di buio cercano cibo, animali marini, alghe e piante o carcasse, a seconda della specie.

Bellezze...

paguro

astice

gambero porcellana

Alghe, molluschi

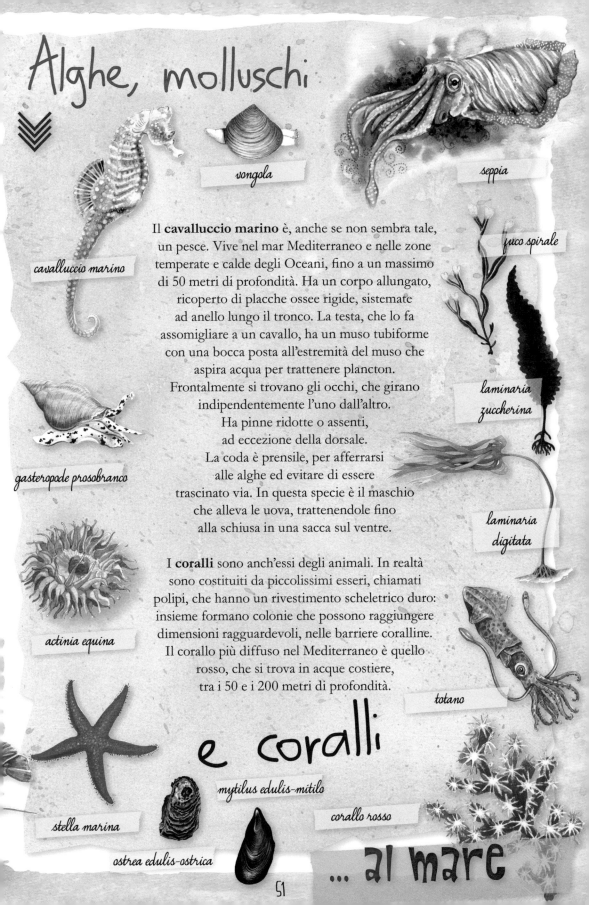

cavalluccio marino

vongola

seppia

fuco spirale

Il **cavalluccio marino** è, anche se non sembra tale, un pesce. Vive nel mar Mediterraneo e nelle zone temperate e calde degli Oceani, fino a un massimo di 50 metri di profondità. Ha un corpo allungato, ricoperto di placche ossee rigide, sistemate ad anello lungo il tronco. La testa, che lo fa assomigliare a un cavallo, ha un muso tubiforme con una bocca posta all'estremità del muso che aspira acqua per trattenere plancton. Frontalmente si trovano gli occhi, che girano indipendentemente l'uno dall'altro. Ha pinne ridotte o assenti, ad eccezione della dorsale. La coda è prensile, per afferrarsi alle alghe ed evitare di essere trascinato via. In questa specie è il maschio che alleva le uova, trattenendole fino alla schiusa in una sacca sul ventre.

laminaria zuccherina

gasteropode prosobranco

laminaria digitata

I **coralli** sono anch'essi degli animali. In realtà sono costituiti da piccolissimi esseri, chiamati polipi, che hanno un rivestimento scheletrico duro: insieme formano colonie che possono raggiungere dimensioni ragguardevoli, nelle barriere coralline. Il corallo più diffuso nel Mediterraneo è quello rosso, che si trova in acque costiere, tra i 50 e i 200 metri di profondità.

actinia equina

totano

e coralli

stella marina

mytilus edulis-mitilo

corallo rosso

ostrea edulis-ostrica

... al mare

51

gabbiano tridattilo

sula bassana

fratercula arctica
o pulcinella di mare

haematopus ostralegus

gabbiano reale

volpoca tadorna

ardea cinerea

phalacrocorax carbo

gabbiano comune

sterna comune

IN VOLO SUI MARI...

Il gabbiano comune ha una lunghezza dai 38 ai 44 centimetri e un'apertura alare dai 98 ai 105 centimetri. La velocità di volo è di circa 10 metri al secondo. Nidifica a terra, in ambienti umidi come scogliere, paludi, canneti. Anche se considerato uccello marino, raramente si spinge al largo delle coste.

Il gabbiano reale raggiunge i 52-58 centimetri con una apertura alare di 120-140 centimetri. Ha un becco giallo massiccio con una macchia rossa nella mandibola inferiore e zampe gialle dai piedi palmati. Vive normalmente lungo le coste ma, dato che si nutre, oltre che di pesci, anche di ratti e di resti di alimentazione umana, ha imparato a nidificare vicino alle discariche.

gli uccelli di mare

phoenicopterus roseus
fenicottero rosa

larus minutus
o gabbianello

larus argentatus
o gabbiano reale nordico

beccaccia di mare

52

Per motivi di sicurezza, in Italia è bene tenerla sempre in macchina.

La destra.

Avventura all'ARIA APERTA

MISSIONE NATURA

LE REGOLE D'ORO PER STARE
ALL'ARIA APERTA!!!

Forse penserai che partire per l'**AVVENTURA** sia qualcosa che succede ai grandi e che si debba andare molto lontano... In realtà l'avventura è alla portata di tutti e la possono vivere solo le persone che hanno una mente avventurosa. Ogni piccolo viaggio e spostamento, ogni situazione diversa da quella quotidiana ma anche le stesse situazioni che vivi quotidianamente possono considerarsi avventure! Basta decidere in quale modo considerarle. Per renderti conto appieno dell'avventura e per poterla poi raccontare ad amici e parenti è necessario però che ti armi di questi strumenti:

UN DIARIO DI BORDO: il diario di bordo in realtà lo scrivevano a bordo delle navi ed è grazie a molti di questi diari che abbiamo notizie di viaggi avventurosi e di scoperte geografiche. Anche se non parti con una nave, puoi però decidere di tenerne uno, dove appuntare:
- Le date in cui hai vissuto le tue avventure.
- I luoghi dove ti trovavi.
- Il tempo atmosferico che c'era, magari usando dei simboli invece che mettere le parole.
- Le persone con cui hai vissuto la tua avventura.
- Cosa è successo.

Un diario di bordo non è tale se non è corredato di immagini: è vero che ormai tutti abbiamo a disposizione macchine fotografiche e telefonini che scattano foto digitali, ma quanti poi si dimenticano delle immagini che hanno scattato o quante immagini si perdono con questi apparecchi quando non funzionano più? Se non stampi frequentemente le foto digitali che

hai scattato, ricorda che puoi sempre reperire immagini cartacee da cartoline, depliant turistici e informativi, programmi di spettacoli e manifestazioni ecc. L'azienda di promozione turistica del luogo che andrai a visitare te ne può fornire molti e gratuitamente!

E se oltre alle immagini tu tieni da parte anche altri oggetti ricordo? Possono essere soldi stranieri, foglie, sassi, conchiglie... qualsiasi cosa hai trovato di interessante e bello da portare a casa! Se il diario di bordo è troppo scomodo e le cose che dovresti attaccare sono troppo voluminose, puoi decidere di avere una **scatola di bordo**, cioè una scatola dove inserire il diario di bordo e tutti gli oggetti ricordo della tua avventura.

Il tuo telefono o quello dei tuoi genitori ha di sicuro una funzione di registrazione dei suoni. Puoi raccogliere anche **testimonianze sonore** della tua avventura: lo scroscio della pioggia durante quel temporale che ti ha scoperchiato la tenda, il muggito del toro che ti ha inseguito in un campo, il chicchirichì del gallo che ti svegliava alle quattro ogni mattina... oppure suoni più piacevoli: lo scorrere del ruscello, l'infrangersi delle onde del mare, i suoni di un bosco. **Ricorda che alcune specie vegetali sono protette: non prenderle solo per avere un ricordino, sarebbe egoistico!**
Piuttosto scatta una bella foto!

BUONA
AVVENTURA...

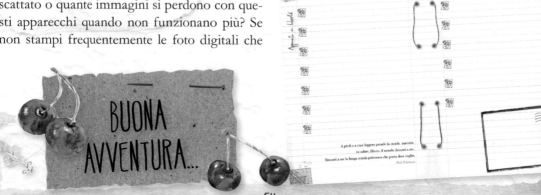

Il MARSUPIO è un utile contenitore da tenere legato in vita. **Lo si può sostituire allo zaino se si devono fare escursioni brevi e non c'è la necessità di portare molta attrezzatura.** Oppure può essere indossato in aggiunta allo zaino e può servire per avere sotto mano le cose di immediata occorrenza: il telefono cellulare, i documenti, soldi, mappe, acqua ecc. Il marsupio può essere di diversa dimensione e di diverso materiale. Certamente per un'escursione è meglio affidarsi a un marsupio fatto in materiale impermeabile.

Partire è la più bella e coraggiosa di tutte le azioni. Una gioia egoistica forse, ma una gioia, per colui che sa dare valore alla libertà. Essere soli, senza bisogni, sconosciuti, stranieri e tuttavia sentirsi a casa ovunque, e partire alla conquista del mondo.
Isabelle Eberhardt

Fate che il vostro spirito avventuroso vi porti sempre ad andare avanti per scoprire il mondo che vi circonda con le sue stranezze e le sue meraviglie. Scoprirlo significherà, per voi, amarlo.
Kahlil Gibran

il MARSUPIO

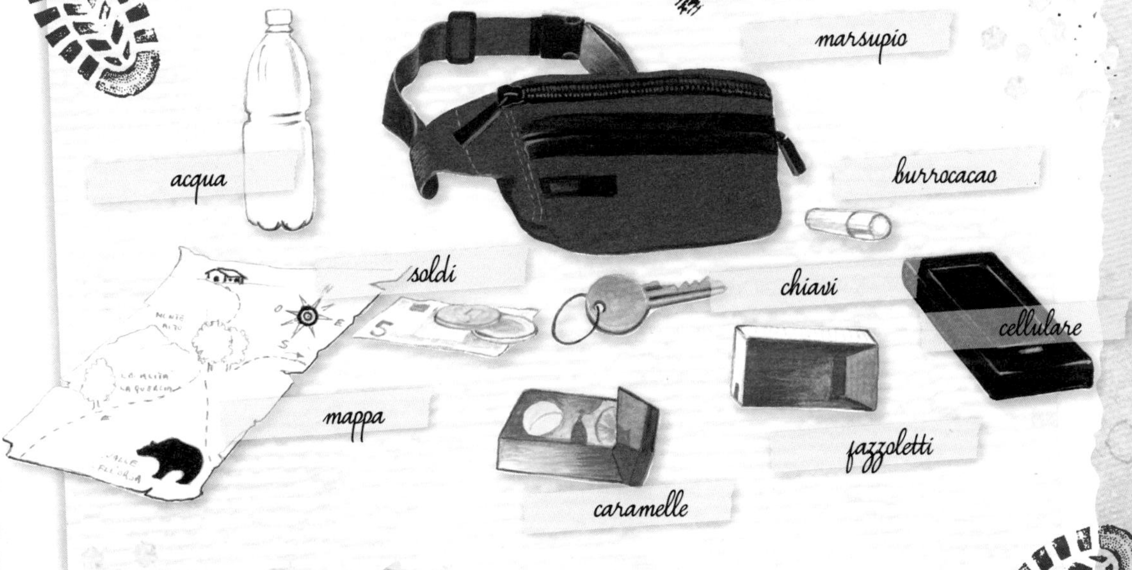

acqua

marsupio

burrocacao

soldi

chiavi

cellulare

mappa

fazzoletti

caramelle

Qual è il colmo per un canguro?
Dimenticarsi il marsupio a casa!

Il marsupio

Come preparare lo ZAINO

Partire per un'escursione non significa solo camminare: bisogna innanzitutto preparare il percorso in modo da non trovarsi mai in difficoltà. E per prima cosa bisogna preparare lo zaino.

Gli zaini possono essere di tantissimi generi: dai più piccoli e maneggevoli, a quelli più grandi. In ogni caso, cerca di regolare le cinghie in modo da portare il peso in alto sulla schiena. L'imbottitura, di cui sono forniti alcuni zaini nella parte che poggia alla schiena, serve a garantire un maggior confort a chi li porta, evitando che qualche oggetto appuntito all'interno possa... sforacchiarti le costole!

Se hanno una cintura con cui assicurarli alla vita, usala; questa trasferisce parte del peso dalle spalle al bacino.

Ci sono zaini che hanno tasche staccabili che puoi lasciare al campo, quando devi alleggerirli per portarli in escursione.

la TECNICA...

Non dimenticare mai un sacchetto di plastica o anche più di uno nel tuo zaino. A casa ne siamo invasi mentre in un'escursione è un oggetto molto utile e a volte insostituibile. Non so tu, ma non è proprio piacevole avere lo zaino invaso dall'odore della biancheria sporca e umida!

Non serve portare molti vestiti, ma quelli giusti e, soprattutto, saperli piegare in maniera che occupino meno spazio possibile. Nel caso, ad esempio, di escursioni in montagna, avere maglioni e pile rende lo spazio nello zaino assai ridotto. L'ideale è piegarli con cura e poi arrotolarli. Non si sciuperanno e li potrete sistemare verticalmente nello zaino, facilitandone l'estrazione.

Altri trucchi:

■ **Se ti servono medicinali,** tienili in luoghi protetti, altrimenti la loro efficacia svanirà. Preferisci pillole a compresse effervescenti o solubili perché non sempre in viaggio si ha a disposizione un bicchiere d'acqua!

■ Porta sempre un **costume,** anche se vai in montagna in inverno! Non si sa mai che ti possa fermare in qualche centro termale!

■ Una **bandana** è utile per proteggerti dal sole ma anche per proteggerti il collo in caso di mal di gola o di un torcicollo.

lo zaino

COME POSIZIONARE LE COSE NELLO ZAINO

Lo scopo nel riempire uno zaino non è di portare via quanto più ti viene in mente, ma di portare tutto il necessario e niente di più: ogni minima aggiunta infatti si trasforma in peso!

Nel riempire uno zaino ricorda:

■ metti le cose leggere in basso e quelle pesanti in alto.

■ Assicurati che lo zaino sia impermeabile.

In ogni caso, porta sempre con te un capiente sacchetto di plastica in cui infilare lo zaino o qualsiasi altra cosa nel caso tu lo debba riparare dall'acqua.

■ Piega e arrotola indumenti e tutto ciò che si può piegare.

■ Infila una cosa dentro l'altra per evitare sprechi di spazio.

■ **Tieni i liquidi sempre in sacchetti impermeabili.**

■ Sistema in alto o in sacche laterali le cose di cui avrai bisogno durante il giorno.

in PRATICA...

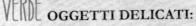

Fai attenzione a non collocare oggetti sporgenti all'esterno per evitare di impigliarti in rami, mettendo a rischio il tuo equilibrio durante la camminata!

GLI ZAINI PER OGNI ESCURSIONE

● VERDE **OGGETTI DELICATI:**
metti in questa zona dello zaino gli oggetti di uso frequente come il telefono, la macchina fotografica, il cannocchiale, la carta dell'escursione ecc.

● BLU **MATERIALI PESANTI,**
come tenda, acqua, fornelletto, cibo ecc.

● ROSSO **MATERIALI DI PESANTEZZA MEDIA,**
come vestiti, utensili vari ecc.

● GIALLO **ELEMENTI LEGGERI**
come materassino, sacco a pelo, impermeabile, maglione ecc.

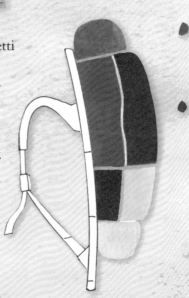

LO ZAINO

COSA METTERE NELLO ZAINO

Cosa mettere nello zaino dipende da quanto durerà la tua escursione, dove andrai e in quale stagione! **Un bel rebus, no?**

Innanzitutto, cerca di portare già addosso un abbigliamento adatto: ideale è vestirsi "a cipolla", cioè con strati di indumenti che potrai via via levare o mettere a seconda degli sbalzi termici. Ci sono poi effetti personali che ciascuno deve avere cura di tenere con sé:
- Documenti.
- Biglietti/abbonamenti che avrai fatto per entrare in determinate zone o per usufruire di determinati servizi.
- Il telefono cellulare, ormai compagno inseparabile di molti (alcuni possono egregiamente sostituire la macchina fotografica e la telecamera).

▶ **ATTENZIONE** PERÒ DI ESSERE SICURO DI POTERLO RICARICARE!

Ci sono poi degli oggetti fondamentali per l'escursione, che ciascuno deve avere nel proprio zaino, come:
- Una borraccia per l'acqua da almeno un litro che non abbia l'apertura a vite.
- Una mantella per ripararsi dalla pioggia lunga almeno fino alle ginocchia.
- Un copricapo per il sole (cappello, bandana, ecc..).
- Una giacca a vento.
  - Un maglione o un pile in più (non solo nelle stagioni fredde, soprattutto se sali in montagna e affronti escursioni notturne).
  - Un coltellino milleusi.
  - Un paio di lacci di riserva per gli scarponi.
  - Una torcia elettrica (con batterie cariche e magari delle batterie di ricambio).

- Un cappello caldo (anche d'estate se vai in montagna).
- Guanti caldi (un paio d'estate e due durante le stagioni più fredde).
- Ghette (ovviamente solo se pensi di andare in mezzo alla neve).
- Occhiali da sole.
- Crema protettiva e/o idratante.
- Qualche foglio di carta igienica (non si sa mai...).

Se vai in gruppo ci sono altre cose fondamentali che almeno uno del gruppo deve portare:
- Cassettina dei medicinali.
- Bussola.
- Altimetro.
- Binocolo.
- Carta topografica del luogo dove si svolge l'escursione in scala 1:25.000.

Ci sono poi altre cose molto utili, anche se non indispensabili:
- Bicchiere in alluminio.
- Set di posatine richiudibili.
- Pantaloni impermeabili.
- Magliette e calzettoni di ricambio.

Non ti raccomandiamo di portare con te molti cambi d'abito, neppure se stai via per più giorni. Piuttosto, scegli dell'abbigliamento tecnico, che asciuga molto velocemente, e porta del sapone liquido: potrai alla sera dedicarti al bucato e trovare la mattina dopo ciò che devi infilarti pulito e pronto.

Lo zaino

Certo questo elenco non vuole e non può essere completo: deciderai tu, magari consigliandoti con i tuoi genitori o con persone più esperte, cosa sarà meglio portare a seconda dei casi!

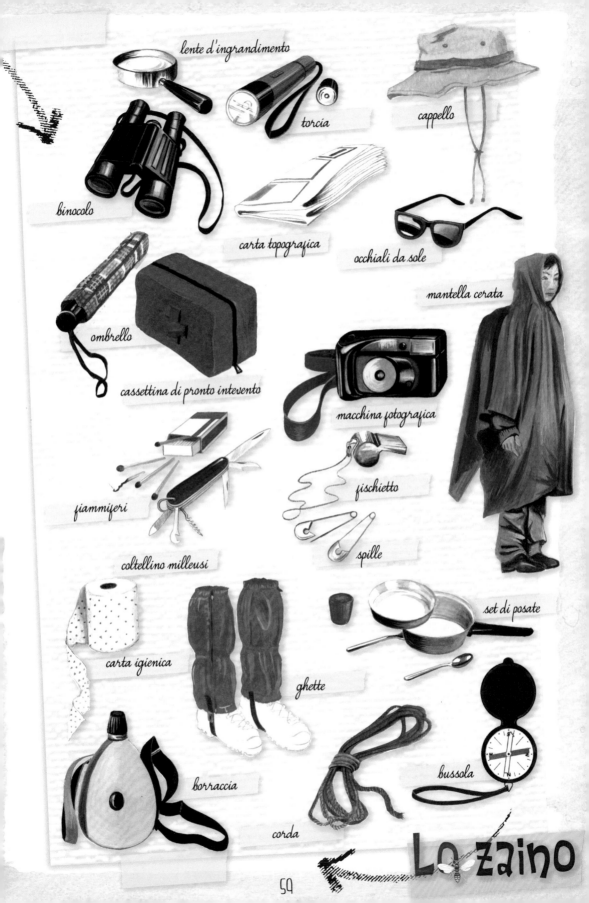

lente d'ingrandimento

torcia

cappello

binocolo

carta topografica

occhiali da sole

mantella cerata

ombrello

cassettina di pronto intevento

macchina fotografica

fiammiferi

fischietto

coltellino milleusi

spille

carta igienica

ghette

set di posate

borraccia

corda

bussola

Lo zaino

59

Piantare una tenda è cosa importante da imparare se si vuole prolungare una escursione per più di una giornata. Al giorno d'oggi poi, ti sarà semplice trovare il modello di tenda più comodo per te.

1- SCEGLIERE IL LUOGO ADATTO

Non tutti i prati sono liberi.
Cerca una zona adibita a libero campeggio oppure chiedi il permesso di fermarti al proprietario del terreno.

A = È comunque consigliabile cercare una fonte d'acqua pulita vicino, per approvvigionarsi senza dover fare troppa strada.
Ma attenzione a non metterti troppo vicino al letto di un fiume o di un ruscello, per non dover ritirarti all'improvviso per una piena.

B = **Non deve essere sul nido di qualche animale:** termitai e formicai non sono una base consigliabile su cui andare a poggiarsi!

Ce ne sono di grandi e di piccole, di estive e di invernali e sono tutte piuttosto semplici da montare. **Basta... seguire le istruzioni e poche regole fondamentali!** Innanzitutto, prima di piantare una tenda bisogna:

C = Non deve essere sotto un albero, perché durante un temporale può attirare fulmini e perché possono cadere rametti ma anche grossi rami!

D = Non deve essere un avvallamento, altrimenti alla prima pioggia rischia di allagarsi di acqua.

E = Orienta l'apertura della tenda in modo che il sole del mattino possa riscaldarla e asciugarla dall'umidità notturna.

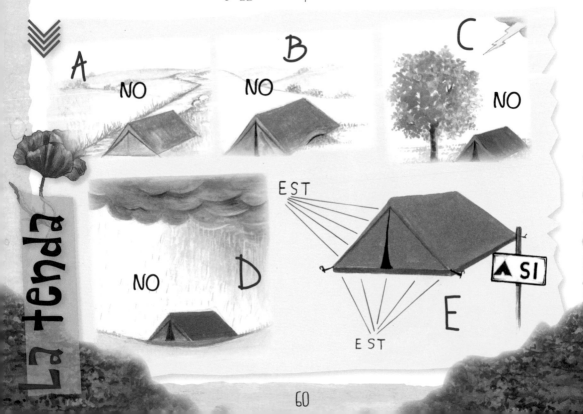

A — NO

B — NO

C — NO

D — NO

E — EST ... EST ... SI

La tenda

2- PREPARARE IL TERRENO

■ Elimina ogni elemento che possa essere di disturbo o possa rovinare e graffiare la tela della tenda: rami secchi, pietre, zolle d'erba voluminose.

■ Scava attorno a quello che sarà il perimetro della tenda un canaletto di scolo di una decina di centimetri di profondità e di una ventina di larghezza: **aiuterà a far defluire l'acqua piovana** senza che bagni il terreno su cui hai posato la tenda. Il canale di scolo deve avere una pendenza verso il retro della tenda e un braccio di canale che faccia fuoriuscire l'acqua piovana.

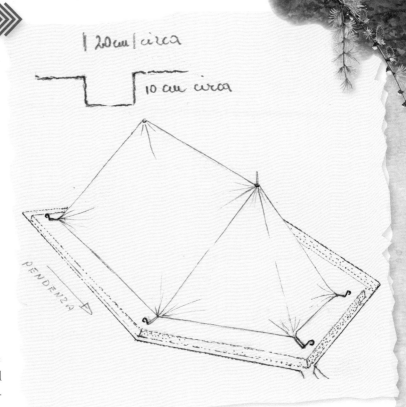

20 cm circa
10 cm circa
PENDENZA

3- MONTARE LA TENDA

Segui per bene le istruzioni e soprattutto fissala molto bene al terreno. Le tende non fissate volano via al primo soffio di vento o, alla meno peggio, si smontano!

■ Pianta a fondo i picchetti in modo che formino con le corde un angolo di 90°. Se il terreno è molle, fissa due picchetti incrociati tra loro.

❖ *Porta con te un repellente e un prodotto che agisca come lenitivo in caso di punture.*
❖ *Non indossare profumi o deodoranti profumati: alcuni insetti sono attirati da essi!*
❖ *Se devi avere luce durante le ore notturne, non accenderla in tenda, ma lontano dalla zona dove soggiorni: zanzare, tafani, moscerini vengono attirati dalla luce.*

Durante la notte scende la rugiada: pertanto non lasciare mai fuori di notte niente che possa intridersi e rimanere umido il giorno dopo. Non lasciare cibo incustodito in giro: scoiattoli, corvi, cornacchie, puzzole, procioni ecc. potrebbero approfittarne!

La tenda

4 CIRCONDARE LA TENDA »» DI TRAPPOLE O SISTEMI DI SEGNALAZIONE

Se non vuoi passare la notte con le orecchie tese a percepire strani rumori dall'esterno, usa questi sistemi:

■ Metti un mucchio di rametti secchi davanti all'ingresso della tua tenda: nessuno potrà avvicinarsi senza farli scricchiolare.

■ Pianta dei picchetti ai lati dell'ingresso della tenda e tendi tra questi, a zig-zag, un filo di nylon.

Chi vorrà avvicinarsi non potrà non inciampare. Fai attenzione a non inciampare tu stesso!

COME DORMIRE IN TENDA

■ L'aria in tenda deve essere sempre ricambiata, per evitare spiacevoli odori e ristagni di umidità. Quindi apri la tenda durante il giorno e durante la notte lascia un foro di aerazione.

■ Leva i vestiti del giorno quando devi prepararti a dormire in tenda.

Il pigiama va molto meglio, perché è privo di costrizioni che durante la notte possono darti fastidio. Mettere il pigiama permette anche di preservare il sacco a pelo dalla sporcizia.

■ Per non svegliarti infreddolito, usa una boule dell'acqua calda: mettila nel sacco a pelo appena prima di andare a letto, ti permetterà di riscaldarti, mantenendo una buona temperatura per tutta la notte.

Per dormire senza patire freddo o umidità, l'ideale è preparare un buon punto d'appoggio per il materassino o il sacco a pelo. Fai così:

■ Scava una buca della lunghezza del tuo corpo, non troppo profonda e non troppo larga, sufficiente per starci raggomitolato.

■ Riempila con foglie e paglia secchi o giornali pressati.

■ Isola questi materiali con un telo di plastica impermeabile.

■ Sopra a questo "letto naturale", metti, se ce l'hai, anche una coperta o un materassino isolante.

La tenda

Una tenda speciale: IL TEPEE

Puoi anche costruire una tenda come facevano alcune popolazioni di nativi d'America. Il vantaggio di queste tende consisteva nel fatto che erano leggere e semplici da montare, adatte quindi ad essere spostate spesso, durante i loro viaggi mentre seguivano le mandrie di bisonti.

Essi usavano pelli di bisonte, ma vanno benissimo anche stoffe, meglio se impermeabili.

■ Le stoffe vanno tagliate a semicerchio. Il raggio deve essere pari all'altezza dei rami di sostegno della tenda.

A = Il **tepee** più comune si costruisce raccogliendo molti rami della stessa lunghezza: si uniscono in mazzo, si legano all'estremità superiore e poi si puntano a terra con l'estremità inferiore, aprendoli a raggiera.

■ La stoffa va posizionata attorno al cono, poggiandola sui rami disposti in obliquo.

■ Lascia una piccola apertura superiore per il ricircolo dell'aria, cioè non coprire la sommità dei rami legati: un tempo questo camino serviva a far fuoriuscire i fumi dei falò accesi all'interno della tenda.

■ Picchetta il tessuto fissandolo al terreno lungo il bordo inferiore.

B = Se non hai rami sufficienti a creare la struttura del tepee, **trova un albero**. Poi lega l'estremità in alto del cono formato dal tessuto e sollevalo assicurandolo a un ramo adatto. Picchetta tutto attorno al bordo inferiore il tessuto, disponendo i picchetti in modo da aprirne bene la circonferenza.

■ Se vuoi assicurare al tuo tepee maggiore stabilità, lega la corda con cui l'hai sollevato al ramo anche attorno al tronco dell'albero.

A

B

La tenda

63

Accendere il FUOCO

Accendere il fuoco è una delle esperienze più belle che ti possa capitare di provare. Intendiamo dire, accendere un fuoco dal niente, senza l'aiuto di fiammiferi o di accendini!

Se devi accendere un fuoco, segui queste semplici regole:

■ **Trova un posto adatto:** non sotto un albero o sotto uno sperone di roccia perché lo sgocciolio di pioggia o neve dai rami o dalle rocce può spegnerlo e anche perché puoi causare danni a rami, radici e fusto. L'ideale è uno spazio aperto, piano.

■ **Ripulisci il terreno che ospiterà il fuoco da tutto quanto è infiammabile.** Accendere il fuoco va bene, ma propagarlo senza controllo può essere molto pericoloso!

■ **Crea uno spazio adeguato per il fuoco:** una buca profonda una ventina di centimetri e del diametro di 40 centimetri può andare bene. Riempi la buca di foglie secche.

■ **Procurati del combustibile secco.** Tutto ciò che è umido fa resistenza al fuoco. Le pigne sono un ottimo combustibile perché il loro interno è secco. Anche i rami di rovo sono ottimi, perché le loro spine sono rivestite di una sostanza che le rende impermeabili.

■ **Costruisci un'esca efficace per appiccare il fuoco:** può essere dell'erba secca, dei rami secchi, della segatura di legno ma anche carta straccia, vestiti vecchi, pezzi di nidi ecc.

■ **Appicca il fuoco:** per prima cosa accendi l'esca, poi appicca il fuoco a bastoncini piccoli finché le fiamme non abbiano ben attecchito. Un po' alla volta aggiungi altro materiale per tenere acceso il fuoco.

■ Per accendere un fuoco, **infila l'esca sotto a un cono costituito da ramoscelli sottili ben secchi.** Man mano che il cono sprofonda, aggiungi rami di media grandezza, alimentando il fuoco senza smettere di aggiungere combustibile, ma evitando di soffocarlo, togliendogli ossigeno.

■ **Tieni vivo il fuoco,** se diventa troppo debole, ravvivandolo o smuovendo le braci, e quindi fornendo ossigeno, o mettendo altro combustibile.

Altrettanto importante dell'accendere è saper spegnere un fuoco!

Versaci sopra dell'acqua e smuovi la cenere e le braci con un bastone, in modo da scoprire se sono rimasti eventuali fuochi nascosti.

Il posto ideale dove accendere il fuoco

A volte non è semplice appiccare il fuoco neppure se si dispone di un fiammifero, se il combustibile non è ben secco!

Il FUOCO

Metodi di accensione del fuoco

A = con la pietra focaia.

B = con la pirite di ferro o di quarzo.

C = con la lente di ingrandimento.

Accendere il fuoco con l'archetto

A = procurarsi il necessario per costruire un archetto.

B = infilzare la punta della freccia nel terreno e posizionare sulla sua estremità superiore un pomolo per poterla tenere agilmente in posizione verticale.

C = ruotare con l'archetto la freccia per far sì che crei con l'attrito di sfregamento la scintilla necessaria ad appiccare il fuoco all'esca.

Come accendere il fuoco...
FAI DA TE

Può capitare di dover accendere il fuoco e di non avere nessun materiale adatto a farlo. Ecco come puoi cavartela:

■ **La pietra focaia:** è una pietra grigio-blu, che si trova in zone calcaree. Se battuta con il dorso di un coltello, produce scintille che possono appiccare fuoco a un'esca.

■ **Pirite di ferro o di quarzo:** due pezzi di pirite di ferro sfregati tra loro producono scintille che possono appiccare fuoco a un'esca.

■ **Permanganato di potassio e zucchero:** mescola mezzo cucchiaio di permanganato di potassio a un cucchiaio di zucchero e inserisci la polvere in un incavo ricavato in un ramo. Con un bastoncino, puntandolo sulla polvere, crea dell'attrito. Dovrai, cioè, far ruotare la punta smussata del bastoncino nell'incavo del ramo, facendo roteare il bastoncino tra il palmo delle mani.

■ **Lente di ingrandimento:** concentra i raggi del sole sull'esca, facendoli passare attraverso i vetri di una lente di ingrandimento, ma anche di occhiali, cannocchiali, mirini di binocoli ecc.

■ **L'archetto:** questo sistema è costituito da un trapano di legno ben secco con punta che viene fatto sfregare su un legno-base, poggiando in una capsula, cioè una cavità. Il trapano viene fatto girare attraverso un archetto che ha una corda che viene fatta passare una volta attorno al trapano. Muovendo l'archetto da sinistra a destra, il movimento si trasferisce alla corda e quindi al trapano che gira su se stesso.

Il FUOCO

**Se ti trovi a percorrere terreni insidiosi, innanzitutto rallenta il passo:
è meglio arrivare sani e salvi che fare in fretta e rischiare di farsi del male!**

■ Se sei su un pendio scosceso, discendi di traverso, usando un bastone
o anche semplicemente un lungo ramo per aiutarti a mantenere
l'equilibrio. Punta il bastone a valle.

■ In salita piegati in avanti e fai piccoli passi, poggiando
bene la pianta del piede prima di salire.
Non camminare sulle punte.

■ In discesa, piegati all'indietro per non sforzare troppo le
ginocchia.

■ In terreni paludosi, fai attenzione a dove metti i piedi, preferibilmente
vicino a dove cresce della vegetazione. Saggia con un bastone la solidità del punto dove puoi
andare a poggiare prima di fare il passo.

■ Se cammini sulla spiaggia, sappi che è una camminata più difficile del solito. Il piede affonda e
devi appoggiare bene la pianta del piede per distribuire correttamente il peso.

■ Se cammini sulla neve e questa è fresca e piuttosto alta, puoi correre il rischio di affondare
anche con tutta la gamba e con difficoltà poi rimetterti in cammino. Il sistema migliore è quello
di indossare delle ciaspole o racchette da neve, e delle ghette, che ti ti proteggeranno dall'acqua
che può bagnarti i vestiti e le calzature. I ramponi, invece, ti permetteranno di aderire al terreno
in caso di ghiaccio.

Le scarpe da escursione devono essere comode:
se prevedi di camminare spesso in montagna, procurati della buona attrezzatura: ti servirà non solo
per rimanere più comodo ma sarà anche un ulte-
riore elemento di sicurezza.
Se si tratta di percorsi poco impegnativi, porta anche scarpe basse da trekking. Se invece si tratta di
percorsi più impegnativi, meglio optare per scar-
poncini alti fino alla caviglia.
Scegli quelli in tessuti tecnici,
che sono impermeabili, non si seccano dopo essersi bagnati
e sono maggiormente resistenti. Ai calzettoni grossi, i primi re-
sponsabili di vesciche ai piedi, preferisci calze in tessuto tecnico.
Ce ne sono di apposite per le camminate.
Un consiglio: se senti indurirsi i polpacci, è bene camminare
all'indietro per alcuni metri. Se ancora il dolore persiste, fai uno
stretching leggero, appoggiandoti a una pianta con i piedi ben
poggiati per terra e, inclinando il busto in avanti, cerca di raggiungere con le mani il terreno.

in cammino

Che cos'è un sentiero?

I sentieri portano sempre a una meta: un pascolo, una cima, un passo, una baita ecc. Non sono però tutti uguali e soprattutto non presentano tutti la medesima difficoltà. Per questo motivo informati bene del livello di difficoltà del sentiero che vuoi affrontare perché devi avere la certezza di esserne all'altezza.

Un'impronta tra il verde, un segno tra rocce usurate da un passaggio frequente, un percorso che si apre un varco in un bosco. Ora sono vie più o meno segnalate, curate, percorse da turisti e amanti della montagna ma un tempo, quando non c'erano i mezzi di trasporto a cui ormai ci siamo abituati, erano le uniche strade di comunicazione tra vallate e di ascesa verso le vette.

P = PASSEGGIATA
Si tratta di una semplice camminata che possono affrontare tutti anche senza attrezzatura specifica, anche se è meglio avere calzature comode. È per lo più su brevi percorsi pianeggianti.

T = TURISTICA
È una camminata semplice di qualche ora con percorsi facili su possibili dislivelli: può contemplare viottoli, percorsi sterrati, strade forestali. Meglio avere scarpe sportive con suola in rilievo.

E = ESCURSIONISTICA Questa camminata prevede diversi gradi di impegno.
E = ESCURSIONISTICA FACILE su sentieri anche abbastanza lunghi ma con dislivelli mai oltre i 1000 metri e quote oltre i 2000 metri. Vi possono essere tratti con salite ripide e faticose ma non ci sono pericoli oggettivi.

EE = per ESCURSIONISTI ESPERTI con itinerari lunghi e con notevole dislivello, anche su sentieri accidentati. Vi possono essere passaggi su punti esposti o di facilissima arrampicata, tratti con ghiaioni o pendii erbosi. Non serve attrezzatura sportiva, ma buone calzature da escursionismo e allenamento.

EEA = per ESCURSIONISTI ESPERTI CON ATTREZZATURA con itinerari importanti e grandissimi dislivelli, senza possibilità di scappatoie e il raggiungimento di quote anche superiori ai 2500 metri. Sono inclusi in questi anche alcuni sentieri alpinistici per la salita a importanti cime attraverso la via normale. L'attrezzatura serve per la presenza di passaggi rocciosi di facile arrampicata o tratti attrezzati con corde fisse, l'attraversamento di terreno scivoloso o di piccoli ghiacciai. Questi percorsi vanno affrontati con la giusta attrezzatura e l'adeguata preparazione e conoscenza.

EEAI = per ESCURSIONISTI ALPINISTI
sono percorsi che richiedono la conoscenza delle manovre di cordata, l'uso di piccozza e ramponi, molta conoscenza e soprattutto molto allenamento. Portano all'alta montagna! In questa categoria troviamo le vie attrezzate e i sentieri alpinistici.

in cammino

COME BERE ACQUA FRESCA

Un tempo gli uomini non avevano a disposizione frigoriferi e materiali tecnici per conservare i cibi e mantenere fresca l'acqua. Può capitarti, se sei in giro per un'avventura, di dover ricorrere ai loro trucchi, se, ad esempio, vuoi bere un bicchiere di acqua che non sia bollente!

■ Scava un buco nel terreno e infila la tua bottiglia d'acqua (ben chiusa, s'intende!) avvolta in un sacchetto di plastica. Lascia fuori dal buco solo i manici. Quando la recupererai, vedrai che la freschezza si è mantenuta.

■ Se devi fare un'escursione in estate e sai che dovrai portarti via dell'acqua perché non c'è posto dove reperirla e la vuoi mantenere fresca, riempi la bottiglia per 3/4 la notte precedente e inseriscila in freezer.

Portala ghiacciata nel tuo zaino, avvolta da un sacchetto di plastica. In questo modo, man mano che il ghiaccio si scioglierà, potrai avere acqua freschissima e avrai tenuto fresco anche il pranzo.

COME RENDERE L'ACQUA POTABILE

Se ti trovi in mezzo a un bosco e hai finito le tue provviste d'acqua, puoi decidere di rifornirti a un torrente, a un ruscello, a un fiume, a un lago. Ma l'acqua sarà potabile? Non sempre l'acqua limpida è anche pulita: ci possono essere disciolte sostanze che non si vedono ma che la rendono inquinata. Animali selvatici possono essersi lavati dentro o... peggio, aver usato quei corsi d'acqua come gabinetti e averla inquinata con parassiti pericolosi per l'uomo. Che puoi fare?

Innanzitutto, osserva la fauna di questi corsi d'acqua: ci sono alcuni minuscoli esseri che segnalano la presenza di acqua pulita e altri invece che segnalano la presenza di acqua con parassiti.

COME PORTARE ACQUA SENZA SPRECARLA

Se devi portare dell'acqua ma non hai un contenitore adatto, puoi costruirne uno con un po' di ingegno: ad esempio puoi tagliare sul fondo un contenitore di plastica, di quelli per i detersivi o per le bibite e usarlo per raccogliere l'acqua in un fiume. Se invece tagli il contenitore al collo, rovesciandolo puoi ottenere un imbuto.

Se non hai neppure questo tipo di contenitore, anche un sacchetto di plastica può essere utile, all'occorrenza.

in cammino

ACQUE INQUINATE

larve di chironomi

aselle

In acque inquinate trovi: sanguisughe, aselle, larve di chironomi. E se non trovi nessun animale? In ogni caso fai bollire per almeno 10 minuti l'acqua per uccidere i batteri più insidiosi. Poi attendi che l'acqua si raffreddi e usala come acqua potabile.

sanguisuga

In acque pulite trovi: larve di tricotteri, larve di effimera, ancylus fluviatilis.

ACQUE PULITE

ancylus fluviatilis

larva di trichoptera

adulto di effimera

L'ACQUA POTABILE

Acqua potabile significa "acqua che si può bere". È un bene preziosissimo, senza il quale la vita umana sarebbe impossibile. Infatti nell'acqua dolce sono disciolti macroelementi e microelementi che sono indispensabili per i processi metabolici dell'organismo umano. Ciò significa che puoi rischiare di ammalarti seriamente e anche di morire in pochi giorni se non ti è possibile bere acqua o ricavarne da qualche alimento! Gli elementi più comuni sono il calcio, il magnesio, il sodio, il cloro, il potassio, il fluoro, il manganese, il fosforo ecc. Molti di questi elementi sono citati sulle etichette delle acque minerali in bottiglia, dove compare anche la misura della loro percentuale in acqua.

in cammino

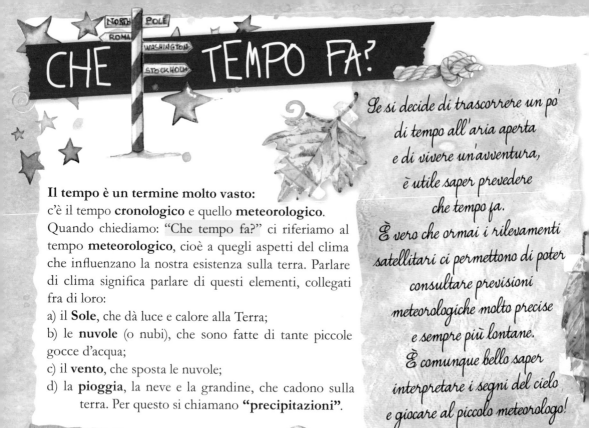

CHE TEMPO FA?

Il tempo è un termine molto vasto:
c'è il tempo **cronologico** e quello **meteorologico**.
Quando chiediamo: "Che tempo fa?" ci riferiamo al tempo **meteorologico**, cioè a quegli aspetti del clima che influenzano la nostra esistenza sulla terra. Parlare di clima significa parlare di questi elementi, collegati fra di loro:
a) il **Sole**, che dà luce e calore alla Terra;
b) le **nuvole** (o nubi), che sono fatte di tante piccole gocce d'acqua;
c) il **vento**, che sposta le nuvole;
d) la **pioggia**, la neve e la grandine, che cadono sulla terra. Per questo si chiamano **"precipitazioni"**.

Se si decide di trascorrere un pò di tempo all'aria aperta e di vivere un'avventura, è utile saper prevedere che tempo fa.
È vero che ormai i rilevamenti satellitari ci permettono di poter consultare previsioni meteorologiche molto precise e sempre più lontane.
È comunque bello saper interpretare i segni del cielo e giocare al piccolo meteorologo!

La neve è fatta di tanti piccolissimi pezzi di ghiaccio.
Nevica quando la temperatura è di 0 °C.
Anche la grandine si forma a temperature inferiori agli 0 °C ma è costituita da piccoli chicchi di grano.

Molto spesso osserviamo distrattamente il tempo e ci facciamo su di esso molte idee imprecise. Ad esempio, se nomino la pioggia, subito pensi all'autunno e al freddo. Ma potresti scoprire che piove molti più giorni in primavera e che piove molto più abbondantemente in estate, in alcuni anni. Il tempo quindi deve essere osservato e annotato con precisione in ogni sua caratteristica:
- umidità
- temperatura
- presenza di sole/nuvole
- precipitazioni particolari
Se infatti ti basi solo sul ricordo, esso verrà suggestionato dalle tue impressioni e dai tuoi stati d'animo!

Il pensiero contiene la possibilità della situazione che esso pensa.
Ciò che è pensabile è anche possibile.
Ludwig Wittgenstein

Che tempo fa?

Come costruire un BAROMETRO

Il barometro è uno strumento che permette di segnare la pressione atmosferica.
Costruiscilo seguendo queste istruzioni:

A = Prendi un vaso di marmellata o di qualsiasi tipo, con imboccatura larga.

■ Tappa bene l'imboccatura con della plastica, ad esempio quella di un palloncino. La copertura deve essere ermetica.

B = Fai cadere al centro della plastica di copertura del vaso un goccio di colla e attacca con questa una cannuccia, quella da bibite, che sporga al di fuori del bordo del vaso.

C = Sistema il vaso su un cartoncino rigido di colore chiaro, piegato in modo che la metà inferiore faccia da base al vaso e quella superiore faccia da sfondo.

■ Fai un segno sul cartoncino quando il tempo è abbastanza bello. La cannuccia dovrebbe essere parallela al fondo del vaso.

D = Se il tempo diventa molto secco, la pressione aumenta, aumenta anche la pressione dell'aria all'interno del vaso, facendo gonfiare la membrana di plastica e spingendo la cannuccia verso il basso.

■ Se il tempo peggiora, la pressione diminuisce, diminuisce anche la pressione dell'aria all'interno del vaso, facendo sgonfiare la membrana di plastica e spingendo la cannuccia verso l'alto.

Il barometro costruito è chiaramente uno strumento poco preciso. Ci sono in commercio barometri molto sensibili.

Essi misurano la pressione in millimetri di mercurio o in millibar.

Oltre i 1040 millibar c'è alta pressione: tempo molto secco e buono.

Sotto i 990 millibar c'è bassa pressione: pioggia e temporale.

Che tempo fa?

Come costruire un ANEMOMETRO

L'anemometro è uno strumento che misura il vento. In commercio ce ne sono di molto precisi e completi. Tu puoi costruire un sistema per calcolare la direzione del vento mentre è difficile calcolarne la forza e la velocità: per queste misurazioni servono strumenti troppo complessi.

Banderuola: sistema su un palo lungo un paio di metri un cuscinetto a sfera (lo puoi trovare nei negozi di articoli per biciclette) e inserisci nell'anello centrale di questo un bastoncino lungo mezzo metro. Puoi fissare al bastoncino una sagoma, meglio se di latta, ma anche di plastica dura, a cui puoi dare la forma che vuoi (una freccia, un galletto, una stella ecc.). Sistema ora il palo conficcato a terra in uno

spazio esposto ai venti, dove l'aria non sia frenata. Quando il vento colpirà la sagoma, essa si posizionerà nella direzione del vento. Se vuoi completare l'opera, puoi anche incidere il palo con quattro fori perpendicolari tra loro e inserire nei fori dei pioli contrassegnati dalle scritte dei quattro punti cardinali: quando fissi il palo nel terreno, controlla con una bussola l'orientamento dei punti cardinali segnalati dal palo. In questa maniera potrai dire con precisione dove soffia il vento.

Manica a vento: si costruisce con lo stesso principio della banderuola. Al posto della sagoma ha una "manica", ovvero un tubolare bucato di stoffa molto leggera. Dà l'idea della velocità del vento.

Come costruire un PLUVIOMETRO

Il pluviometro è un sistema di misurazione della pioggia. Serve a misurare il quantitativo di pioggia sceso in un posto in un determinato periodo di tempo. Costruirlo è molto semplice, se segui queste istruzioni:

A = Prendi una bottiglia di plastica e tagliala a metà orizzontalmente.

B = Inserisci la parte superiore rovesciata, a mo' di imbuto, nella parte inferiore.

C = Misura con un righello millimetrato il quantitativo di acqua caduta. Dopo un temporale è meglio svuotare il contenitore, così come è meglio misurare subito il

quantitativo d'acqua dopo una pioggia estiva, prima che il caldo faccia evaporare quanto raccolto nel pluviometro.

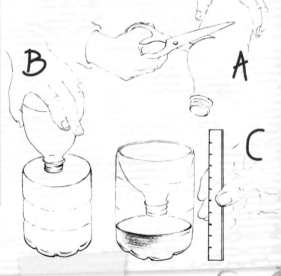

Come costruire una
CASSETTA METEOROLOGICA

La cassetta meteorologica è una cassetta dove puoi riporre gli strumenti di misurazione della temperatura. Il termometro, infatti, può falsare i suoi risultati se posto in un posto qualsiasi: nord piuttosto che sud, sole o ombra, zona calma o ventilata.

Perciò, scegli un palo o un albero a cui poter attaccare una semplice cassetta, preferibilmente di colore chiaro. La posizione non deve essere in pieno sole, a un metro di altezza circa dal suolo. È meglio se la proteggi con una tettoia di legno o lamiera. Se il termometro è semplice, basta una sola rilevazione al giorno. Se invece segna la temperatura massima e quella minima, dovrai impratichirti a segnare la doppia misurazione nelle ore più adatte.

Come raccogliere le
RILEVAZIONI METEOROLOGICHE

Quando avrai costruito i tuoi strumenti per la rilevazione meteorologica, puoi cominciare a raccogliere i dati. Dovrai armarti di un apposito taccuino oppure riportare i dati rilevati su un tabellone. Più le annotazioni saranno particolareggiate, più dovrai impegnarti. Ma sarai anche in grado di rilevare dati interessanti!

Che tempo fa?

COME PREVEDERE il tempo...

guardando A NASO IN SU!

LA CARTINA CHE PREVEDE IL TEMPO

Se vuoi essere un po' meteorologo e... un po' mago, ecco un trucco che ti servirà a stupire i tuoi amici e i tuoi genitori.

Ti serviranno: amido di riso, un pentolino con dell'acqua, ioduro di potassio, un foglio di carta-filtro.

❖ Con l'aiuto di un adulto metti a bollire l'acqua nel pentolino e versaci dentro l'amido di riso fino a ottenere una sostanza collosa.

❖ Aggiungi ora un po' di ioduro di potassio.

❖ Immergi un foglio di carta-filtro nella soluzione e lascialo asciugare.

❖ Ritaglia una striscia della carta-filtro e incollala su un cartoncino.

❖ Esponi il cartoncino all'esterno, in luogo protetto dalla pioggia.

❖ Nell'imminenza di un temporale, la carta-filtro si colorerà di azzurro!

che tempo fa?

Prevedere il tempo è stata un'abilità che l'uomo ha sempre cercato di raffinare fin dall'antichità.
Ti diamo alcuni segnali che puoi scovare nell'ambiente che ti circonda per essere un bravo meteorologo a naso in su!

COME LEGGERE LE NUVOLE

ALTOSTRATO

Le nuvole si dividono in base alla loro forma e alla quota. Esse possono essere basse, medie e alte.

Altostrato: nubi grigie e spesse che possono dare origine alle prime gocce di pioggia.

Cirro: nube solitaria alta, indice di bel tempo. In inverno con vento forte possono essere foriere di neve.

Cirrostrato: nuvole alte e fredde. Portano pioggia o neve entro 15 ore.

Cumulonembo: nuvole medie. Se hanno punte dense e scure fanno presagire piogge violente.

Cumulo: nubi medie, isolate e bianche nel cielo blu che fanno presagire bel tempo.

Strato: nuvole basse e grigie che danno luogo a precipitazioni deboli, se non compaiono venti a peggiorare la situazione.

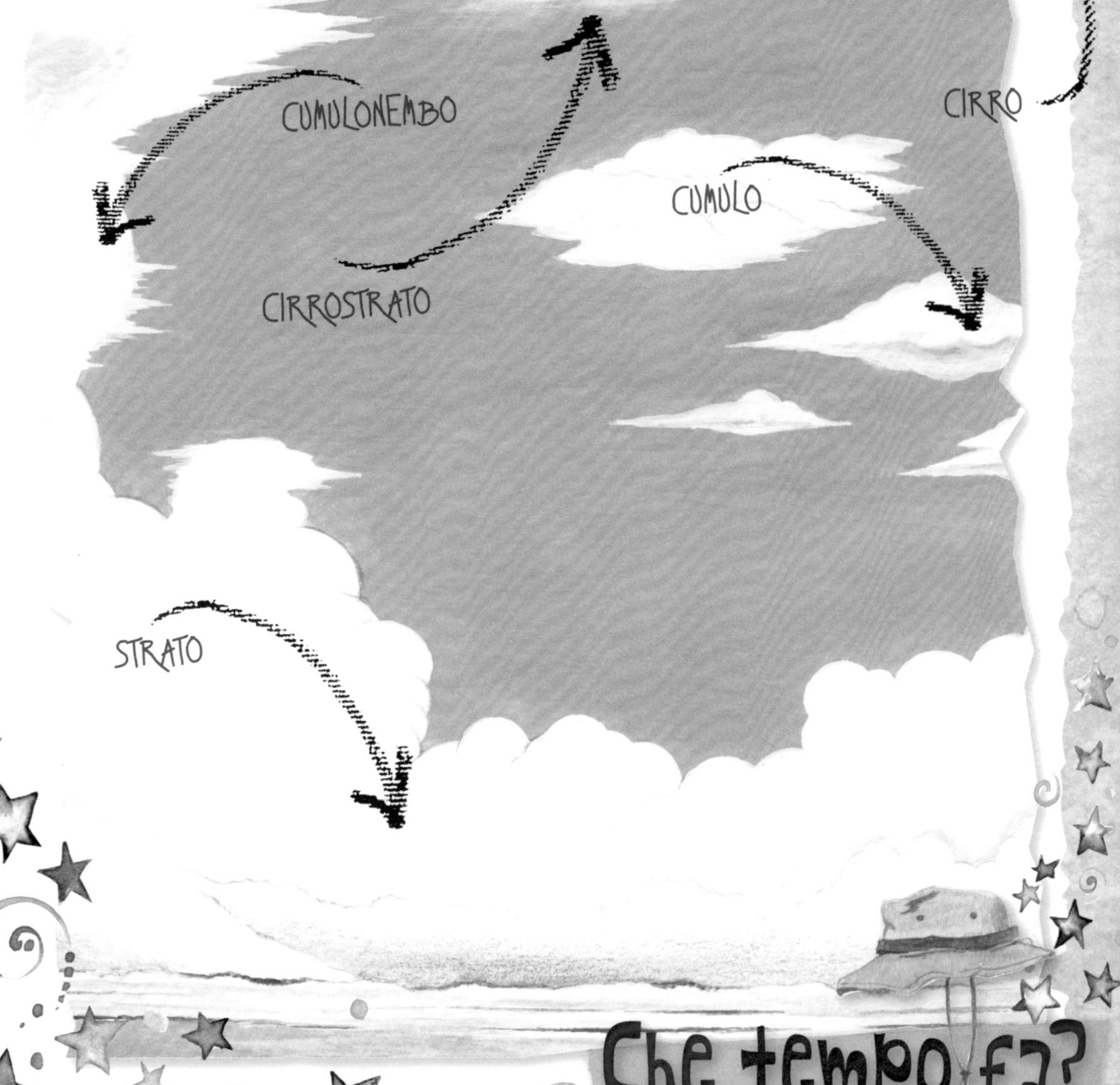

CUMULONEMBO

CIRRO

CUMULO

CIRROSTRATO

STRATO

Che tempo fa?

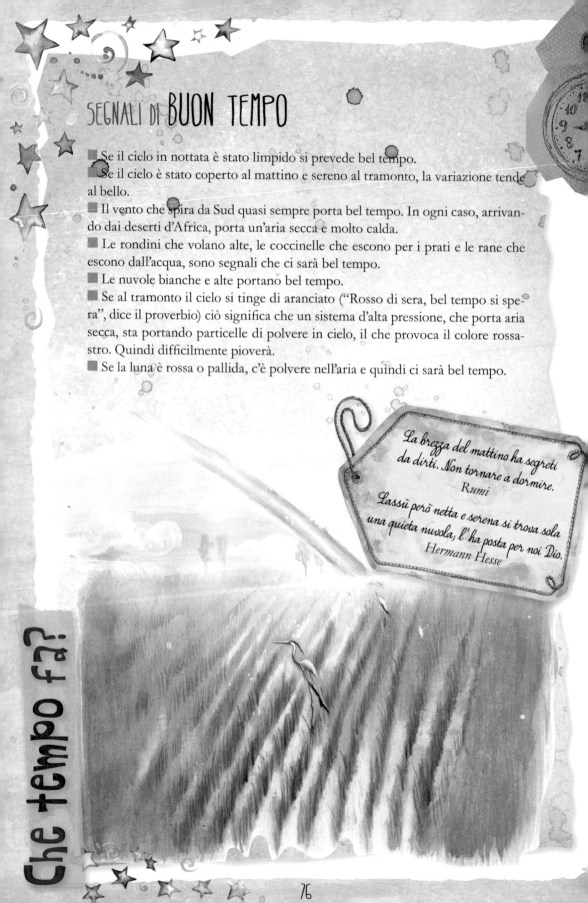

SEGNALI DI **BUON TEMPO**

■ Se il cielo in nottata è stato limpido si prevede bel tempo.

■ Se il cielo è stato coperto al mattino e sereno al tramonto, la variazione tende al bello.

■ Il vento che spira da Sud quasi sempre porta bel tempo. In ogni caso, arrivando dai deserti d'Africa, porta un'aria secca e molto calda.

■ Le rondini che volano alte, le coccinelle che escono per i prati e le rane che escono dall'acqua, sono segnali che ci sarà bel tempo.

■ Le nuvole bianche e alte portano bel tempo.

■ Se al tramonto il cielo si tinge di aranciato ("Rosso di sera, bel tempo si spera", dice il proverbio) ciò significa che un sistema d'alta pressione, che porta aria secca, sta portando particelle di polvere in cielo, il che provoca il colore rossastro. Quindi difficilmente pioverà.

■ Se la luna è rossa o pallida, c'è polvere nell'aria e quindi ci sarà bel tempo.

> La brezza del mattino ha segreti da dirti. Non tornare a dormire.
> *Rumi*
>
> Lassù però netta e serena si trova sola una quieta nuvola; l' ha posta per noi Dio.
> *Hermann Hesse*

Che tempo fa?

Chi ha visto il vento?
Né voi né io.
Ma quando gli alberi
chinano il capo,
vuol dire che il vento
sta passando.
*Christina Georgina
Rossetti*

SEGNALI DI CATTIVO TEMPO

■ Se il cielo all'alba è azzurro scuro o rosso ci sarà brutto tempo.

■ Se il cielo è stato coperto al mattino e al tramonto si presentano nuvole basse, la variazione tende al brutto.

■ Se le stelle brillano più vivide e sembrano ammassate, arriva il brutto tempo.

■ Se il vento spira da Nord quasi sempre porta brutto tempo. In ogni caso, venendo dal Polo, porta aria fredda.

■ Se gli uccelli volano basso, gli insetti come mosche e zanzare sembrano accanirsi contro gli uomini, le lumache escono sui sentieri, la pioggia è imminente.

■ Le nuvole scure e basse portano brutto tempo.

■ Se il cielo rosso è di mattina ("Rosso di mattina, la pioggia s'avvicina", dice il proverbio) ciò significa che ciò che segue è un sistema di bassa pressione che porta umidità.

■ Se a ovest compare l'arcobaleno, significa che da quella parte si trova umidità e che probabilmente sta arrivando la pioggia.

■ Se la luna è luminosa e molto a fuoco, c'è un'alta probabilità di pioggia. Ma è segno di pioggia nei prossimi giorni anche un anello intorno alla luna.

■ Se inspiri bene, sentirai che prima della pioggia gli odori sono più forti: i fiori e gli alberi emettono sostanze più odorifere e... anche le fogne lo fanno!

■ I gabbiani si fermano sulle scogliere prima dell'arrivo di un temporale.

■ Le mucche invece si sdraiano e si raggruppano in attesa del mal tempo.

Che tempo fa?

Come mantenere il CALDO

I moderni sistemi di abbigliamento offrono materiali tecnici che permettono di resistere anche a bassissime temperature. Ma, anche se non sei dotato di questi avanzati ritrovati della scienza moderna, **puoi difenderti dal freddo con alcuni semplici trucchi:**

■ Lega i vestiti, senza stringere troppo, all'altezza dei polsi e delle caviglie, impedendo che il calore corporeo fuoriesca da maniche e pantaloni.

■ Riscaldati con cibi caldi e contenenti liquidi: anche se non sudi, il tuo corpo necessita di essere reintegrato di liquidi. Via libera quindi a minestre, the caldi, tisane, latte ecc.

■ Cerca di evitare di uscire nelle ore più fredde, cioè le ore della mattina presto e quelle di quando il sole è calato.

■ Se davvero fa freddo e il tuo abbigliamento non è sufficiente, puoi utilizzare dei fogli di giornale per "imbottire" gli indumenti che hai e isolarti meglio.

Come evitare i colpi di CALORE

Anche rimanere al fresco a volte è un'impresa, soprattutto in alcune giornate d'estate quando, oltre al calore del sole, si aggiunge un tasso di umidità elevato.

■ Vestiti con colori chiari, che riflettano la maggior parte dello spettro della luce solare. Il nero, infatti, attira ogni radiazione solare.

■ Non rimanere sotto il sole: può sembrare scontato ma spesso, soprattutto quando si gioca, non ci si rende conto che ci si sta esponendo troppo al sole. Cerca di evitare le ore centrali della giornata per uscire (da mezzogiorno alle quattro del pomeriggio).

Bevi spesso, ma non bere niente di ghiacciato: lo sbalzo termico può farti davvero male. Preferisci bevande leggermente fresche o tiepide.

Fai una doccia o immergi i polsi in acqua fredda per un paio di minuti.

Se di notte il caldo non ti dà tregua, se puoi, fatti una doccia tiepida oppure copriti con un asciugamano leggermente inumidito, evitando di metterlo a diretto contatto con la pancia.

Caldo e freddo!!!

Una carta topografica è una carta del territorio ma è anche un po' una mappa. Come fare a decifrarla? Semplice. Trova i simboli che sono indicati nella legenda, cioè uno specchietto i cui vengono spiegati i significati di colori e segni utilizzati.

La carta topografica riproduce il territorio in due dimensioni, mentre la realtà ha tre dimensioni. Perciò, per far "vedere" gli avvallamenti del terreni o l'altitudine di una collina o di una montagna, ci sono delle linee, dette isotope o curve di livello. Più queste sono ravvicinate, più è ripido il dislivello di salita o discesa.

Una carta non potrebbe essere grande quanto il territorio perché... sarebbe troppo grande! Perciò viene rimpicciolita e tutto viene rimpicciolito alla stessa maniera. **Si dice che è in scala**. La scala viene sempre segnalata nella legenda: ad esempio se trovi scritto 1/25000, significa che ogni centimetro della carta equivale a 25000 centimetri nella realtà!

Orienteering

Come leggere i SIMBOLI DEI SENTIERI

Gli **scout** hanno dei simboli che servono per segnare una pista. Anche se non sei uno scout, puoi comunque usarli e ti può essere utile saperli riconoscere! Vengono tracciati sul terreno, su alberi o muretti, possono essere disegnati sulle cortecce degli alberi, nella posizione più visibile anche in caso di maltempo o di neve. **In genere gli scout mettono i segnali sempre alla destra del cammino, così una persona che lo intraprende sa subito dove cercare le informazioni che gli servono. A volte, se non hanno a disposizione sassi o pezzi di ramo o colori per colorare la corteccia degli alberi, come nel fitto di un bosco, attaccano dei pezzetti di stoffa o dei fili colorati ai rami.**

Le tracce

direzione da seguire

girare a destra

ostacoli da superare

pericolo

pista giusta

orienteering

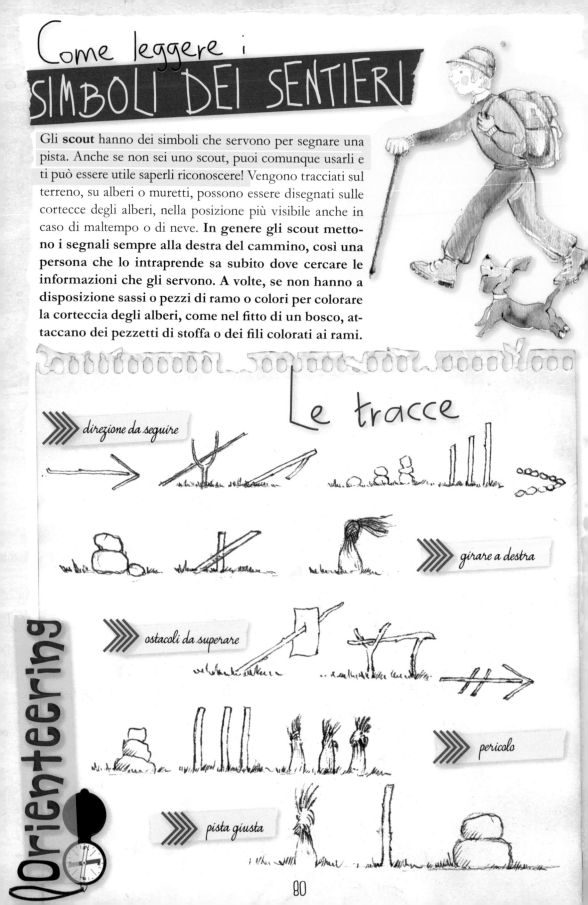

80

Segnali di pista

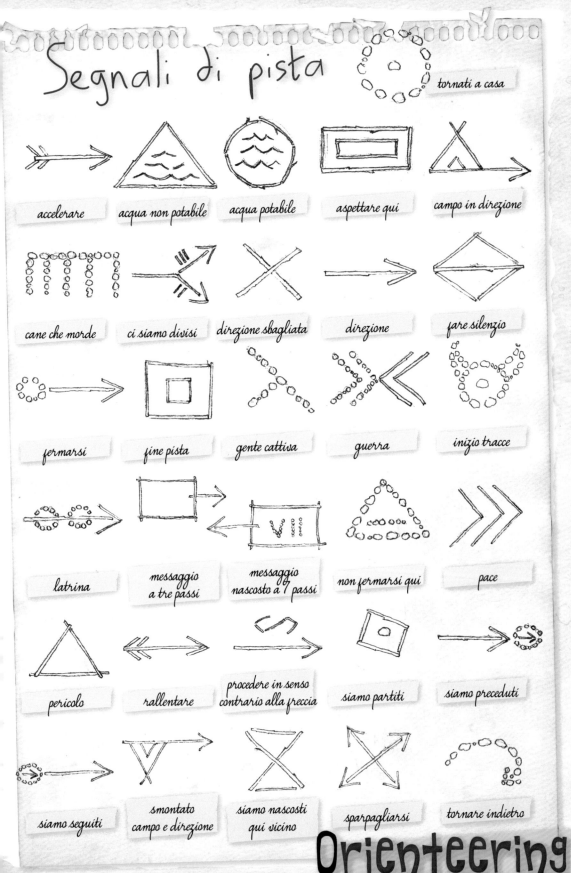

tornati a casa

accelerare

acqua non potabile

acqua potabile

aspettare qui

campo in direzione

cane che morde

ci siamo divisi

direzione sbagliata

direzione

fare silenzio

fermarsi

fine pista

gente cattiva

guerra

inizio tracce

latrina

messaggio a tre passi

messaggio nascosto a 7 passi

non fermarsi qui

pace

pericolo

rallentare

procedere in senso contrario alla freccia

siamo partiti

siamo preceduti

siamo seguiti

smontato campo e direzione

siamo nascosti qui vicino

sparpagliarsi

tornare indietro

Orienteering

Come costruire una BUSSOLA GALLEGGIANTE

Costruire una bussola galleggiante è piuttosto semplice. Ti serviranno: un tappo, un coltellino, un pennarello nero, un chiodo, una calamita, una bacinella d'acqua.

Il sole sorge a Est e tramonta a Ovest. Durante il giorno segnala il cambio di traiettoria nel suo corso soprattutto attraverso le ombre. Solo a metà giornata, quando il sole è a picco o, come si dice tecnicamente, allo zenith, le ombre rimpiccioliscono sotto ciò che le crea. Al mattino o al pomeriggio, basta che tu pianti un bastone per terra. Al mattino l'ombra sarà orientata verso Ovest, al pomeriggio verso Est.

Ora, per avere una bussola, dovrai:

■ Posizionare un sasso dove cade l'ombra del bastone.

■ Dopo un'ora controllare dove cade nuovamente l'ombra e posizionare un secondo sasso.

■ La linea che passa attraverso i due sassi è la traiettoria Est-Ovest.

■ Il bastone si trova a Sud di tale linea e, tracciando una perpendicolare all'asse Ovest-Est, troverai l'asse Nord-Sud. Il Nord è oltre la traiettoria Nord-Est, davanti al bastone.

E SE PERDI LA BUSSOLA?

Può capitare di non avere con sé una bussola o di perderla o di romperla. E allora? Che puoi fare per orientarti? Usa l'orologio! Hai capito bene, puoi usare il tuo orologio, l'importante è che abbia le lancette.

■ Toglilo dal polso, tienilo in posizione orizzontale e allinea la lancetta corta delle ore con il sole.

■ Ora immagina di tracciare un angolo che è compreso tra questa linea e quella che passa per le ore 12.

■ Cerca la bisettrice di quest'angolo, cioè la linea che lo divide in due: questa è l'asse Nord-Sud.

■ La linea che indica il Sud è quella che si trova all'interno dell'angolo.

■ La linea che indica il Nord è quella che si trova all'esterno dell'angolo.

FAI ATTENZIONE A TENERE SEMPRE LA TUA BUSSOLA LONTANO DA OGGETTI DI FERRO, DI ACCIAIO E DA CALAMITE.

Orienteering

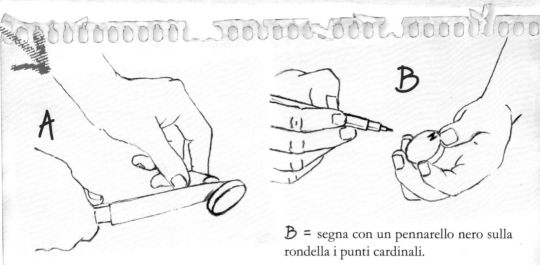

B = segna con un pennarello nero sulla rondella i punti cardinali.

A = taglia una fetta da un tappo di sughero, in modo da avere un pezzo circolare abbastanza grande da poter galleggiare.

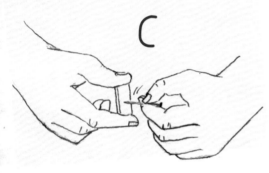

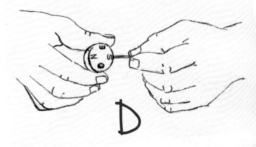

D = infila l'ago nel sughero, puntando la punta in modo che esca verso Nord.

C = sfrega il chiodo contro la calamita in modo da magnetizzarla.

Nord

E = metti il sughero così preparato nella bacinella d'acqua. Vedrai che si orienta subito in modo che la punta dell'ago segni il Nord.
Fai alcune prove: muovi l'acqua o il sughero, in modo da spostarlo. Vedrai che in ogni caso, il sughero si risistemerà mettendo la punta dell'ago sempre nella medesima posizione.
Sfrega più volte la punta dell'ago sulla calamita. Infatti questa bussola perde facilmente magnetismo e quindi non è più affidabile.

Orienteering

La ROSA dei VENTI

Un tempo, quando in mare non c'erano altri mezzi di orientamento se non le stelle, i marinai cominciarono, durante le ore di luce, a utilizzare come riferimento di direzione lo spirare dei venti. Osservando le diverse caratteristiche di questi, costruirono la Rosa dei venti. Il bello della Rosa dei venti è che il nome dei venti non ha niente a che fare con la posizione dell'osservatore, ma dipende dalla direzione in cui spirano. Per questo i loro nomi sono uguali in ogni paese e questo facilitò i marinai che, lontani da punti di riferimento stabili, in mare erano capaci di riconoscere un vento in base alle sue caratteristiche e perciò di sapere in che direzione spirava, trovando quindi l'orientamento.

■ NORD O TRAMONTANA spira a raffiche e di solito porta tempo asciutto. Dà cielo sereno con visibilità ottima.

■ NORD-EST O GRECALE spira portando tempo buono e cielo sereno.

■ EST O LEVANTE vento fresco, di debole intensità.

■ SUD-EST O SCIROCCO vento che porta di solito tempo nuvoloso, visibilità scarsa, anche a lungo.

■ SUD O AUSTRO vento debolissimo, scarsamente sentito.

■ SUD-OVEST O LIBECCIO vento tiepido che spira con raffiche violente.

■ OVEST O PONENTE vento estivo pomeridiano che spira fresco.

■ NORD-OVEST O MAESTRALE vento di forza più elevata della Tramontana, detto anche "maestro dei venti". Porta tempo freddo, asciutto e sereno.

Per sapere in che direzione spira il vento, bagnati il dito indice e levalo in aria. Il vento arriva dal lato in cui diventa fresco. Se vuoi essere più sicuro, osserva una bandiera, se c'è, oppure un filo di fumo. Se non ci sono nei paraggi, metti in aria tenendolo con una mano. Purtroppo, però, il foglio si solleverà solo con un vento abbastanza forte e questo metodo non ti sarà utile per venti deboli.

I VENTI
e la loro forza

I venti vengono classificati in base alla loro forza. Ma come si fa a capire la loro forza? Deve esserselo chiesto anche un ammiraglio inglese, Francis Beaufort, che passava in mare la gran parte dei suoi giorni e poteva osservare come il mare stesso cambiasse in base alla potenza del vento che spirava. Da lui ha preso nome la Scala Beaufort, che è una misura empirica dell'intensità del vento basata sull'osservazione degli effetti che ha sul mare e sulla terra. Se ti allenerai anche tu a guardare questi fenomeni, magari confrontandoti con un anemometro, potrai stabilire che vento sta spirando.

Ricorda che il vento, per essere misurato, deve mantenere la stessa intensità per almeno 20 minuti.

FORZA	DESCRIZIONE	VELOCITÀ IN KM	CONDIZIONI DEL MARE APERTO	EFFETTI
0	Calma	0-1	Mare piatto. **MARE CALMO**	Il fumo sale in verticale
1	Bava di vento	2-5	Leggere increspature come squame di pesce. **MARE QUASI CALMO**	Il vento inclina il fumo
2	Brezza leggera	6-11	Onde minute, ancora molto corte ma ben evidenziate. **MARE POCO MOSSO**	Le foglie stormiscono
3	Brezza tesa	12-19	Onde con creste che cominciano a rompersi con schiuma di aspetto vitreo. **MARE MOSSO**	Le lenzuola leggere ondeggiano
4	Vento moderato	20-29	Onde con tendenza ad allungarsi. **MARE MOSSO**	I fogli di carta vengono sollevati
5	Vento teso	30-39	Onde moderate dalla forma che si allunga. Ci sono anche spruzzi. **MARE MOLTO MOSSO**	Gli alberi più piccoli vengono scossi
6	Vento fresco	40-50	Onde grosse (cavalloni) con creste imbiancate di schiuma e spruzzi. **MARE AGITATO**	Il vento rovescia gli ombrelli
7	Vento forte	51-62	I cavalloni si ingrossano e la schiuma sulle loro sommità si rompe sulle onde soffiata in strisce in direzione del vento. **MARE AGITATO**	Gli alberi si muovono in maniera evidente
8	Burrasca	63-75	Onde alte con creste che si rompono e formano spruzzi che vengono risucchiati dal vento. **MARE AGITATO**	Diventa difficile camminare
9	Burrasca forte	76-87	Onde alte con le creste che iniziano ad arrotolarsi. Strisce di schiuma che si fanno più dense. **MARE GROSSO**	Il vento fa volare oggetti pesanti, stacca le tegole dai tetti
10	Tempesta	88-102	Onde molto alte sovrastate da creste (marosi) lunghe. La schiuma dà al mare un aspetto biancastro. La visibilità è ridotta. **MARE MOLTO GROSSO**	Il vento sradica gli alberi e fa danni alle strutture.
11	Fortunale	103-117	Le onde sono enormi, tali da nascondere alla vista navi di media stazza. Il mare è completamente coperto da banchi di schiuma. Le sommità delle creste si nebulizzano. **MARE MOLTO GROSSO**	Vasti danni alle strutture.
12	Uragano	Maggiore di 118	Le onde sono altissime, l'aria è piena di schiuma e spruzzi e il mare è completamente bianco. **MARE TEMPESTOSO**	I danni sono enormi a tutte le strutture.

bonne voyage

Orienteering

ORIENTARSI NEL TEMPO

La **clessidra** è un sistema per misurare il tempo inventato migliaia di anni fa, quando l'uomo non aveva orologi e strumenti raffinati per misurare il tempo. Oggi ce ne sono in giro molte, in vetro, in plastica, alcune comuni e altre preziose. Normalmente sono riempite di **sabbia**, ma originariamente dovevano essere ad acqua, perché il loro nome significa **"che ruba l'acqua"**!

Questo strumento, però, non dà proprio l'ora, ma serve a misurare il **trascorrere del tempo**. È costituita da due forme coniche sovrapposte e comunicanti attraverso il vertice. La sabbia o il liquido, posti in uno dei contenitori, dopo che il contenitore pieno viene capovolto verso il basso, passano nel contenitore vuoto ed è proprio lo svuotamento del primo e il riempimento del secondo che danno idea della durata.

Non fermarti a metà strada. Non c'è tempo da perdere. Non c'è un secondo da sprecare. Solo chi trova il coraggio di seguire le proprie emozioni, per quanto folle sembri, potrà sentirsi libero!

Anton Vanligt

IL TEMPO... LA CLESSIDRA

La MERIDIANA

Voi occidentali, avete l'ora ma non avete mai il tempo.
Mahatma Gandhi

Non rimandare a domani quello che potresti fare oggi.
Benjamin Franklin

La meridiana è un orologio che funziona... a sole!

È uno strumento molto antico e se ne trovano di bellissime disegnate sulle facciate delle case di un tempo. Innanzitutto, per funzionare, la meridiana deve essere in un posto che sia esposto al sole durante il giorno. **Ce ne sono di verticali e di orizzontali.**

PER UNA MERIDIANA ORIZZONTALE:

■ Posiziona a terra un quadrato di cartone spesso di almeno 60 centimetri di lato.

■ Traccia sul cartoncino un grande cerchio e dividilo in 24 archi (di 15 gradi ciascuno) con l'aiuto di un goniometro.

■ Al centro del cerchio poni un bastoncino, inclinato sopra la linea del 12 di tanti gradi quanti sono quelli della latitudine del luogo dove poni la meridiana (queste informazioni le puoi trovare facilmente su internet o chiedendole a un adulto).

■ Orienta la meridiana verso Sud e, nelle ore di sole, potrai leggere l'ora segnata dall'ombra del bastoncino sul cartone.

Orienteering

COME COSTRUIRE UNA MERIDIANA

PER UNA MERIDIANA VERTICALE:

■ **Fai trapanare un muro da un adulto** e nel foro infila un'asta di metallo di circa mezzo metro, lasciando che sporga abbondantemente dal muro.

■ **Segna le ore**, cioè l'ombra proiettata dall'asta di metallo sul muro monitorandole ogni ora e incidendo una tacca sul muro.

■ **Avrai un orologio solare molto preciso!**

VII VIII IX X XI

VIII IX X XI XII X

Orienteering

Labels on star chart: N, DRAGONE, LIRA, LEVRIERI, ORSA MINORE, CIGNO, ORSA MAGGIORE, CEFEO, LEONE, CASSIOPEA, E, AURIGA, ANDROMEDA, CANCRO, GEMELLI, CASTORE, POLLUCE, PEGASO, CANE MINORE, PERSEO, ARIETE, PLEIADI, PESCI, ORIONE, TORO, CANE MAGGIORE, SIRIO, BALENA, LEPRE, ERIDANO, S

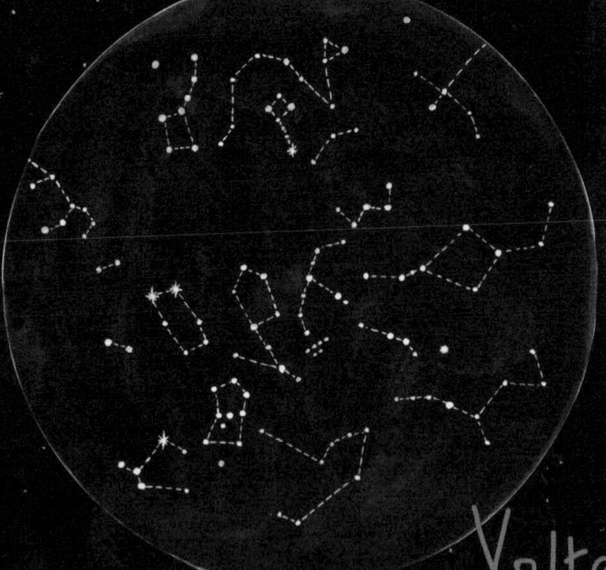

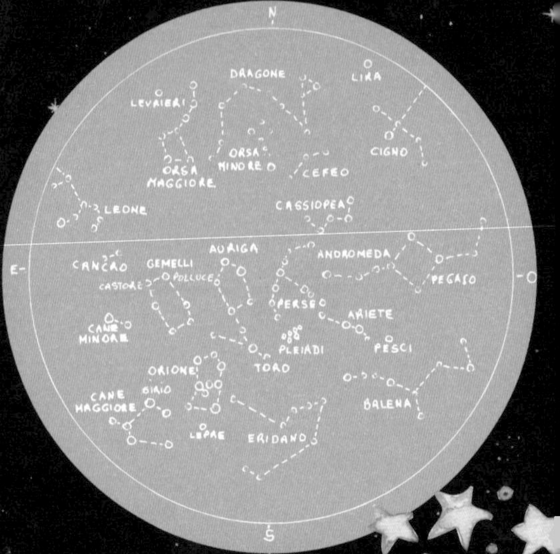

Volta celeste a giugno

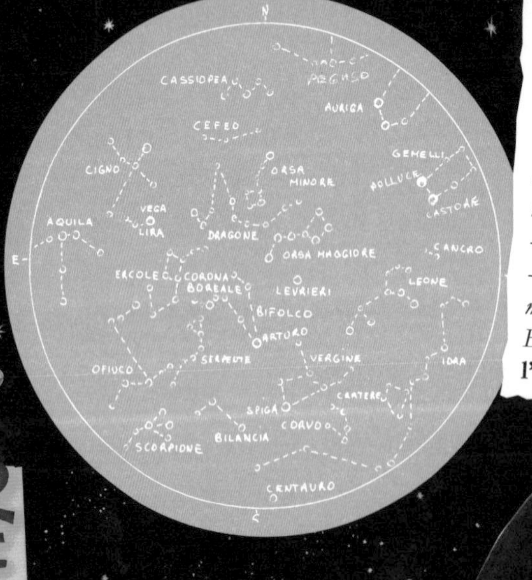

Labels: N, CASSIOPEA, PEGASO, AURIGA, CEFEO, GEMELLI, CIGNO, ORSA MINORE, POLLUCE, CASTORE, AQUILA, VEGA, LIRA, DRAGONE, ORSA MAGGIORE, CANCRO, ERCOLE, CORONA BOREALE, LEVRIERI, LEONE, BIFOLCO, OFIUCO, ARTURO, VERGINE, IDRA, SERPENTE, CRATERE, SPIGA, CORVO, BILANCIA, SCORPIONE, CENTAURO

Molte costellazioni sono state nominate dagli antichi, soprattutto dai Greci. Per questo portano il nome di personaggi della mitologia:

- i Gemelli, ad esempio, sarebbero i gemelli Castore e Polluce, nati, secondo la leggenda, da due uova. Per il loro profondo attaccamento, Zeus concesse loro di vivere per sempre affiancati nella volta celeste.
- Ercole è il famoso eroe, grande avventuriero.
- Orione è un gigantesco cacciatore, figlio di Poseidone, il re del mare, ed Euriale, figlia del re Minosse di Creta.
Esistono anche costellazioni dedicate ad animali mitologici:
l'Idra, il Centauro, Pegaso.

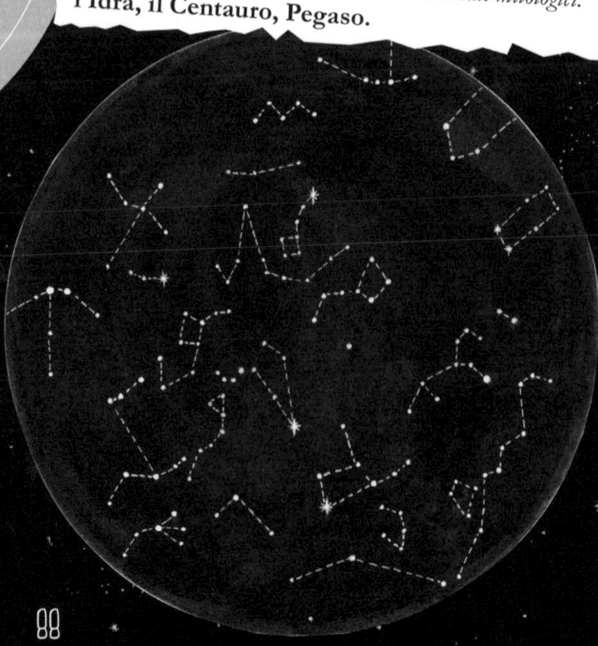

orienteering

La costellazione dell'ORSA MAGGIORE

Per riprodurre la volta del cielo nella tua stanza ti servono: un barattolo di latta o un tubo di cartoncino piuttosto larghi, aperti alle estremità; un cartoncino giallo che sia più grande dell'apertura del tubo; un compasso; una matita; scotch; una torcia.

- Con il compasso disegna sul cartoncino un cerchio del diametro più grande del tubo e ritaglialo.
- Sul disco di cartone disegna le costellazioni di Cassiopea, dell'Orsa Maggiore e dell'Orsa Minore, come da disegno.
- Con la punta del compasso fora il cartoncino in corrispondenza di ogni stella.
- Attacca il disco a una estremità del tubo.
- In una stanza buia infila la lampada nel tubo e illumina il cartoncino in direzione del soffitto.
Hai creato il tuo cielo in una stanza!

Orienteering

UN OCCHIO ALLE STELLE

Anche se non ti servirà ad orientarti, è comunque molto interessante capire come è fatta la volta stellata. Se ti trovi in mezzo alla natura, in un luogo dove è minore l'inquinamento luminoso dei nostri centri abitati, le stelle ti sembreranno di sicuro più numerose e più brillanti e saranno uno spettacolo davvero imperdibile.

Un tempo gli uomini avevano molte più possibilità e molta più attenzione nello scrutare il cielo. In alcuni gruppi di stelle, che a occhio umano sembrano vicine, hanno voluto vedere una forma. Sono nate quindi le costellazioni. In realtà queste stelle raggruppate in costellazioni non sono veramente vicine tra loro, risultano vicine solo in prospettiva.

Le costellazioni più facili da riconoscere nell'emisfero boreale sono:

■ l'**Orsa minore** o **Piccolo Carro** che ha il prolungamento del timone nella Stella Polare.

■ Sotto la Stella Polare troverai l'**Orsa maggiore** o **Grande Carro**.

■ Dalla parte opposta al Grande Carro, sempre proseguendo dalla **Stella polare**, compare la W di **Cassiopea**.

■ Attraversando diagonalmente il corpo del Grande carro e prolungando questa diagonale, troverai, particolarmente brillante in estate, la stella **Vega**, che fa parte della costellazione di **Lyra**.

■ Prolungando il timone del Grande Carro, particolarmente visibile in primavera, vedrai la **stella Arturo**, della costellazione del **Bovaro**.

■ Sotto al Bovaro, troverai **Spica**, la stella più brillante della costellazione della **Vergine**.

■ Opposta alla diagonale che congiunge con Lyra, troverai le stelle **Castore** e **Polluce**, della costellazione dei **Gemelli**.

■ Tra la costellazione della Vergine e quella dei Gemelli, c'è quella del Leone.

■ Proseguendo sulla diagonale che ti ha fatto incontrare i Gemelli, troverai un'altra importante costellazione, quella di **Orione**.

■ Ai lati della costellazione di Orione ci sono la costellazione del **Toro** e quella del **Cane Maggiore**.

Un vertice del triangolo di questa costellazione è costituito da **Sirio**, la stella più luminosa del cielo.

Queste sono solo alcune delle costellazioni (quelle classiche sono ben 88) con cui gli antichi hanno animato la volta celeste. Se ti armi di una mappa celeste ne puoi individuare ancora molte, soprattutto se ti armi di un bel telescopio e di molta pazienza!

orienteering

Il gioco delle STELLE CADENTI

Le stelle cadenti sono meteoriti, cioè piccole rocce, che vagano nell'universo a velocità pazzesca.
Quando si scontrano con l'atmosfera, cioè con lo strato di gas che circonda la terra, bruciano per attrito, lasciando dietro di sé una scia luminosa nel cielo.

Vi sono periodi precisi in cui, se il cielo è sereno, possiamo osservare numerose stelle cadenti:

tra l'1 e il 4 gennaio
tra il 19 e il 23 aprile
tra l'1 e il 6 maggio
tra il 26 e il 31 luglio
tra il 10 e il 14 agosto
tra il 18 e il 23 ottobre
tra il 14 e il 18 novembre
tra il 10 e il 13 dicembre.

Un gioco può consistere nell'osservare il cielo con alcuni amici e contare le stelle cadenti che si vedono. Vince chi ne avvista di più. Si dice anche che ogni volta che si vede una stella cadente si può esprimere un desiderio!

Cielo boreale, cielo australe

■ Nell'emisfero **boreale**, cioè quella metà della sfera terrestre dove si trova l'Europa, il Nord si trova in direzione della Stella Polare. Essa è al timone della costellazione dell'Orsa Minore, detta anche Piccolo Carro. A volte è più simpatico immaginare questa costellazione come se avesse la forma di un "pentolino": **La Stella Polare si trova proprio sulla punta del manico!**

Hai mai sentito dire: "Non ho senso di orientamento?" Sì, vero? In effetti orientarsi non è così semplice: prevede percezione di sé e dello spazio attorno, attenzione, memoria.. Alcuni scienziati hanno visto che il cosiddetto "senso dell'orientamento" è maggiormente sviluppato in persone che hanno un ippocampo più grande ed efficiente.

■ Nell'emisfero **australe**, cioè quella metà della sfera terrestre dove si trova gran parte dell'Africa e dell'America del Sud, oltre all'Australia, il Sud è in direzione di un gruppo di 4 stelle che formano un rombo, definito Croce del Sud. Il Sud è in corrispondenza del ramo lungo della croce. Questo gruppo di stelle è riconoscibile perché si trova sotto la costellazione del Centauro.

Sto guardando le stelle!

Anche io sto guardando le stelle...

"Mi domando, - disse, - se le stelle sono illuminate perché ognuno possa un giorno trovare la sua.
Antoine de Saint-Exupery

Orienteering

È la Luna o è Venere?

Venere è il terzo corpo luminoso nel cielo, dopo il Sole e la Luna. Appare, a occhio nudo, come una stella lucentissima, di colore giallo-biancastro, anche se in realtà è un pianeta. Essendo la sua orbita interna a quella della Terra, ma più vicina al Sole di quella del nostro pianeta, lo si può vedere solo per poche ore e nelle vicinanze del Sole. Difficilmente visibile durante il giorno, è invece molto brillante prima dell'alba per cui viene chiamato Stella del Mattino o Lucifero, oppure subito dopo il tramonto, per cui viene chiamato anche Vespero.

Orienteering

La luna è il satellite della terra. Un satellite non è una stella, perché non brilla di luce propria, ma non è neppure un pianeta perché è molto più piccolo e soprattutto perché la sua orbita non è autonoma ma è influenzata da quella di un pianeta.

La luna è 4 volte più piccola della terra, dista 380.000 km e gira su se stessa con lo stesso ritmo della terra, per cui noi vediamo sempre lo stesso lato.

È un ambiente ostile, senza acqua ed atmosfera. Le temperature variano da +100 °C a -100 °C!

Ogni 28 giorni la luna fa un giro completo attorno al nostro pianeta, attraverso 4 diverse fasi:

- Nuova
- Crescente
- Piena
- Calante

La luna piena è quella completamente rotonda.

La luna nuova è quella praticamente quasi oscurata.

Se la luna è una falce può essere calante o crescente.

Immagina di mettere una stanghetta che unisca le due corna della falce:

- **se ottieni una P** = primo quarto - è una luna crescente, che va verso il primo quarto
- **se ottieni una Q** = ultimo quarto - è una luna calante, che va verso l'ultimo quarto

Con la luna nel primo o ultimo quarto le maree saranno minime, cioè il livello del mare si alzerà o si abbasserà di poco.

Con la luna piena o nuova le maree saranno massime, cioè il livello del mare si alzerà o si abbasserà di molto.

NUOVA   CRESCENTE   PIENA   CALANTE

La luna è l'unico luogo del Sistema solare ad essere stato visitato dall'uomo. Il 20 luglio 1969 gli astronauti Neil Armstrong e Edwin Aldrin sbarcarono con la loro navicella, che si chiamava Apollo 11, sulla superficie della luna.

La luna è come un grandissimo deserto, con pianure, montagne e profonde vallate, createsi con l'urto di grandi meteoriti. Gli astronomi hanno studiato il lato visibile di questo satellite e ne hanno fatto una mappa geografica, proprio come per la terra.

Esiste però una faccia che la luna non mostra, perché non è mai rivolta alla terra. Essa è chiamata "il lato buio della luna" o, come una famosa canzone "The dark side of the moon". Questo termine però può generare confusione: in realtà il lato che noi vediamo è a volte il lato a giorno e a volte il lato a notte. Ma è sempre lo stesso lato, quello che la luna mostra continuamente ruotando alla stessa velocità della terra.

Guarda la luna che sorge,
su dall'est la rotonda luna argentea,
bella sui tetti, sinistra, fantomatica luna,
luna silente, immensa.
Walt Whitman

La luna, rana d'oro nel cielo.
Sergej Esenin

Il lato opposto è il lato che non possiamo vedere dalla terra, anche se ormai lo si conosce bene ugualmente, grazie alle foto scattate dagli astronauti durante i voli lunari e dai satelliti.

La luna non ha atmosfera, il che significa che non c'è aria per respirare. Gli astronauti, perciò, respirano attraverso maschere collegate alla navicella o devono portarsi riserve d'aria in bombole attaccate alle loro tute, come i sub.

Ero sotto un cielo risplendente di
stelle con la luna in mezzo al firmamento
in un mare senza sponde. Mai oh Signore
mi hai turbato come in quella notte in cui
sospeso fra il cielo ed il mare avevo
l'immensità sopra e sotto di me.
Francois-Renè de Chateaubriand

Orienteering

PICCOLO MANUALE DEL BRAVO CICLISTA

La bicicletta è un mezzo di trasporto. Forse è meno complicata dell'auto dei tuoi genitori, ma deve essere comunque mantenuta in buone condizioni. **Quindi controlla periodicamente:**

◼ Lo stato degli pneumatici: devono essere ben gonfi ed avere abbastanza carreggiata in caso tu capiti in terreni scivolosi o debba frenare.

◼ Lo stato e la lubrificazione delle catene e degli ingranaggi.

◼ L'usura e la funzionalità dei freni.

◼ Lo stato del cambio.

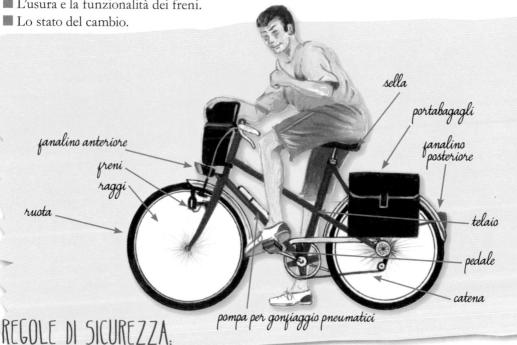

sella
portabagagli
fanalino anteriore
fanalino posteriore
freni
raggi
ruota
telaio
pedale
catena
pompa per gonfiaggio pneumatici

REGOLE DI SICUREZZA:

◼ Indossa sempre un **casco protettivo**: indossarlo significa anche tenerlo allacciato!

◼ Se vai su strade trafficate o viaggi su percorsi in penombra o nelle ore serali, indossa il **giubbotto catarifrangente**: sarai più visibile!

◼ Il **campanello** serve a segnalare la tua presenza ai pedoni: usalo quando veramente necessario.

◼ Se vai in bicicletta non devi essere solo attento a ciò che fai tu, ma anche a quello che succede attorno a te: non usare quindi cappucci che ti coprano la visuale o cuffiette per ascoltare la musica!

◼ Se la tua bici è un modello senza fari, esistono oggi delle piccole **lampadine a luce led** che si possono posizionare sul manubrio o sul parafango posteriore come luci di posizione. Attenzione: la luce davanti è giallo-bianca, dietro è rossa.

◼ Anche su un sentiero di campagna, pedala di lato.

◼ Se siete in gruppo, state in **fila indiana**, non a fianco per chiacchierare.

◼ Non frenare con il freno davanti solamente! O usi solo il freno posteriore, o li usi entrambi. Il freno anteriore blocca la ruota anteriore ma rischia di catapultarti in avanti!

La bici

IL SEMAFORO

Devi regolare bene l'altezza del sellino quando sali su una nuova bici o quando riprendi in mano la bici dopo parecchio tempo. Il tuo corpo cresce, la bici no! L'altezza giusta è quella in cui puoi mettere i piedi per terra. Anche il manubrio deve essere regolato, ma in questo caso tutto dipende dalla tua altezza, dalla distanza del manubrio dalla sella e dalla lunghezza del manubrio stesso. Trova la posizione più comoda, facendo attenzione a tenere la schiena leggermente inclinata in avanti e le braccia distese.

ALT

ATTENZIONE

VIA LIBERA

Anche se non serve la patente per andare in bicicletta, è utile e sicuro saper leggere alcuni segnali stradali che sicuramente ti sarà capitato di incontrare nei tuoi percorsi.
La segnaletica stradale che devi osservare prevalentemente è:
- **Orizzontale**: quella che viene scritta per terra.
- **Verticale**: quella che trovi appesa a dei pali.
- **Luminosa**: gli impianti semaforici

In generale:
- Un segnale **triangolare bordato di rosso** con una punta rivolta verso l'alto segnala un **pericolo**.
- Un segnale **circolare con sfondo blu** e simbolo bianco è un segnale di **obbligo**. Esistono anche segnali di obbligo rotondi bordati di rosso, con sfondo bianco e scritte nere.

Lo STOP è un segnale ottagonale rosso con bordo bianco e la parola **STOP** scritta sopra.

CHIAMATA
DEL PEDONE
PER IL VERDE

La vita è come andare in bicicletta.
Per mantenere l'equilibrio devi muoverti.
Albert Einstein

Niente è paragonabile al semplice
piacere di un giro in bicicletta.
John Fitzgerald Kennedy

La bici

COME AVERE UNA BICI DA SBALLO

Puoi decidere di decorare la tua bici in modo semplice ed economico. Ricorda sempre però di mettere la sicurezza davanti a qualsiasi abbellimento: fai attenzione cioè a non rischiare di intralciare il funzionamento degli ingranaggi o a non far finire qualcosa nei raggi!

■ Il sistema più semplice è quello di infilare tra i raggi carte da gioco, adesivi, cartoline, passando sotto e sopra a ciascun raggio il cartoncino fino a bloccarlo. Con dei piccoli pezzi di nastro adesivo trasparente o colorato fissa, ripiegando leggermente gli angoli sui raggi, queste decorazioni, in modo che stiano ferme.

■ Puoi mettere dei fiocchi o dei nastri legati alle manopole dei manubri, che sventoleranno al vento mentre vai.

■ Puoi rivestire i raggi delle tue ruote con dei pezzetti di cannucce colorate. Tagliale nel verso della lunghezza su un solo lato, infilale sui raggi in modo da creare una sorta di rivestimento, poi chiudi il taglio con scotch trasparente.

■ Annoda un nastro da fiocchi ai raggi, facendolo passare fuori e dentro di essi a spirale. Creerai una specie di ragnatela!

■ Dipingi o incolla adesivi colorati sul telaio.

La bici

OCCHIO AI SEGNALI VERTICALI

FORMA TRIANGOLARE ci avvisano di un **PERICOLO** oppure di dare la **PRECEDENZA**

A CERCHIO **VIETANO** oppure **OBBLIGANO**

FORMA RETTANGOLARE O QUADRATA danno delle **INDICAZIONI**

Stop

Divieto di svolta a destra

Divieto di transito

Divieto alle biciclette

Senso unico

Rotatoria

Obbligo di bicicletta

Obbligo di svolta a destra

Attraversamento pedonale

Pericolo di attraversamento animali

Attenzione semaforo

Dare la precedenza

Fermata scuolabus

"Come mai, Pierino, arrivi a scuola sempre in ritardo?"
"È colpa del cartello stradale, maestra"
"Davvero?!? E cosa dice?"
"C'è scritto: ATTENZIONE SCUOLA!
RALLENTARE! E io lo rispetto!"

La bici

Non caricarti di troppi pesi addosso se ti devi spostare in bicicletta. Oltre ad affaticarti, può anche influenzare il tuo equilibrio e la tua stabilità. Se prevedi di vivere un'avventura in bici, limita al minimo i pesi da portare. Se la bici è pesante, si allungano i tempi di frenata e ciò può risultare pericoloso.

Se però devi portare in ogni caso alcuni pesi, distribuiscili sul corpo della bicicletta, assicurandoli saldamente e in maniera che niente ti finisca tra gli ingranaggi o tra i raggi delle ruote. Puoi sistemarli:

■ **Davanti**: posizione ideale per le cose di cui hai bisogno più frequentemente, a patto che non ti tolgano la visuale e la maneggevolezza del manubrio.

■ **Sotto il sellino**: posizione ideale per gli attrezzi di riparazione della bici. A volte li trovi già in pratici kit da agganciare sotto il sellino.

■ **Ai lati della ruota posteriore, a cavallo dei parafanghi: posizione ideale per i pesi maggiori,** da agganciare con appositi portapacchi.

Gli ATTREZZI

1. **Attrezzo smontagomme**
2. **Chiave per bulloni con vari fori**
3. **Cacciavite**
4. **Colla / mastice**
5. **Carta abrasiva**
6. **Stracci**
7. **Lampadina di ricambio**

La bici

A = se la ruota della tua bici si è irrimediabilmente forata, ecco in alcuni semplici passi le istruzioni per ripararla;

B = stacca il copertone dalla ruota con l'aiuto di una chiave o di un cacciavite; controlla se il copertone è integro o meno: rimuovi eventuali chiodi, frammenti di vetro, pezzi di legno ecc. che possano essersi infilati dentro;

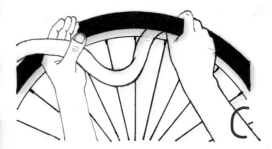

C = ora passa a riparare la camera d'aria: per individuare il suo foro, estraila dalla ruota e immergila in una bacinella piena d'acqua, strizzandola. Dove vedrai che compaiono delle bolle, lì c'è il foro;

D = tira fuori la camera d'aria dall'acqua, asciugala bene con un panno morbido, quindi prendi il kit di riparazione e segui le istruzioni che ti danno;

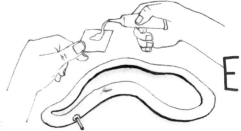

E = di solito il kit prevede che tu gratti un po' con della carta vetrata sottile la zona dove c'è il foro. Devi poi applicare sul foro una goccia di mastice e applicarvi sopra una pezza di plastica;

F = dopo aver atteso che il mastice abbia fatto effetto, rimonta la camera d'aria e il copertone sulla ruota. Falli scorrere entrambi sul cerchione, per evitare che non siano montati bene in tutta la circonferenza;

G = gonfia la ruota. Prima di partire per un lungo viaggio, verifica la tenuta della tua riparazione.

La bici

IL COLTELLINO MULTIUSO
scelta e manutenzione

Se vuoi andare all'avventura, può esserti utile un coltellino multifunzione. È un attrezzo che ha parecchi strumenti incorporati che si ripiegano su un corpo centrale che funge da manico. Uno degli strumenti è appunto un coltellino. Devi quindi maneggiarlo con molta attenzione e solo se i tuoi genitori pensano che tu sia grande abbastanza per farlo! Non perderlo mai di vista e tienilo lontano da luoghi dove potrebbe essere accessibile a bambini piccoli. Non serve che tu abbia tutti gli strumenti, ma alcuni potranno esserti davvero utili: **un cavatappi, un cacciavite, una pinzetta, un coltellino a seghetta...**

Finita l'avventura...

Quando ritorni da un'avventura, sei ancora nel mondo dei sogni? Hai ancora la testa piena del canto dei grilli e delle cicale? Non riesci a prendere in mano una penna e a sfogliare un libro perché pensi ancora a come picchettare la tenda?

Non ti preoccupare, è tutto normale! Bisogna però ritornare alla realtà e, soprattutto, bisogna sistemare tutte le cose che ti sono servite nelle tue scorribande perché non si rovinino e tornino utili una prossima volta.

■ Lascia asciugare la tenda al sole finché non sia completamente asciutta. Chiedi l'aiuto di qualcuno per ripiegarla e inserirla nella sua custodia. Pulisci i picchetti dalla terra, asciugali con carta scottex perché non si arrugginiscano e mettili nel loro sacchetto.

■ Togli le pile dagli strumenti a pila che non userai più nell'imminente.

■ Metti a stendere al sole i sacchi a pelo dopo averli fatti lavare da un adulto in lavatrice. Prima di piegarli, spargi del borotalco perché assorba anche la minima traccia di umidità rimasta. La stessa cosa puoi fare con il materassino da campeggio.

■ Togli ogni indumento dallo zaino e mettilo a lavare.

■ Lava anche lo zaino e stendilo ad asciugare per bene.

■ Togli ogni traccia di sporco dagli scarponi e asciugali bene. Se sono di pelle o cuoio, usa del grasso per nutrire questi materiali affinché non si creino screpolature. Quindi riempi le calzature di giornali vecchi perché non si creino pieghe scomode e mettile nella loro scatola. **Tieni il conto per iscritto di quanto hai perso, rotto, rovinato. La prossima volta non dovrai ricontare tutto quanto prima di metterti di nuovo in cammino.**

Si torna a casa

Dov'è che giovedì
viene prima
di mercoledì?

Sul dizionario.

all'**Avventura** con
ALFABETI SEGRETI

CON ALFABETI INTERNAZIONALI E CODICI SEGRETI

MISSIONE NATURA

LE REGOLE D'ORO PER COMUNICARE IN SEGRETO E... NON SOLO!!!

In un alfabeto si distinguono due tipi di suoni: le vocali e le consonanti.

Esistono però lingue che non scrivono le vocali, pur pronunciandole.

In questo caso i linguisti parlano, più che di alfabeto, di abjad: è proprio, ad esempio dell'arabo, dell'ebraico e dell'aramaico.

Esistono anche lingue che, pur scrivendo solo l[e] consonanti, indicano con alcuni simboli la voca[le] da inserire.

Esse si servono di un sistema di simboli det[to] abugida: è il caso di antiche lingue etiopi[che] dell'Asia meridionale e sud-orientale.

L'**alfabeto** è un sistema di scrittura in cui i segni corrispondono ai suoni di una lingua. I segni prendono il nome di **grafemi**, mentre i suoni quello di **fonemi**. Il termine alfabeto deriva dal nome delle prime due lettere dell'alfabeto greco: alfa e beta. Nel mondo esistono diversi tipi di alfabeto. **Quello con cui scriviamo in Europa occidentale è l'alfabeto latino.**

Allora, sei pronto? Quindi partiamo!!!

Alfabetiere

Ci sono oggi in commercio matite, colori e penne a tre facce. Questo tipo di strumenti, soprattutto nella prima fase di scrittura, ti aiuterà a mantenere una presa corretta.

La corretta impugnatura

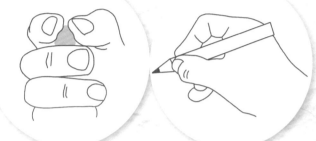

Quando prendi in mano la penna,
ci sono due dita
che formano una specie di "pinza",
il pollice e l'indice.
A sostegno in basso della penna
invece metti il dito medio.
Anulare e mignolo, semipiegati,
ti serviranno per appoggiare
la mano al foglio. Impugna la matita
a circa due dita dalla punta.

Quando scrivi, ti può sembrare di usare
solo una mano. In realtà la seconda mano
collabora nel tenere fermo il foglio.
E anche il corpo è coinvolto nella scrittura.
Se la tua impugnatura non sarà corretta,
anche il tuo tronco e la tua testa dovranno
"faticare" a trovare un sistema comodo
per scrivere e vedere quello che stai
scrivendo, ma col tempo potresti avere
mal di testa o mal di schiena!

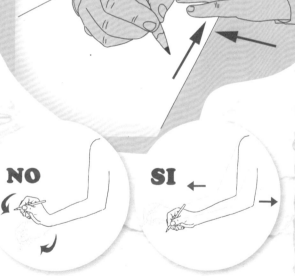

La scrittura nasce dal
movimento del polso,
non del gomito o della spalla,
che devono essere rilassati.
Se metti in funzione anche
i muscoli superiori, rischi di
scrivere male, lentamente
o di stancarti velocemente.

NO   **SI** ←

Il foglio deve essere leggermente inclinato,
per permettere ai tuoi occhi di vedere meglio ciò
che scrivi. Attento però a non esagerare!

Alfabetiere

103

La corretta postura

Se il banco è troppo alto potresti avere problemi ad appoggiare comodamente i gomiti. Dopo un po' i muscoli delle tue spalle si indolenzirebbero.

Se la sedia è troppo alta, rischi di dondolare i piedi e di essere teso nella parte alta del tronco.

La **corretta postura**
quando scrivi è quella in cui:
- il tuo corpo forma angoli di 90° tra busto e cosce, tra cosce e parti inferiori degli arti, tra gambe e piedi.
- Il busto deve essere eretto, con una leggera inclinazione in avanti.
- I gomiti devono poggiare sul banco.
- Entrambi i piedi poggiano per terra.

Se sei troppo inclinato in avanti, i tuoi occhi non avranno una giusta distanza dal foglio ma saranno troppo vicini e si sforzeranno per adattare la visuale, stancandosi. Inoltre potresti dopo un po'... addormentarti sul banco!

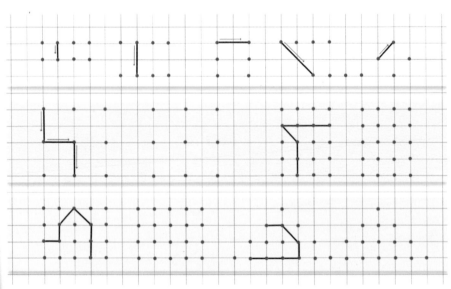

Osserva bene questi punti. Segnano l'inizio e la fine di una linea.
Ciascuna linea si muove nel foglio in direzioni diverse. Le frecce ti aiutano a scoprire quale.
Prima segui i tracciati già disegnati con la matita, poi ricopiali sui punti liberi.

Alfabetiere

SEGNALI di fumo

IL CAMPO E' QUI

MI SONO PERSO. AIUTO!

BUONE NOTIZIE

I segnali di fumo furono un sistema di comunicazione usato fin dall'antichità.

Si usavano nuvole, sbuffi di fumo, fili di fumo che erano visibili, se era giorno e se non c'erano condizioni di visibilità ridotta (nebbia, pioggia, grandine), anche a grandi distanze.

Si prediligeva un fumo scuro, perché meglio distinguibile nel cielo.

Lo si produceva con falò a cui venivano aggiunti erba o rami verdi. Il falò veniva coperto per tempi regolari con teli o pelli e, quando questi venivano sollevati, si creavano le nuvole di fumo, di diversa dimensione e per tempi diversi. A volte durante la notte i segnali di fumo erano sostituiti da segnali luminosi.

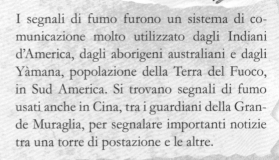

I segnali di fumo furono un sistema di comunicazione molto utilizzato dagli Indiani d'America, dagli aborigeni australiani e dagli Yàmana, popolazione della Terra del Fuoco, in Sud America. Si trovano segnali di fumo usati anche in Cina, tra i guardiani della Grande Muraglia, per segnalare importanti notizie tra una torre di postazione e le altre.

Uno dei segnali di fumo più atteso è quello per l'elezione di un nuovo Papa.

Quando i cardinali si riuniscono in Conclave, ovvero in una stanza apposita chiusa a chiave, per eleggere un nuovo Papa, comunicano all'esterno attraverso dei segnali di fumo. Bruciano le schede di elezione ogni volta che giungono a votare. Se il fumo che esce è scuro, vuol dire che non sono arrivati a un accordo. Se invece esce la famosa **"fumata bianca"**, significa che hanno scelto il successore pontificio.

ah, queste nuove tecnologie della comunicazione non mi convincono...

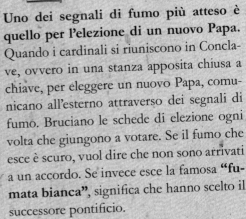

Segnali di FUMO

ALFABETO  GRECO e CIRILLICO

In Europa però esistono anche altri due alfabeti, quello greco, usato solo in Grecia, e quello cirillico, usato nel territorio corrispondente alla Russia e nei paesi di lingua slava.

Alfabeto Greco

Maiuscolo	Minuscolo	Nome	Pronuncia
A	α	alpha	a
B	β	beta	b
Γ	γ	gamma	g (dura)
Δ	δ	delta	d
E	ε	epsilon	ĕ (e breve)
Z	ζ	zeta	z (dolce)
H	η	eta	ē (e lunga)
Θ	θ	theta	th inglese
I	ι	iota	i
K	κ	kappa	k
Λ	λ	lambda	l
M	μ	mu (mi)	m
N	ν	nu (ni)	n
Ξ	ξ	xi	x
O	ο	omicron	ŏ (o breve)
Π	π	pi	p
P	ρ	rho	r
Σ	σ ς	sigma	s
T	τ	tau	t
Υ	υ	upsilon	u francese
Φ	φ	phi	ph
X	χ	chi	ch tedesco
Ψ	ψ	psi	ps
Ω	ω	omega	ō (o lunga)

L'alfabeto

Alfabeto Cirillico

Maiuscolo	Minuscolo	Nome	Pronuncia
А	а	a	*a*
Б	б	b	*b*
В	в	v	*v*
Г	г	g	*g*
Д	д	d	*d*
Е	е	e	*iee*
Ё	ё	io	*jo*
Ж	ж	zh	*jg*
З	з	z	*sz*
И	и	i	*i*
Й	й	i kratkaja	*j (come in yogurt)*
К	к	k	*k*
Л	л	l	*l*
М	м	m	*m*
Н	н	n	*n*
О	о	o	*o*
П	п	p	*p*
Р	р	r	*r*
С	с	s	*s*
Т	т	t	*t*
У	у	u	*u*
Ф	ф	f	*f*
Х	х	ch	*ch (aspirata, non dura)*
Ц	ц	c	*z*
Ч	ч	tch	*c*
Ш	ш	sch	*scc*
Щ	щ	stch	*Sscc'*
Ъ	ъ	segno duro	*Non ha pronuncia ma rende dura la consonante che precede*
Ы	ы	y	*"i" centrale, pronunciata alzando il corpo della lingua verso la sezione centrale del palato*
Ь	ь	segno debole	*, palatalizza la consonante precedente (la consonante deve essere pronunciata con il corpo della lingua che tocca il palato vicino ai denti)*
Э	э	e	*e aperta*
Ю	ю	ju	*iu*
Я	я	ja	*ia*

L'alfabeto

Lettere	Codice	Punteggiatura	Codice
A	• —	.	• — • — • —
B	— • • •	,	— — • • — —
C	— • — •	:	— — — • • •
D	— • •	?	• • — — • •
E	•	=	— • • • —
F	• • — •	-	— • • • • —
G	— — •	(	— • — — •
H	• • • •	)	— • — — • —
I	• •	"	• — • • — •
J	• — — —	'	• — — — — •
K	— • —	/	— • • — •
L	• — • •	Sottolineato	• • — — • —
M	— —	@	• — — • — •
N	— •	!	— • — • — —
O	— — —		
P	• — — •		
Q	— — • —		
R	• — •		
S	• • •		
T	—		
U	• • —		
V	• • • —		
W	• — —		
X	— • • —		
Y	— • — —		
Z	— — • •		
0	— — — — —		
1	• — — — —		
2	• • — — —		
3	• • • — —		
4	• • • • —		
5	• • • • •		
6	— • • • •		
7	— — • • •		
8	— — — • •		
9	— — — — •		

Il codice Morse
LETTERE, NUMERI
E PUNTEGGIATURA

Il dispositivo per la trasmissione del codice Morse funziona come una elettrocalamita, cioè sfrutta la forza elettrica e quella del magnetismo. Dalla loro invenzione nel 1837, dovettero attendere fino al 1844 per essere utilizzati per inviare il primo telegramma pubblico!

Il codice Morse

Il codice Morse è un sistema per trasmettere lettere, numeri e segni di punteggiatura attraverso un codice a intermittenza.

Il suo nome deriva da quello dello scienziato Samuel Morse che, insieme al tecnico Alfred Vail, nel 1838 lo sperimentò per la prima volta attraverso il telegrafo per trasmettere un messaggio.

È un codice basato sull'alternanza di cinque stati:
- il punto
- la linea
- l'intervallo breve (tra ogni lettera)
- l'intervallo medio (tra parole)
- l'intervallo lungo (tra frasi)

Quando non esiste possibilità di confusione, le cifre 0, 1 e 9 possono essere trasmesse in forma abbreviata e divengono:

Numeri	Codice
0	—
1	•—
9	—•

Nota: se vuoi davvero imparare il codice Morse, non trascrivere semplicemente le linee e i punti, ma sforzati di scrivere direttamente la lettera corrispondente. Solo così potrai ricevere e spedire segnali senza commettere errori!

Il punto è un breve segnale acustico, detto anche *dit*, mentre il trattino detto *dah* è tre volte più lungo.
(Dit si pronuncia "di" con un "t" muta e dah si pronuncia "daa" con una "a" lunga). Così, se vuoi parlare con un tuo amico senza farti capire da altri, dovrete imparare insieme questo alfabeto e poi comunicare attraverso suoni. Se siete distanti, potete anche utilizzare il suono di un fischietto.

Nell'uso del fischietto, non fare una serie di soffiate: la durata dei suoni prodotti sarebbe troppo irregolare! Piuttosto gonfia le guance immagazzinando l'aria sufficiente per una parola e intervalla il fischio premendo a intervalli regolari la lingua sulla fessura di uscita dell'aria.

Tu però puoi anche usare l'alfabeto senza suono, cioè trascrivendo solo il punto e la linea.

Oppure puoi trasformarlo in un messaggio corporeo, condividendo con un tuo amico alcuni segni convenzionali (ad esempio punto = mano chiusa a pugno e linea = mano aperta).

Se invece sei a grande distanza dall'interlocutore, il codice Morse può essere trasmesso attraverso segnali luminosi, proiettando un fascio di luce in direzione del destinatario e schermandolo con un cartoncino o della stoffa scura. Se è giorno, puoi usare dei segnali di fumo, come facevano un tempo i nativi d'America!

Il codice Morse

Il codice MORSE

Ma si usa ancora il codice Morse?
Sì, lo usano le navi mercantili per comunicare tra loro e con la terra ferma, i radiofari per guidare gli aerei e i radioamatori quando sono sulle frequenze a loro dedicate. Come vedi, sono comunicazioni che coprono grandi distanze!
I radioamatori, forse non lo sapevi, devono sostenere un esame per ottenere una patente. Tra le materie da sapere, fino a pochi anni fa c'era anche la conoscenza del codice Morse!

Il codice di richiesta di aiuto, SOS, venne deciso nel 1906 a Berlino durante la Seconda Conferenza Internazionale di Telegrafia. Sostituì il codice precedente CQD. Dicono significhi "Save our souls" cioè "Salvate le nostre anime" ma in realtà è un codice convenzionale senza significato, utile solo perché facile da ricordare e da trasmettere senza rischio di fraintendimenti: tre punti - tre linee - tre punti, da inviare senza interruzioni.

Gli scout hanno trasformato il codice in un sistema di segnalazione che funziona anche a distanza, attraverso l'utilizzo di bandierine.
Vedi come sono stati ingegnosi?
Anche se non fai parte di una squadra scout, puoi esercitarti a imparare questo linguaggio.
Se ci sono situazioni sfavorevoli, nebbia o vegetazione che impedisce una visuale nitida, puoi anche decidere di sostituire alle bandierine un altro elemento visivo, come la luce di una torcia.

Chiamata e risposta

1 - Prendi posizione per chiamare agitando le bandierine con i polsi senza però muovere le braccia.
2 - Prendi posizione per rispondere e resta immobile con braccia e bandierine.

1

2

3 - Pronto a trasmettere: tieni le bandierine incrociate a terra davanti alle gambe.
4 - Fine lettura: fai una breve pausa con le bandierine lungo i fianchi.

3

4

5 - Capito: fai un breve e veloce segno con il braccio destro.
6 - Non capito: resta immobile e attendi che chi trasmette ripeta la parola.

5

6

7 - Fine trasmissione: segnala in successione le lettere.
FE= FINE.
8 - Ricevuto: segnala in successione le lettere
CO=CAPITO.

7

8

1 - Corpo eretto, gambe unite, bandierine incrociate davanti alle gambe = **SONO PRONTO.**

2 - Grande 8 verticale eseguito davanti al corpo con la bandierina destra mentre la sinistra rimane ferma = **SEGNALE DI CHIAMATA E INIZIO TRASMISSIONE.**

3 - Una sola bandierina sollevata = **PUNTO.**

4 - Due bandierine sollevate = **LINEA.**

5 - Movimento deciso della bandierina destra, che viene agitata davanti al corpo, all'altezza della vita, da destra a sinistra = **FINE PAROLA.**

6 - Agitando entrambe le bandierine più volte dalla posizione di braccia tese in alto a quella di braccia tese orizzontale e viceversa = **ERRORE o RICHIESTA RIPETIZIONE.**

7 - Agitando la bandierina di destra più volte dalla posizione di braccio teso in alto a quella di braccio teso orizzontale = **RICEVUTO ESATTAMENTE.**

1   2   3   4   5   6   7

astro (.—)
Bonaparte (—....)
contatore (—.—.)
docile (—..)
eh (.)
fumatore (..—.)
gondola (— —.)
hermarium (....)
ira (..)
jablonovo (.—..)
kohimor (—.—)
limonata (.—..)
moto (— —)
noia (—.)
oporto (— — —)
pianoforte (.— —.)
quoquoriquo (— —.—)
rumore (.—.)
sirena (...)
toh (—.)
urano (..—)
valeriano (.....—)
wagon post (.— —.)
xrocadero (.—..—)
yochimoto (—.— —)
zoroastri (— —..)

NOTA

Un modo per imparare il Morse è usare delle parole "chiave" che ci permettano di ricordare la successione di linee e punti. Ti diamo un elenco; il trucco è questo: dividi le parole in sillabe. Se nella sillaba c'è la vocale O, allora sarà una LINEA, se invece ha le altre vocali, allora sarà una PUNTO.

Il codice Morse

Questo alfabeto, detto anche Alfabeto fonetico radiotelegrafico, è nato negli anni '50 come codice di comunicazione internazionale tra i piloti dell'aviazione. Capitava, infatti, che alcune parole, per i disturbi nella comunicazioni radiofoniche o telegrafiche, non fossero chiare. Oppure c'erano i rumori dei motori degli aerei che non permettevano di comprendere bene ciò che veniva detto. Per questo motivo di alcune parole importanti si decise di fare lo **spelling**, cioè di pronunciarle lettera per lettera, attraverso un codice che fosse valido per tutti. Questo alfabeto è diffuso soprattutto in Europa e nel Nord America ed è quello adottato dai paesi che hanno aderito alla Nato.

Ha sostituito vecchi alfabeti fonetici quali, il Royal Navy della Marina Britannica e il Fonetico Britannico, adottati durante la prima guerra mondiale.

A come *Ancona*	**N** come *Napoli*
B come *Bari*	**O** come *Otranto*
o *Bologna*	**P** come *Palermo*
C come *Como*	o *Padova*
D come *Domodossola*	**Q** come *Quarto*
E come *Empoli*	o *Québec*
F come *Firenze*	o semplicemente *"qu"*
G come *Genova*	**R** come *Roma*
H come *hotel*	**S** come *Savona o Salerno*
I come *Imola*	**T** come *Torino o Taranto*
J *"i lunga"* oppure:	**U** come *Udine*
come *jolly*	**V** come *Venezia*
K *"cappa"* oppure:	**W** *"vu doppia"*
come *kursaal*	**X** semplicemente *ics*
L come *Livorno*	**Y** semplicemente *ipsilon*
M come *Milano*	**Z** semplicemente *Z*
	o *Zara*

Anche in Italia abbiamo un alfabeto del genere, che si usa per fare lo spelling, cioè per pronunciare una parola lettera per lettera. Anche se non è mai stato deciso da nessuno, il suo uso si è rafforzato... con l'uso! In esso si utilizzano i nomi delle città italiane. Si chiama Alfabeto Telefonico Italiano perché molto spesso, quando le comunicazioni telefoniche non erano di alta qualità, si ricorreva a questo sistema per dire le parole principali.

Alfabeto fonetico

Lettera	Fonetico NATO	Fonetico ROYAL NAVY	Fonetico BRITANNICO
A	Alfa	Apples	Ack
B	Bravo	Butter	Beer
C	Charlie	Charlie	Charlie
D	Delta	Duff	Don
E	Echo	Edward	Edward
F	Foxtrot	Freddy	Freddie
G	Golf	George	Gee
H	Hotel	Harry	Harry
I	India**	Ink	Ink
J	Juliet	Johnny	Johnnie
K	Kilo	King	King
L	Lima	London	London
M	Mike	Monkey	Emma
N	November	Nuts	Nuts
O	Oscar	Orange	Oranges
P	Papa	Pudding	Pip
Q	Quebec	Queenie	Queen
R	Romeo	Robert	Robert
S	Sierra	Sugar	Esses
T	Tango	Tommy	Toc
U	Uniform	Uncle	Uncle
V	Victor	Vinegar	Vic
W	Whiskey	Willie	William
X	X-ray	Xerxes	X-ray
Y	Yankee	Yellow	Yorker
Z	Zulu	Zebra	Zebra

1	One / Unaone*
2	Two / Bissotwo*
3	Three / Terrathree*
4	Four-er / Kartefour*
5	Five / Pantafive*
6	Six / Soxisix*
7	Seven / Setteseven*
8	Eight / Oktoeight*
9	Nine-r / Novenine*
0	Zero / Nadazero*

* I numeri si comunicano in inglese per la maggior parte delle volte ma, se la trasmissione è troppo disturbata o se è di fondamentale importanza, come per le coordinate geografiche, si usano i nomi di codice internazionale (Unaone, bissotwo ecc).

** A volte i codici nternazionali vengono personalizzati a seconda di chi li emette. La I, ad esempio, può anche essere sostituita da **Italia** se l'operatore è italiano!

Nato

Le moderne tecnologie servono alle persone con problemi di vista (ciechi o ipovedenti) a superare molte difficoltà. Rimane comunque indispensabile partire dalla conoscenza di un sistema di scrittura apposito, l'alfabeto Braille.
A Monza c'è la biblioteca con la raccolta più ampia di opere italofone.

Questo alfabeto è poi stato adattato anche per l'utilizzo informatico ed ora ci sono display tattili dette barre Braille.

Il sistema si può avvalere di solo 64 simboli: per questo motivo a volte a ciascun simbolo è associato un significato diverso, a seconda dell'argomento trattato e del linguaggio usato.

Nota: se vuoi creare un messaggio con carta e punteruolo scrivendolo in Braille, ricorda che il sistema di scrittura è "rovesciato", cioè è direzionato da destra a sinistra. Per leggere poi dovrai capovolgere il foglio e leggere da sinistra a destra. Esiste una tavoletta speciale per poter avere il riferimento delle caselle dentro le quali scrivere.

Il Braille è un sistema di scrittura e lettura a rilievo per persone che hanno gravi problemi di vista o non ci vedono affatto. Il nome deriva dal suo inventore, **Louis Braille,** che lo mise a punto nella prima metà del XIX secolo.

È costituito da **simboli** creati con un massimo di **sei punti,** disposti in ordini differenti in caselle della grandezza di circa 3x2 millimetri. Su un foglio di carta questi simboli vengono creati attraverso un punteruolo che mette in rilievo i punti sulla carta, senza forarla. La scrittura Braille quindi sfrutta il **senso del tatto,** dato che il senso della vista è compromesso.

Nel 2009, duecento anni dopo la nascita di Louis Braille, Italia e Belgio gli hanno dedicato una moneta da due euro con la sua effigie!

Il Braille deve essere utilizzato obbligatoriamente in alcune situazioni, per eliminare le barriere architettoniche e non mettere in pericolo una persona ipovedente o non vedente.
Ad esempio sui pulsanti di un ascensore, sulle scatole dei medicinali, sui documenti ufficiali (passaporto, tessere sanitarie ecc).
Alcune volte, se non è possibile la segnalazione in Braille, si usa una segnalazione sonora (come ad esempio per gli attraversamenti semaforici).

Tabella di scrittura in BRAILLE

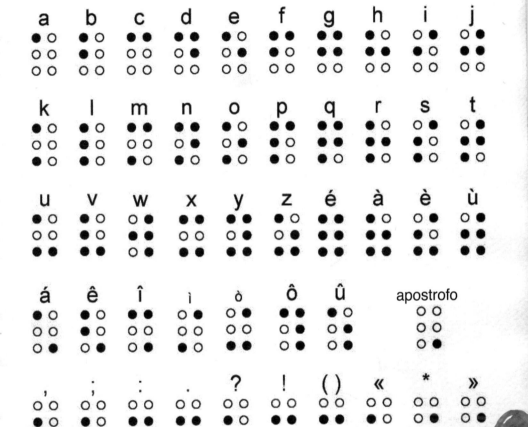

| a | b | c | d | e | f | g | h | i | j |

| k | l | m | n | o | p | q | r | s | t |

| u | v | w | x | y | z | é | à | è | ù |

| á | ê | î | ì | ò | ô | û | | apostrofo |

| ' | ; | : | . | ? | ! | ( ) | « | * | » |

segno di numero

I numeri devono sempre essere preceduti dal "segno di numero".

Esempio

1

segno di maiuscolo

Le lettere maiuscole devono sempre essere precedute dal "segno di maiuscolo".

Alfabeto Braille

ALFABETO MUTO

L'alfabeto muto non è tipico solo della nostra cultura. Sembra che i Tuareg, i viaggiatori dei deserti, usino un alfabeto muto fatto sulle mani, per scambiarsi messaggi senza essere sentiti.
Possono essere messaggi d'amore, di commercio, di guerra...

L'alfabeto muto è un gioco comunicativo che utilizza il corpo per **"scrivere nell'aria".** Per usarlo non c'è bisogno di emettere alcun suono ma bisogna essere abbastanza vicini da potersi vedere.
Si crede che i primi alfabeti muti nacquero tra le mura dei conventi dove i ragazzi e le ragazze che vi erano ospitati dovevano, come i monaci e le monache, rispettare le lunghe ore di silenzio.
Per comunicare inventarono allora questo sistema, semplice ma efficace.

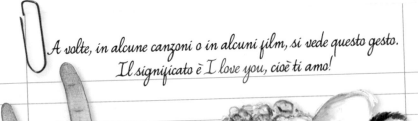

A volte, in alcune canzoni o in alcuni film, si vede questo gesto. Il significato è I love you, cioè ti amo!

116

Tutte le lettere dell'alfabeto hanno un suono vivace e lieto
tranne l'Acca che, come si sa, un suono proprio non ce l'ha.
Gianno Rodari

Alfabeto muto

Alfabeto muto con una mano sola

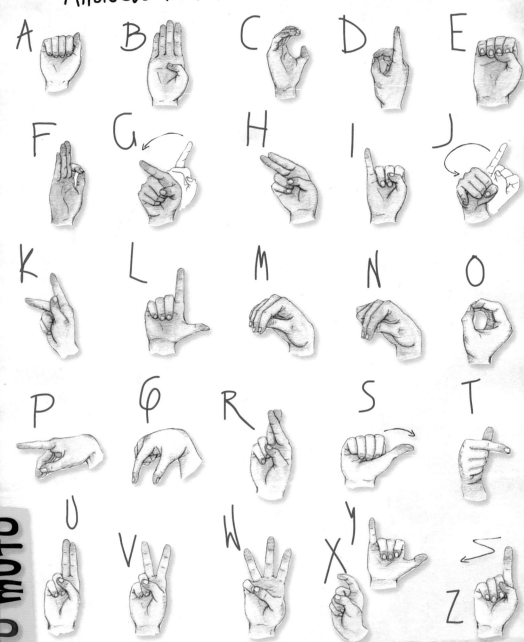

L'alfabeto qui riportato viene comunque utilizzato anche da persone sorde, ad esempio per fare lo **spelling** di parole che non riescono ad essere comprese con la lettura del labiale o per lo spelling di nomi propri, parole straniere o particolari.
Le persone sorde, poi, hanno una serie di gesti convenzionali con cui hanno creato una vera a propria lingua parallela, senza suoni.

ALFABETO LORM

Le persone sorde e cieche o ipovedenti hanno ora, grazie alla moderna tecnologia, un nuovo alleato. Si tratta di un guanto che comunica attraverso la pressione su diverse aree della mano direttamente a un dispositivo elettronico, computer o cellulare smartphone che sia. In questa maniera anche queste persone riescono a non essere bloccate nella comunicazione con il mondo esterno. L'alfabeto venutosi così a creare si chiama **Lorm**, da **Hieronymus Lorm**, scrittore austriaco sordocieco che ha lanciato l'idea.

Questo alfabeto funziona con la pressione sulla mano in diversi punti che corrispondono alle lettere dell'alfabeto e ai numeri.

Gli scienziati, i tecnici e gli informatici stanno mettendo a punto un guanto che, indossato, traduce alcuni stimoli elettrici in pressioni sulla mano e fa comprendere a chi lo indossa un messaggio grazie all'uso dell'alfabeto Lorm.

Tutto quello che ho per difendermi è l'alfabeto; è quanto mi hanno dato al posto di un fucile.
Philip Roth, *Operazione Shylock*

I ragazzi non sono vasi da riempire ma fiaccole da accendere.
Aristotele

... come fare?

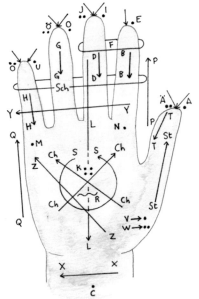

Alfabeto Lorm

Bandiera, lettera, radiofonia, codice Morse e significato

Questo tipo di codice di comunicazione si basa su segnalazioni attraverso bandiere
che vengono issate sulle navi verticalmente a gruppi di quattro e vengono lette dall'alto verso il basso.
Sono comunicazioni molto tecniche che però ti puoi divertire a imparare.

A **Alfa** · —
"Ho un sommozzatore in immersione; tenersi bene a distanza e procedere a bassa velocità."
Con tre bandiere numeriche, ne indica la direzione o la posizione.

B **Bravo** — · · ·
"Sto caricando, scaricando o trasportando materiale pericoloso."
(usato in origine dalla Royal Navy specificatamente per gli esplosivi)

C **Charlie** — · — ·
"Affermativo." Con tre bandiere numeriche, rotta in gradi magnetici.

D **Delta** — · ·
"Tenersi a distanza; sto manovrando con difficoltà."
Con due, quattro o sei bandiere numeriche ne indica la data.

E **Echo** ·
"Sto accostando a dritta."

F **Foxtrot** · · — ·
"Sono in avaria; comunicate con me."

G **Golf** — — · *"Richiedo un pilota."* Se usato da pescherecci
che operano nelle vicinanze di una zona pescosa, significa:ì "Sto issando le reti" Con quattro o cinque
bandiere numeriche, indica la longitudine (le ultime due cifre per i minuti e le altre per i gradi)

H Hotel · · · ·
"Ho un pilota a bordo."

I **India** · ·
"Sto accostando a sinistra." si chiamerà ITALY, anziché INDIA

J **Juliet** · — — —
"Ho un incendio a bordo e trasporto merci pericolose: mantenetevi lontano da me."
oppure: "Sto perdendo merci pericolose."

K **Kilo** — · — *"Desidero comunicare con voi."* Se affiancato con
una bandiera numerica: "desidero comunicare con voi tramite: 1) segnali in alfabeto Morse con
bandiere a mano od armi; 2) megafono; 3) segnali in alfabeto Morse con lampade; 4) segnali sonori."

L **Lima** · — · · In porto: *"La nave è sotto quarantena."*
In mare: "Fermate immediatamente la vostra nave." Con quattro bandiere numeriche,
indica la latitudine (le prime due cifre per i gradi e le altre per i minuti).

M **Mike** — —
"La mia nave è ferma e senza abbrivio."

N   **November**   – ·

"Negativo."

O   **Oscar**   – – –

"Uomo in mare!"

P   **Papa**   · – – ·   Denominata anche Blue Peter

In porto: "Tutti devono rientrare a bordo, poiché la nave sta per salpare."
In mare può essere usata dai pescherecci per dire: "Le mie reti si sono impigliate in un ostacolo."

Q   **Quebec**   – – · –

"La mia nave è indenne e chiedo libera pratica."

R   **Romeo**   · – ·

"Segnale di procedura. Con una o più bandiere numeriche,
indica la distanza in miglia nautiche."

S   **Sierra**   · · ·

"Le mie macchine stanno andando indietro."
Con una o più bandiere numeriche, indica la velocità in nodi.

T   **Tango**   –   *"Mantenetevi lontano da me,*
sono impegnato in operazioni di pesca a due battelli." Con quattro bandiere numeriche,
indica l'orario locale (le prime due cifre per le ore e le altre per i minuti).

U   **Uniform**   · · –

"State andando verso un pericolo."

V   **Victor**   · · · –

"Richiedo assistenza."
Con una o più bandiere numeriche, indica la velocità in chilometri all'ora (km/h).

W   **Whiskey**   · – –

"Richiedo assistenza medica."

X   **Xray**   – · · –

"Sospendete quello che state facendo e fate attenzione ai miei segnali."

Y   **Yankee**   – · – –

"La mia ancora sta arando."

Z   **Zulu**   – – · ·   *"Richiedo un rimorchiatore." Se usato da pesche-*
recci che operano nelle vicinanze di una zona pescosa, significa: "Sto calando le reti." Con una o più
bandiere numeriche, indica l'orario UTC (le prime due cifre per le ore e le altre per i minuti).

Codice nautico

ALFABETI SEGRETI

e CRITTOGRAFIA

Crittografia è parola che deriva dal greco e significa "scrittura nascosta". Nasce da una branca della matematica e si sviluppa enormemente con l'informatica. La crittografia porta con sé la crittoanalisi, che consiste nello studio e decifrazione di messaggi nascosti da sistema crittografico.

L'uso di alfabeti segreti è servito da sempre per trasmettere messaggi tra persone che condividevano un determinato codice non convenzionale.

Uno degli alfabeti più semplici da utilizzare è quello basato sulla corrispondenza delle lettere dell'alfabeto in ordine ai numeri da 0 a 25.

A	B	C	D	E	F	G	H	I	J	K	L	M	N
0	1	2	3	4	5	6	7	8	9	10	11	12	13

O	P	Q	R	S	T	U	V	W	X	Y	Z
14	15	16	17	18	19	20	21	22	23	24	25

PUOI ANCHE COMPLICARE IL TUTTO INVERTENDO L'ORDINE NUMERICO DAL 25 ALLO 0.

A	B	C	D	E	F	G	H	I	J	K	L	M	N
25	24	23	22	21	20	19	18	17	16	15	14	13	12

O	P	Q	R	S	T	U	V	W	X	Y	Z
11	10	9	8	7	6	5	4	3	2	1	0

Ad esempio:

C	23
I	17
A	25
O	11

Alfabeti segreti

122

COME COSTRUIRE UN CIFRARIO A ROTAZIONE

Due volte sciocco colui che, svelando un segreto ad un altro, gli chiede caldamente di non svelarlo a nessuno.
Miguel de Cervantes

■ Su un cartoncino di formato A4 con l'utilizzo di un compasso disegna due cerchi del raggio di 8 centimetri il primo e di 6 centimetri l'altro.

■ Ritaglia i due cerchi e fai un piccolo foro in corrispondenza del centro.

■ Sovrapponi i cerchi: quello più grande sotto e quello più piccolo sopra. Uniscili grazie a un fermacampione.

■ Sul bordo del più grande scrivi, come sul quadrante di un orologio, le lettere dell'alfabeto (mettile tutte e 26, in ordine alfabetico, includendo anche le lettere straniere). Se vuoi puoi ampliare il codice inserendo numeri (bastano dallo 0 al 9) e segni di punteggiatura o spazi.

■ In corrispondenza del disco più piccolo, riporta le lettere o i simboli che ti serviranno a scrivere i tuoi messaggi segreti.

■ Per dare un punto di corrispondenza tra i due alfabeti, ricorda l'inizio di entrambi e il senso di rotazione in cui si devono girare i cerchi. Puoi anche segnare con un puntino le due lettere corrispondenti.

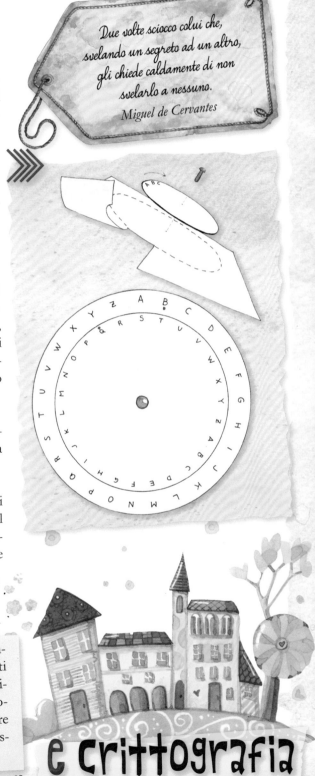

NOTA: Anticamente si usavano dei cartoncini o delle lamine metalliche forati. Questi strumenti si sovrapponevano al messaggio cifrato e le lettere che sbucavano dai fori componevano il messaggio segreto da leggere oppure dovevano essere eliminate per rendere il messaggio segreto comprensibile.

e crittografia

Cifrari con chiave e CRITTOGRAFIA

V	E	R	O	N	A
O	g		g	i	T	a	i	t	r	e
a	s		p	i	e	T	t	r	A	o	l	P	l	a	l
o	A		A		l
c	o		A	e
T	r		e

A	R	V	E	N	O
i	g	O	g	T	i
t	p	a	s	T	e
r	l	o	A	t	P
e	A	c	o	a	l
	e	T	r	l

Un altro sistema per trasmettere messagg[io] segreti è quello di utilizzare una chiave sott[o] cui incolonnare le lettere di un messaggi[o]. Guarda l'esempio in cui la chiave di com[-] prensione è la parola **VERONA**.

IL messaggio iniziale è:
"Oggi Ti Aspetto Al Parco Alle Tre".
Il messaggio con la chiave diventa:
**"i g O g T i t p a s t e
r l o A a P e A c o l l
e T r"**
Utilizza le lettere MAIUSCOLE per evidenziare l'inizio di una nuova parola, eliminando quindi il problema degli spaz[i]

NOTA
Enigma era il nome di una macchina utilizzata dall'esercito tedesco durante la Seconda Guerra Mondiale per trasmettere informazioni indeci-frabili. In realtà il sistema della macchina venne decriptato, cioè da segreto fu reso comprensi-bile grazie al lavoro di un gruppo di ingegneri polacchi. Molte informazioni importanti per la vittoria si ottennero grazie alla comprensione dei messaggi nemici prodotti con Enigma.

NOTA
Forse pensi che questi sistemi siano util[i] solo dagli agenti segreti. Eppure ci sono complicati sistemi di comunicazione se[greti?] che tu o i tuoi genitori utilizzate ogni no! Fare acquisti con un bancomat o con carta di credito, l'invio di messaggi d[a] computer o da un cellulare, è sicuro sol[o se] i sistemi di comunicazione che si usano s[ono] criptati.

Alfabeti segreti

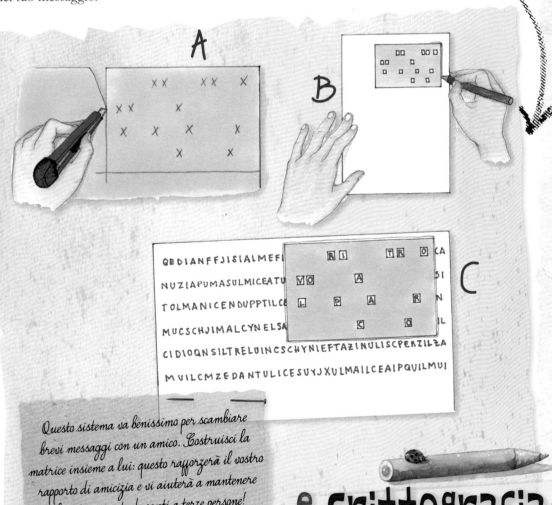

I messaggi segreti attraverso matrice

La matrice è un quadrato di cartoncino che ha in determinati punti dei fori.
Puoi scrivere un messaggio segreto attraverso di essa, l'importante è che chi lo riceve abbia, per decifrarlo, la stessa identica matrice che hai usato tu per scriverlo.

A = Crea la tua matrice e una per il destinatario del messaggio (oppure usate tutti e due la stessa).
■ Poni la matrice su un foglio bianco e scrivi in corrispondenza dei fori le lettere in ordine del tuo messaggio.

B = Contorna con una linea la sagoma della matrice sul foglio, magari segando solo un angolo o un paio di angoli. Servirà a chi riceve il messaggio per posizionare la matrice esattamente come l'hai messa tu.

C = Togli la matrice e riempi gli spazi vuoti del foglio con lettere a caso.
■ Manda il messaggio segreto al tuo amico. Egli, posizionando la sua matrice, identica alla tua, esattamente nel modo in cui l'hai posizionata tu, vedrà attraverso i fori il messaggio segreto che gli hai scritto.

Questo sistema va benissimo per scambiare brevi messaggi con un amico. Costruisci la matrice insieme a lui: questo rafforzerà il vostro rapporto di amicizia e vi aiuterà a mantenere il vostro segreto davanti a terze persone!

e crittografia

e CRITTOGRAFIA

La scrittura speculare

La scrittura speculare si ottiene scrivendo un messaggio... allo specchio.

■ Posiziona lo specchio, meglio se rettangolare, a contatto con il foglio, tenendolo con la mano sinistra.

■ Parti a scrivere da destra, non guardando il foglio mentre scrivi, ma guardando lo specchio. Le lettere saranno invertite e l'andamento della scrittura sarà da destra a sinistra!

Se sei mancino ti verrà molto più facile!

Uno dei più grandi utilizzatori della scrittura speculare fu Leonardo da Vinci. Per proteggere le sue ricerche e i calcoli per le sue invenzioni da sguardi indiscreti, spesso scriveva in questo modo!

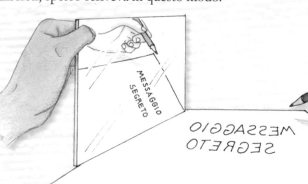

La scrittura speculare fu ampiamente usata nella fase della stampa attraverso i caratteri mobili. Essi infatti dovevano essere montati al rovescio per poter dare poi un risultato coretto una volta che, inchiostrati, imprimevano il loro stampo sul foglio di carta.

L'alfabeto musicale

La musica è di per sé un vero e proprio alfabeto! Si scrive su 5 linee che, nel loro insieme si chiamano pentagramma, sfruttando gli spazi tra di esse e le linee stesse. I segni musicali sono costituiti da note per i suoni e da pause per i silenzi.

Puoi anche utilizzare le note, che sono un sistema di scrittura della musica e del canto, per scrivere messaggi segreti, attribuendo a ciascuna nota un simbolo alfabetico come dallo schema qui sotto.

Ora, seguendo le indicazioni che vedi sopra, prova a decifrare questo mesaggio!

PROVA A DECIFRARE IL MESSAGGIO CHE ABBIAMO SCRITTO SOTTO UTILIZZANDO L'ALFABETO MUSICALE.

(Soluzione a p. 129)

e crittografia

127

ALFABETI SEGRETI

e CRITTOGRAFIA

Come rilevare le impronte digitali

Forse ti sarà capitato di ricevere un biglietto e di non sapere esattamente chi te l'ha scritto. Oppure di ricevere un biglietto da qualcuno ma di sospettare che a scrivere

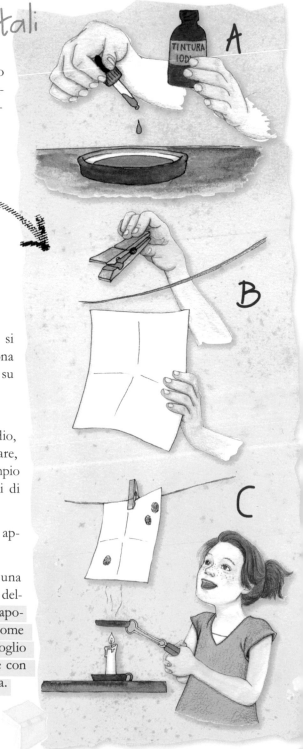

COSA TI SERVIRÀ:

- ▣ Una candela
- ▣ Un tappo di metallo
- ▣ Tintura di iodio
- ▣ Una molletta da bucato o una pinza
- ▣ Un foglio su cui rilevare le impronte

Procedi in questa maniera:

▣ Prova a pensare in quale posizione si possano trovare le impronte di una persona su un foglio: può essere su un angolo, su una piegatura, al centro...

▣ Accendi la candela.

A = Metti qualche goccia di tintura di iodio, quella che serve anche per disinfettare, nel tappo di metallo, quello ad esempio delle bottiglie di birra o dei vasetti di conserva.

B = Con una molletta per bucato appendi il foglio al di sopra del tappo.

C = Prendi il tappo di metallo con una pinza e posizionalo sopra la fiamma della candela. La tintura di iodio, evaporando con il calore, farà apparire, come per magia, le impronte digitali sul foglio e a quel punto potrai confrontarle con quelle della persona che ti interessa.

L'inchiostro simpatico

Se vuoi rendere invisibile un tuo messaggio per poi leggerlo o farlo leggere soltanto a chi vuoi tu, puoi scriverlo utilizzando l'inchiostro simpatico. Questo tipo di inchiostro non si vedrà sulla carta, rendendo invisibile il messaggio ma, non appena avvicinerai la carta a una fonte di calore, ad esempio una candela, il messaggio diventerà visibile.

Per fare l'inchiostro simpatico puoi seguire queste istruzioni:

Il succo di un limone, un cotton-fioc o degli stuzzicadenti, una bacinella di plastica, carta, carta assorbente, tintura di iodio, acqua.
Intingi il cotton-fioc o uno stuzzicadenti nel succo di limone e scrivi il tuo messaggio. Una volta asciutto, il foglio sembrerà senza alcun segno. Ma se lo avvicinerai a una fonte di calore, apparirà quanto hai scritto con il succo di limone.

Fai attenzione a non bruciare il tuo messaggio avvicinandolo troppo alla fiamma!

Invece del succo di limone puoi ottenere il tuo inchiostro simpatico anche con acqua zuccherata.

Le vere spie usano sostanze un po' più difficili da trovare, come una soluzione acquosa di solfato rameico che esposto a vapori di ammoniaca diventa visibile.

IL MESSAGGIO INVISIBILE

Cosa ti servirà:
- Un bastoncino di cera incolore
- Colori acquerelli
- Un pennello
- Un foglio di carta

Se vuoi scrivere un messaggio che non sia visibile ad occhio nudo, procedi così:
- Prendi un foglio bianco.
- Scrivi con un bastoncino di cera il tuo messaggio segreto sul foglio.
- Ora consegnalo al tuo amico. Lo potrà leggere solo passando sul foglio un colore acquerello qualsiasi con un pennello.
- Le parole scritte a cera non si imbevono di colore e rimangono bianche sul fondo colorato!

Messaggio davvero segreto!

Il messaggio a pag 127 è:
Ti stai divertendo?

e crittografia

Le EMOTICON

Le emoticon sono delle riproduzioni stilizzate di facce umane che esprimono diversi sentimenti, emozioni, per l'appunto. Il nome deriva dalla fusione dei termini inglesi "emotion", che significa emozione, ed "icon", che significa figura.

Pare che le prime siano addirittura del 1979!

In origine erano formate da segni di punteggiatura e dai caratteri detti speciali, in uso ai computer. In seguito questi segni grafici sono stati sostituiti da faccine vere e proprie, cerchi perfetti di solito di colore giallo a cui si aggiungono, a seconda dell'emozione che comunicano, sorrisi, ghigni, occhiacci, cuori, linguacce ecc. I moderni programmi di messaggistica sono in grado di inserirle già in forma grafica oppure di trasformare quelle formate da simboli di punteggiatura in faccine disegnate. FORTE, VERO?

o_o

Sono pieno di stupore, shock, diffidenza

–P

Ti faccio la linguaccia, scherzo o "oops"

O –)

Angioletto

·_·

Sono allibito, senza parole

;–)

Ti faccio l'occhiolino

^_^

Viva! Grande gioia

–)

Sono felice, sereno

Le emoticon

:-$:-#

Silenzio

:-(

Sono triste,
mi rendi infelice

Chiedere spiegazioni

:-? :-/ :-\

8-| oppure @-)

Nerd, persona saccente
oppure
Pensiero stupendo

XD

"Sto morendo
dal ridere"

8-)

Oggi sono super

hi

Ciao

'-(

Piango

X(-@

Sono in disappunto,
non mi piace oppure
sono molto arrabbiato

: X :-*

Ti mando un bacio

Lo sapevi che?

Nel febbraio 2012 in India 3737 persone si
sono radunate per creare una faccina sorridente
gigante del diametro di 43,5 metri,
entrando nel Guinness dei Primati!
In Giappone le emoticon vengono chiamate
kaomoji da kao, faccia, e moji, carattere.
A differenza di quelle occidentali, le emoticon
giapponesi non sono girate di 90° e vanno lette
in verticale. Una specie di emoticon avanzate,
molto popolari in Giappone, sono gli emoji.
(^_^) gioia - (@_@)stupore - (o_0) choc

Le emoticon

La NETIQUETTE

Scrivere in formato digitale può sembrare la stessa cosa dello scrivere su carta, ma nel mondo virtuale esistono alcune regole di buon comportamento, ormai internazionali, che vengono chiamate Netiquette, come a dire un'etichetta, un galateo per la rete ("net" in inglese).

RICORDA CHE:

■ quando scrivi un messaggio digitale, questo non ha meno importanza di un messaggio cartaceo. Chi lo riceve lo può leggere, stampare, girare ad altre persone... insomma, fai attenzione a quello che scrivi!

■ Chi ti legge non può sentire il tuo tono di voce o vedere la tua espressione. Fai quindi attenzione a non essere frainteso e a non rischiare di offendere qualcuno!

■ Non si deve modificare un messaggio scritto da qualcun altro, rinviandolo. È come se andassi ad aprire e a modificare la posta di qualcuno.

■ Non si usano i caratteri maiuscoli se non necessari: equivale a **URLARE!**

■ Non è corretto intasare la posta o i messaggi di qualcuno con catene, messaggi ripetuti, messaggi continui... se una persona non risponde non tartassarla! Non ottieni altro risultato se non quello di infastidirla.

■ Non è corretto divulgare numeri di telefono, indirizzi mail o di social network se non sono i tuoi personali. È violare la privacy degli altri.

■ Non esagerare con la lunghezza! La lettura a video non è semplice come sulla carta.

≫ Ma xké m scrivi così? Nn t capisco

A volte nei programmi di messaggistica istantanea è frequente l'utilizzo delle abbreviazioni.

Un tempo le si usava perché i messaggi non dovevano superare un certo numero di caratteri, altrimenti si rischiava di pagarli il doppio. Ora questo problema è stato superato dall'utilizzo di programmi di messaggistica istantanea, ma ugualmente le abbreviazioni rendono più veloce la comunicazione, snellendo parecchi passaggi.

Se quindi vuoi usarle, ti diamo un prontuario delle più comuni. Fai comunque attenzione, perché quando sono troppe, cominciano a rendere complicata la lettura dei tuoi messaggi, anziché facilitarla!

Ki	chi	**tvtrb**	ti voglio	**1**	un/una	**D+**	di più
ke	che		troppo bene	**dv**	dove	**+**	più
xo	però	**6**	sei	**cm**	come	**–**	meno
cs	cosa	**trp**	troppo	**dp**	dopo	**gg**	giorni
risp	rispondi	**lib**	libero	**qnd**	quando	**MMM**	mi manchi
rit	ritardo	**occ**	occupato	**ok**	va bene		molto
qnt	quanto	**cn**	con	**ved**	vedere	**Msg**	messaggio/i
grz	grazie	**t**	ti	**and**	andare	**Pom**	pomeriggio
prg	prego	**v**	vi	**asp**	aspettare	**Tel**	telefono
x	per	**d**	di	**cred**	credere	**Qke**	qualche
xke	perché	**c**	ci	**dom**	domanda		
c	ci	**tt**	tutto/tutti		domandare		
nn	non	**m**	mi	**bac8**	baciotti		
tvb	ti voglio bene	**S**	sì	**c6?**	ci sei?		

Scrittura moderna

Avventura con
GIOCHI in CASA

MISSIONE NATURA

UN PIZZICO DI FANTASIA
E LA NOIA SCAPPA VIA!

Anche se l'idea di stare in casa non ti stuzzica altro che la voglia di prendere il telecomando della televisione, anche se la pioggia fuori è direttamente collegata nel tuo cervello all'accensione della consolle di giochi elettronici, anche se inverno significa ore a rovistare il web... cambia rotta!

In casa hai molte più risorse di quelle che immagini, molto più divertenti di quello che ti aspetti!

Non sei convinto, vero?
Vuoi che ne elenchiamo un po'?

■ Puoi cominciare a collezionare indovinelli e quesiti da proporre alla ricreazione ai tuoi amici e compagni di scuola.

■ Puoi decidere di organizzare una collezione: avrai sicuramente notato che tendi a comprare, raccogliere, immagazzinare alcuni oggetti che per te sono importanti e che preferisci ai milioni di altri oggetti in cui ti imbatti ogni giorno. Ma una collezione non è una vera collezione se non è organizzata e catalogata!

■ Puoi decidere di provare alcuni esperimenti che hanno bisogno di un po' di pratica per riuscire bene, per poi mostrarli con sicurezza ai tuoi amici.

■ Puoi andare alla ricerca di materiali che altrimenti finirebbero nella spazzatura e dare loro nuova vita, reinventandoli grazie alla tua fantasia!

BUONA
AVVENTURA...

VEDERE IL BICCHIERE MEZZO PIENO...

Ci sono 6 bicchieri in fila. I primi 3 sono pieni e i successivi 3 sono vuoti.
Come fai, spostando un solo bicchiere, ad alternare un bicchiere vuoto e uno pieno?

SOLUZIONE:
devi versare il contenuto del secondo bicchiere nel quarto oppure scambiarli!

Prendi un bicchiere e riempilo d'acqua.
Ora tappa l'imboccatura con un cartoncino.
Tenendo il cartoncino premuto sull'imboccatura, capovolgi velocemente
il bicchiere e...
pensi che l'acqua uscirà, facendo strillare la mamma?
No, l'acqua non uscirà e il cartoncino rimarrà incollato al bicchiere!
Come può succedere?
Nel bicchiere, per effetto del veloce capovolgimento si crea
un abbassamento di pressione che permette alla pressione
atmosferica esterna di trattenere il peso del cartoncino e
dell'acqua all'interno del bicchiere!

IL BICCHIERE CAPOVOLTO

Cosa fa un caffè sotto la doccia?
Si Lavazza!

Cosa diventa un formaggio
marcito di un mese?
Un forgiugno!

Manualità

Come costruire una CASETTA di CARTONE

Se a casa ti trovi uno scatolone, non lo buttare, perché può diventare una simpatica casetta-gioco. Per crearla segui queste semplici istruzioni:

Ti servono:
due scatoloni,
nastro carta,
forbici, colori, adesivi, stoffe,
decorazioni a tuo piacere.

■ Innanzitutto devi avere due scatoloni, meglio se della stessa dimensione.

■ Alza le alette con cui di solito si chiude lo scatolone e allineale alle pareti dello stesso.

■ Elimina un intero lato (la parte più lunga del rettangolo) dello scatolone.

■ Fai lo stesso con il secondo, in modo da trovarti due lati ritagliati, che ti serviranno poi per creare il tetto.

■ Prendi uno dei due scatoloni e taglialo a metà nel senso della larghezza. Devi tagliare anche un lato, in modo da poter appiattire il cartone e creare la base della casetta, così come mostrato in figura.

■ Prendi i due lati ritagliati, uniscili insieme con il nastro carta nel lato della lunghezza e usali per formare il tetto della casetta.

■ Usa lo scotch carta per rinforzare le parti di giunzione o gli spigoli e rendere la tua casetta più solida.

■ **Ora colora e decora la casetta come più ti piace.**

■ Puoi anche aprire finestre con le forbici, applicare adesivi o stoffe per creare tende, arazzi, tappeti ecc.

■ **Questa casa è portatile, perché basta che tu la pieghi e si appiattisce. Così la puoi riporre una volta finito il gioco e non ingombrerà più la tua cameretta!**

Manualità...

Avevo una casetta piccolina in Canadà
con vasche, pesciolini e tanti fiori di lillà
e tutte le ragazze che passavano di là
dicevano: "Che bella la casetta in Canadà!"

Dalla canzone "La casetta in Canadà"

A

B

C

D

... in casa!!!

QUANDO PIOVE

Il termine inglese pic-nic deriva dal francese piquer (prendere, spiluccare) e nique che nell'antico francese significava piccola cosa, oggetto di poco valore.
Una cena informale all'aria aperta, sull'erba, come alternativa ai sontuosi pranzi di un tempo, accompagnati da un rigido protocollo di regole.

Se piove e il cielo è grigio e tu vorresti essere sui prati... non c'è niente di meglio che un bel pic-nic... in casa!

Prendi un bel plaid morbido e sistemalo in una stanza dove non dia fastidio. Prepara le tue scorte come se stessi davvero uscendo per un pic-nic.

Come si chiama...
l'animale che non va mai a letto?
Il mai-a-letto!

L'animale che non va in gabbia?
Il gabbia-no!

Manualità...

Per divertirsi anche sopra il tavolo, ecco una ricetta facile facile per fare la pasta di sale:

200 g di sale fino, 200 g di farina tipo 00, 125 ml di acqua a temperatura ambiente.

In una ciotola unisci il sale e le farina. Versa a filo l'acqua e amalgama il tutto impastando energicamente. Più lavorerai la pasta e migliore sarà il risultato. Prima di utilizzarla bisogna farla riposare per una giornata in un luogo fresco (non in frigo) avvolta in una pellicola per alimenti. In queste condizioni puoi conservarla anche per una settimana, cioè la puoi preparare di fine settimana in fine settimana. Lavora poi la pasta come più desideri, usando la fantasia, le formine da biscotti, da cioccolatini, da ghiaccio... Una volta sagomata come ti piace, cuocila in forno per circa mezz'ora a 70-80 °C e poi alza la temperatura a 120-150 °C per un'altra mezz'ora. Attendi che si sia raffreddata prima di sfornare!

Perciò in un cestino prepara:

- tovaglia e tovaglioli;
- piatti, posate e bicchieri di plastica;
- bibite, acqua o succhi di frutta;
- panini imbottiti, sandwich, piadine ecc.;
- frutta fresca, già lavata, a pezzi dentro a contenitori ermetici, o intera;
- biscottini o dolcetti in sacchettini alimentari;
- **un sacchetto dove mettere le immondizie da "riportare a casa".**

... in casa!!!

Questo sole radioso è una bella
idea da regalare alla mamma
in occasione della sua festa.
Lo potrà appendere in cucina
dove porterà calore nelle cupe
giornate invernali.

IL SOLE CHE RIDE

1

■ Stendi la pasta gialla con il mattarello.
Con uno stampo tondo ricava il cerchio del sole.
(foto 1)

2

■ Con stampini di cartone
(un triangolo e un rombo)
ritaglia i due tipi di raggi.
Mano a mano che tagli
i raggi attaccali alla
circonferenza del cerchio.
Modella il naso, gli occhi e la
bocca con dei rotolini di pasta.
(foto 2)

3

■ Con il coperchio di un pennarello, incidi
le palline di pasta e applicale come decoro
tra un raggio e l'altro. Colora le guance con il
bastoncino cotonato intinto nell'acquerello rosso.
(foto 3)

La pasta...

LE FOGLIE

Di seguito ti insegniamo tre modi diversi per usare le foglie a seconda del tipo di lavoro da realizzare. Usa il colore verde chiaro per la foglia cicciottella; per le rimanenti è meglio utilizzare il colore verde scuro.

■ Prepara la pasta al sale e colorala con il colore a tempera verde chiaro. Con le dita modella una pallina di pasta, appiattiscila leggermente con la punta del dito e appuntisci un lato. Con la punta di un coltello non affilato segna le venature. (foto 1)

1

2

■ Procurati una foglia vera dalle venature ben marcate. Noi abbiamo utilizzato la foglia di una piantina di primula, ma anche la foglia di geranio può andare bene. Dopo aver preparato la pasta col colore verde scuro, crea la foglia con uno stampino tondo dai bordi ondulati. Appoggia la pagina inferiore della foglia vera sulla pasta e premi con delicatezza affinché restino impresse le nervature. (foto 2)

3

■ Dai alla foglia una certa dinamicità e naturalezza piegandola con la punta delle dita. (foto 3)

4

■ Anche per questo terzo tipo di foglia puoi utilizzare una foglia vera. Dopo aver preparato la pasta col colore verde scuro, stendila con il mattarello e taglia le foglie ovali con l'aiuto di un tagliaravioli. (foto 4)

■ Appoggia la pagina inferiore della foglia vera sulla pasta e premi con delicatezza. Con le dita piega leggermente la foglia per darle naturalezza. (foto 5)

5

...di sale!!!

Creare con la PASTA di SALE LA LUNA...

■ Con un cerchio ricava un disco di pasta gialla. Appoggia il medesimo cerchio per togliere metà pasta: otterrai uno spicchio di luna. (foto 1)

■ Con un cerchietto più piccolo incidi la pasta per la bocca. Fai attenzione: disegna una luna sorridente e sorniona! (foto 2)

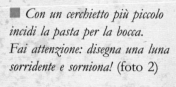

■ Con il tappo da spumante segna la palpebra e la guancia. (foto 3)

■ Stendi la pasta rosa e con il tagliapizza ricava un triangolo per il cappello. Applicalo sulla punta della luna bagnando leggermente le superfici a contatto e accomodalo. (foto 4)

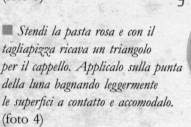

■ Con uno spremiaglio schiaccia della pasta bianca... (foto 5)

■ ...e applica il pon pon sulla punta del cappello e dei riccioli ripiegati su se stessi sul bordo del cappuccio. (foto 6)

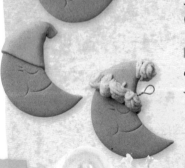

La pasta...

E LE STELLE DORMIGLIONE

1

2

3

4

■ Stendi la pasta gialla con il mattarello e, con uno stampino, ricava la stella. (foto 1)

■ Fai gli occhietti con la matita e, con il tappo, incidi le guance e la bocca. (foto 2)

■ Prepara il cappuccio come spiegato per quello della luna. (foto 3)

■ Applica il pon pon alla punta della stella e un cilindretto di pasta bianca sull'orlo. Inserisci il gancetto prima che la pasta secchi e da ultimo dipingi le gote con acquerello rosso. (foto 4)

... di sale!!!

143

Come organizzare un teatrino

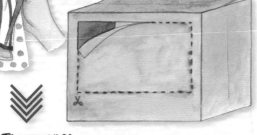

Ti servono:
uno scatolone piuttosto grande,
nastro da pacchi, un taglierino,
un pezzo di stoffa, due pezzi di nastro,
pennarelli, colori a tempera, colori a cera.

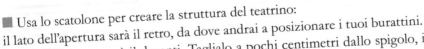

■ Usa lo scatolone per creare la struttura del teatrino:
il lato dell'apertura sarà il retro, da dove andrai a posizionare i tuoi burattini.
■ Il lato opposto sarà il davanti. Taglialo a pochi centimetri dallo spigolo, in modo da creare come una specie di cornice davanti. Per tagliare dovrai utilizzare il taglierino ma fallo sotto la supervisione di un adulto oppure fatti aiutare.
■ Se vuoi creare una cornice un po' più preziosa, puoi con il pennarello disegnare un intaglio e tagliarla poi sempre con l'aiuto del taglierino.
■ Puoi decorare la struttura del teatrino con colori e scritte, usandoli come più piace a te.
Non dimenticare di mettere il nome della tua compagnia di burattini!
■ Ora, con l'aiuto del nastro da pacchi, utilizza dei ritagli di stoffa che non ti servono più e crea delle tende da mettere come sipario davanti al palco. **Lega le tende ai lati con i nastri per tenerle aperte durante lo spettacolo.**

ED ECCO PRONTO IL TUO TEATRO!

Teatro
dei
BURATTINI

Se non vuoi utilizzarlo con dei burattini, puoi sempre servirti di questo teatrino per far finta di recitare in televisione!
Basterà che disegni dei canali per accenderla e che tu sia pronto a fare l'attore davanti al tuo pubblico!

A teatro

Come costruire i BURATTINI

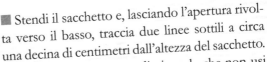

... DI CARTA

Ci sono diversi modi per costruire i burattini. Alcuni possono essere fatti di stoffa, ma in questo caso dovrai farti aiutare da un adulto a tagliarla e a cucirla. Qui invece ti suggeriamo tre modi di costruire burattini con materiali da riciclo che puoi facilmente trovare in casa.

BURATTINI
MASCHERE DI CARNEVALE

È arrivato il Carnevale,
chi sta bene
e chi sta male!
Chi ha i soldi se li tiene
e sta bene!
Ma chi ha le tasche vuote,
ruba cavoli e carote.

Ti servono:

sacchetti di carta, meglio se bianchi, di almeno 35 centimetri, colori per carta, scotch e nastro adesivo, forbici, spago, carta da giornale, stoffa, fili di lana o cotone, cartoncino colorato.

■ Stendi il sacchetto e, lasciando l'apertura rivolta verso il basso, traccia due linee sottili a circa una decina di centimetri dall'altezza del sacchetto.

■ Prendi ora della carta di giornale che non usi più, stracciala grossolanamente e appallottola per creare una palla abbastanza sferica. Per tenerla insieme fai un giro di scotch attorno alla palla stessa.

■ Infila la palla di carta nella parte delimitata dalle due linee e legala nella parte superiore del sacchetto facendo un nodo ben stretto all'esterno.

■ Disegna il volto del tuo burattino: crea le facce che più ti piacciono, dando libero sfogo alla fantasia.

■ Decora la parte sottostante per fare il corpo, disegnando i vestiti del tuo personaggio. Puoi applicare decorazioni come adesivi, colle con brillantini, strass ecc.

■ Crea i capelli del tuo burattino usando fili di lana o cotone, striscioline di stoffa o di carta che incollerai sulla parte superiore della palla-testa.

A B

A teatro

BURATTINI
CON ROTOLI DI
CARTA IGIENICA

Ti servono:
rotoli interni della carta igienica,
o della carta scottex,
colla, scotch, colori, stoffe,
fili di lana o cotone,
decorazioni varie
(stickers, colle glitterate,
bottoni, perline,
vecchie riviste ecc).

A

B

C

■ Un modo molto semplice di costruire i burattini è quello di utilizzare i rotolini di cartoncino interni della carta igienica o della carta scottex. Dipingili per un terzo, nella parte superiore, con colori adatti a un viso, creando su un lato i particolari di una faccia: occhi, naso, bocca, orecchie.

■ Incolla nella parte inferiore stoffe o carte per creare il corpo e i vestiti: a questi puoi aggiungere decorazioni varie, a seconda del personaggio che vorrai ottenere.

■ Infine incolla i fili di lana nella parte superiore interna del rotolo: a volte questa operazione riesce meglio se usi lo scotch.
Avrai così creato i capelli.

■ Puoi anche aggiungere un pezzo di stoffa per fare cappelli, bandane, foulard ecc. per il tuo burattino.

BURATTINI
SULLO STECCO

Ti servono:

disegni su carta dei tuoi personaggi preferiti,
colori, cartoncino,
forbici, colla,
scotch, stecchi da spiedino.

Se i precedenti sistemi ti sembrano troppo macchinosi, ti suggeriamo un procedimento piuttosto semplice ma efficace:

■ trova i disegni dei tuoi personaggi preferiti. Li puoi ritagliare da fumetti o riviste oppure farteli stampare, ma niente vieta che tu li possa disegnare su carta.

■ Incollali su un cartoncino per renderli più spessi e resistenti e ritaglia anche il cartoncino.

■ Colorali, decorali e personalizzali come vuoi.

■ Ora fissali con un pezzo di scotch a degli stecchi da spiedino. I tuoi burattini sullo stecco sono pronti!

Il burattino è un pupazzo con corpo di pezza e testa in materiale duro (legno, cartapesta, plastica...) mosso dalla mano del burattinaio, che lo infila come un guanto. La marionetta è un pupazzo, tutto in legno o altro materiale, che viene mosso da fili e compare intero in scena.

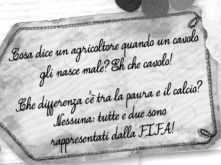

Cosa dice un agricoltore quando un cavolo gli nasce male? Eh che cavolo!

Che differenza c'è tra la paura e il calcio? Nessuna: tutte e due sono rappresentati dalla FIFA!

A teatro

OMBRE CINESI

Le ombre cinesi sono una forma d'arte del teatro cinese, ma non bisogna essere artisti per organizzarle anche a casa.

Ti servono soltanto una torcia o una lampada, una stanza buia, un muro libero da quadri e oggetti appesi e... le tue mani! Potrai creare figure e magari con le figure inventare storie per divertire mamma e papà o i tuoi amici! Guarda la posizione della mano e l'ombra che crea: si tratta solo di fare un po' di esercizio!

SE SEI A CASA MA VUOI VIVERE UN'AVVENTURA AL BUIO...
CHE NON SIA TROPPO BUIO, PUÒ ESSERTI UTILE CREARE UNA

LANTERNA DELLE FATE

Ti servono:
un vasetto di vetro con il tappo,
2 o più luci portatili di emergenza fosforescenti.

In questo procedimento dovrai chiedere l'aiuto di un adulto, innanzitutto per comprare la luce portatile di emergenza (sono tubicini di plastica che si attivano, una volta piegati, emettendo una luce fosforescente) e poi per romperla, facendo fuoriuscire il liquido fosforescente nel barattolo di vetro. Ora chiudi bene il coperchio e scuoti il liquido, in modo che si sparga sulle pareti di vetro. Fai davvero attenzione a non aprire il vasetto e a non venire in contatto con il liquido fosforescente: potrebbe essere tossico per te!

SPEGNI LA LUCE
E OSSERVA LA MAGICA
LANTERNA DELLE FATE!

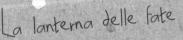

La lanterna delle fate

Le belle fate
dove saranno andate?
Non se ne sente più parlare.
Io dico che sono scappate:
si nascondono in fondo al mare,
oppure sono in viaggio per la luna
in cerca di fortuna.
Ma che cosa potevano fare?
Erano disoccupate!
Nessuno le voleva ascoltare.
Tutto il giorno se ne stavano imbronciate
nel castello diroccato ad aspettare
che qualcuno le mandasse a chiamare...
GIANNI RODARI

Ombre cinesi

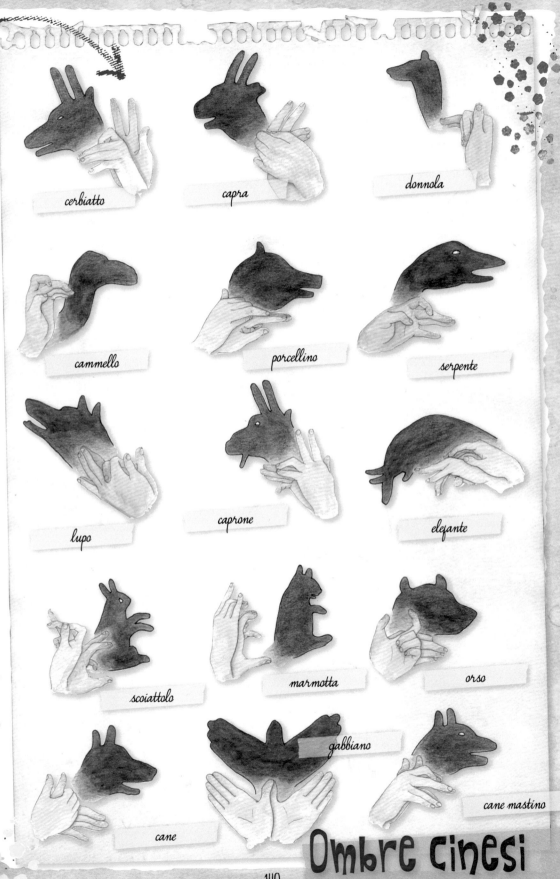

cerbiatto

capra

donnola

cammello

porcellino

serpente

lupo

caprone

elefante

scoiattolo

marmotta

orso

gabbiano

cane

cane mastino

Ombre cinesi

CASTELLI DI CARTE

Non sempre le carte si usano per giocare... a carte! A volte possono diventare dei "mattoncini" un po' scivolosi per fare bellissimi castelli! Hai mai provato? **NO?**
E allora che aspetti?

■ Per fare un castello di carte servono innanzitutto delle carte da gioco, di qualsiasi tipo e dimensione, basta che siano tutte uguali. Chiaramente più nuove sono, meglio riesce.

■ Ti servirà poi una mano fermissima, perché il minimo tremolio compromette la costruzione e può far cadere tutto.

■ Procedi mettendo le carte a due a due in posizione diagonale, in modo che i loro vertici superiori si tocchino.

Crea la base con almeno tre coppie, poi procedi a creare il primo piano disponendo delle carte orizzontali sopra i vertici.

■ Prosegui poi con il secondo piano, posizionando i vertici aperti delle nuove carte in corrispondenza con i vertici chiusi delle carte sottostanti.

■ Continua così, in scala piramidale.

■ Se il tuo castello è ancora in piedi, puoi giocare a scommettere per quanto ancora rimarrà in piedi. **Se invece vuoi divertirti ancora, con un soffio lo puoi far cadere, come ha fatto il lupo con le casette di paglia e di legno dei tre porcellini!**

QUANTO ALTO PUÒ ESSERE UN CASTELLO DI CARTE?

La torre più alta è stata realizzata dall'americano Bryan Berg durante una fiera in Texas. Con 131 piani raggiungeva i 7,87 metri d'altezza! Bryan ha utilizzato 1050 mazzi di carte!

i PALLONCINI-RAZZI

Ti servono:

spago, una cannuccia, scotch,
un palloncino, due sedie.

Gonfia un palloncino ma non chiuderlo all'estremità, tenendolo stretto in modo che non esca aria. Infila lo spago nella cannuccia e attacca lo spago alle due sedie, che saranno distanziate tra loro in modo che lo spago sia tra esse ben teso. Ora con lo scotch attacca il pallone gonfiato, ma non chiuso, alla cannuccia infilata sullo spago. Quando lascerai la presa, il palloncino, sgonfiandosi, partirà da un capo all'altro dello spago teso proprio come un razzo!

Sei anche tu un raccoglitore di sassi?

Se ne vedi uno particolarmente luccicante o piatto o con una forma curiosa non sai trattenerti dal metterlo in tasca? Le giornate a casa sono un'ottima occasione per iniziare una collezione di sassi! Puoi riciclare alcune scatole (di vestiti, di alimenti, di giochi...) e decorarle per bene. Poi dentro metti la tua collezione, magari fermando i sassi con della carta velina in modo da non farli cozzare l'uno contro l'altro. Puoi anche fare una ricerca per conoscere il nome dei minerali che li compongono. Attenzione a non posizionarli in alto sulle mensole.
Se cadono addosso a qualcuno possono essere pericolosi!

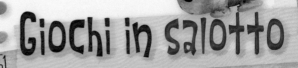

Giochi in salotto

L'ALLARME

Ti servono:
filo rosso,
campanellini,
appigli a cui
poterlo legare.

Questo gioco è molto divertente e trasformerà te e i tuoi amici in piccoli ladri che devono sfuggire a un sistema di sorveglianza a raggi laser! Lega o fai legare a un adulto il filo rosso a quanti più appigli puoi, creando un vero e proprio intrico. Poi cerca di attraversare questa barriera senza toccare nessun filo. Se vuoi avere la certezza che nessuno bari, appendi ai fili alcuni campanellini. Se il filo verrà appena mosso, i campanellini daranno l'allarme!
Ti sembrerà di essere entrato in una scena di "Mission Impossible"!

O Tennis da casa

Ti servono:
due piatti di carta,
due stecchi tipo quelli dei gelati,
un palloncino,
scotch.

Assicura uno stecco di gelato a ciascun piatto di carta, come per creare una racchetta. Gonfia il palloncino e usalo come palla in questo simpatico gioco di tennis... da salotto. **Vedrai che non romperai nessun vaso, stavolta!**

Cosa dice un pulcino quando è dentro il forno?
Pio, pio, pio fuoco!

Come si chiama un frate avaro?
Pio tutto!

Qual è il santo preferito dai pulcini?
Padre Pio!

BOLLE DI SAPONE

PER OTTENERE GRANDI BOLLE

Ti servono:
un vassoio piuttosto
grande e dai bordi rialzati,
due cannucce,
uno spago di circa
un metro.

Infila le due cannucce nello spago e
legalo come fosse una collana. Versa il liquido per le bolle nel vassoio,
quindi, tenendo le cannucce una in
ciascuna mano, immergi lo spago nel
liquido. Se tendi le due cannucce tenendole in mano, lo spago formerà
un rettangolo. Muovendoti e facendo
passare l'aria nella membrana di sapone creatasi nel rettangolo di spago,
si formeranno bolle gigantesche!

Un altro sistema
è quello di deformare
una gruccia, quelle di metallo sottile
che danno le lavanderie, in modo da
creare un cerchio. Immergi questo
cerchio nel liquido per bolle e poi
crea le tue bolle enormi!

Ricetta per fare bolle di sapone
Usa come misurino un vasetto
di yogurt vuoto:
1 vasetto di sapone liquido
per i piatti (denso),
1/2 vasetto di acqua,
1/3 di vasetto di glicerina liquida.

La glicerina liquida si trova in farmacia: non è obbligatorio usarla, ma
certamente migliora il risultato. Metti
tutto il composto in un grande recipiente e lascialo riposare per almeno
due giorni: il segreto delle bolle gi-
ganti è proprio il tempo di riposo!
Dopo un paio di giorni avrai una
miscela perfetta, che ti permetterà di
realizzare incredibili bolle di sapone!

Giochi in terrazzo

La ragnatela di SPIDERMAN

Scotch e i giochi... appiccicosi

Ti servono:
scotch di carta, palline di spugna.

Se sei un fan di Spiderman e vuoi avere l'impressione di attaccarti alla sua ragnatela, attacca dello scotch-carta a diversi mobili della casa, in modo da creare un intrico di fili appiccicosi. Attenzione a non andarci contro, la ragnatela si romperebbe e potresti farti male. Puoi invece giocare a tirare delle palline di spugna, magari facendo a gara con un tuo amico.

VINCE CHI RIESCE AD ATTACCARNE DI PIÙ ALLA RAGNATELA!

Mega PISTA delle MACCHININE

Se vuoi trascorrere un bel pomeriggio in cameretta, anche se fuori piove, puoi farti dare da un adulto dello scotch di carta. Usalo attaccandolo al pavimento per creare una mega pista per le macchinine. Deve essere intricata, ma non troppo, e deve avere un inizio e una fine, oppure può essere costruita ad anello, nel qual caso devi decidere dove mettere il segnale di fine circuito. Chiedi comunque prima il permesso, perché può verificarsi il caso che rovini il pavimento stesso. Nel caso tu non possa attaccare direttamente lo scotch al pavimento, chiedi di poter avere del cartone grande, magari tagliando uno scatolone, oppure un telo che in casa non si usa più.

Puoi disegnare sullo scotch, sul cartone o sul telo i particolari della pista: le corsie di marcia, macchie di unto che faranno sbandare le tue macchinine, ostacoli vari, altri veicoli in strada.

SARÀ UN'AVVENTURA DIVERTENTISSIMA!

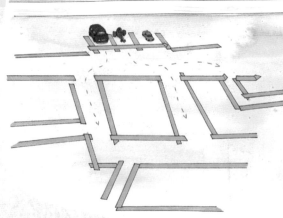

creare...

Giochi di miniature

A volte sembra difficile giocare se non si hanno tanti accessori a disposizione. Ma la tua fantasia può essere molto più creativa e ricca di ciò che ti propone l'industria del giocattolo: con scatole e cassette per la frutta puoi costruire case, inventare mezzi assemblando rotoli di carta, confezioni di yogurt e di caramelle... Ogni cosa può trasformarsi, basta del colore, colla, forbici, glitter e tanta voglia di divertirsi!

Se a casa ti sei stancato dei soliti giochi e vuoi inventare qualcosa di nuovo, prendi tutti i materiali da riciclare che trovi, colla, scotch, colori, brillantini... e non dimenticare l'ingrediente più importante!
La tua fantasia!

Se sei appassionato di gnomi, fate o Puffi e vuoi creare un magico villaggio, puoi usare i rotoli interni alla carta igienica o alla carta scottex finita, dipingerli a tinte vivaci, porre su di essi degli stampini di carta colorata (quelli per muffin o capecake) e il gioco è fatto! Se vuoi, puoi creare una base di cartone, magari tagliando e appiattendo uno scatolone che non serve più in casa. Puoi anche decidere di disegnare un prato sul cartone su cui appoggiare le tue casette fatate, ma anche strade, fiumi, e quant'altro ti suggerisce la tua fantasia.

... e fare!!!

Il bagno COLORATO

Se il tempo passato in bagno ti sembra eterno e non ti diverti, ricorda che l'acqua può riservarti delle bellissime sorprese!
Puoi portare con te alcuni giochi che usi anche all'asciutto, l'importante è che siano solo di plastica, senza nessun componente di metallo e senza batterie o motorini.
Alcuni pezzi in plastica galleggeranno, altri affonderanno, altri ancora funzioneranno come pompette ad acqua, riempiendosi di liquido che potrai schizzare fuori!

Se fare il bagno ti diverte molto e ci passi molto tempo, oppure se non ti piace proprio e desideri rendere questo momento più interessante, puoi decidere di lavarti nell'acqua... colorata! Esistono alcuni colori (quelli che si usano anche per l'alimentazione) che possono rendere il bagno davvero un arcobaleno!

Ti servono:
sapone liquido, colori alimentari, formine (quelle per dolci oppure quelle da spiaggia), una cannuccia.

Poni nelle formine rovesciate un po' di sapone. Metti alcune gocce di colorante alimentare in ciascuna formina e mescola con la cannuccia. Otterrai del sapone colorato. Prepara l'acqua per il bagno e immergiti. Prendi o fatti passare da un adulto le formine riempite di sapone e lasciale galleggiare sull'acqua. Puoi decidere di affondarle una alla volta oppure tutte insieme e creare vortici di colore nel tuo bagnetto!

SCIVOLA PIÙ DOLCE D'OGNI RIMA,
AMA CADERE MA NON PUÒ RISALIRE.

Risposta: l'acqua.

Giochi con...

Fare barchette con materiali riciclati

Se hai una piscina in giardino o in terrazzo ma non c'è ancora la temperatura giusta per fare il bagno, non disperare! Puoi sempre usarla per organizzare una corsa di barchette! Non hai neppure una barchetta?!? Non ti preoccupare, ci sono molti modi per costruirla, partendo da oggetti che a casa troverai facilmente.

Ti servono:

un contenitore in alluminio, cannucce, pezzi di cartoncino o di telo plastificato, una foratrice, scotch.

Con lo scotch attacca la cannuccia al fondo del contenitore di alluminio, in modo che funga da albero maestro. Sono molto adatte le cannucce che sono già piegate, altrimenti dovrai creare tu una piegatura. Ora ritaglia il cartoncino o il telo plastificato in forma e misura tali da creare una vela. Con la macchina foratrice fai un paio di fori in entrata e in uscita e infila le vele sulla cannuccia. Puoi anche sbizzarrirti a decorare le vele, crearne di piccole e grandi, aggiungere altri alberi, mettere bandiere e, con pezzi di spago, creare le sartie. Crea più barchette, in diverse forme e in diverse dimensioni.

Poi metti le tue barchette in piscina e, soffiando nelle vele, falle navigare!

Per fare i particolari delle barche puoi usare della pasta da modellare. Non l'hai in casa? Non ti preoccupare! Ti diamo la ricetta per preparare da te la pasta da modellare.

Ti servono:

2 tazze di farina, 1 tazza di sale fino, 1/2 tazza di amido di mais, 2 cucchiai di olio di semi, 1 cucchiaio di cremor tartaro (lo trovi in farmacia oppure nei supermercati ben forniti o nei negozi bio), 2 tazze d'acqua, colori alimentari naturali, aromi naturali

In un pentolino mescola la farina, il sale, l'amido di mais, l'olio, il cremor tartaro e l'acqua. Fai cuocere, chiedendo l'aiuto di un adulto, per 5 minuti a fuoco medio fino a quando il composto non diventa difficile da mescolare. Lascia raffreddare, quindi stendi la pasta su un piano da lavoro.

Dividi il panetto in diverse parti, a seconda dei colori che vuoi creare, quindi aggiungi a ogni porzione del colorante alimentare, impastando in modo da incorporare bene il colore.

Se vuoi aggiungi della vanillina per profumare la tua pasta. Mantienila in frigo in un barattolo chiuso: si conserva per almeno 3 mesi!

Fin che la barca va,
lasciala andare,
fin che la barca va,
tu non remare,
fin che la barca va,
stai a guardare,
quando l'amore viene il campanello suonerà!

(Da "FIN CHE LA BARCA VA"
di Orietta Berti)

... l'acqua

Creare finti ACQUARI
con pesci di plastica

Ti servono:
contenitori di plastica
(bottiglie, contenitori per la frutta),
colori permanenti,
colla glitterata,
un vaso grande
o una bacinella trasparente
oppure una boccia per pesci.

Ritaglia la plastica in forma di pesce: può essere una balena, un merluzzo, un pesce ago o un cavalluccio marino, perché i pesci, sai, non sono tutti uguali!
Ora decora le sagome di plastica con i colori permanenti, fai dei pois con la colla glitterata e lascia asciugare il tutto.
Quando i tuoi pesci saranno pronti, riempi la vaschetta o il vaso o la bacinella con acqua e immegi i tuoi pesci. **Avrai un bellissimo acquario da osservare!**

Potrai anche arricchirlo con alghe multicolori, riempire l'acqua di fiori, metterci piante di plastica, perline e bottoni colorati,
puoi nasconderci
tesori da pirati!

COSA BEVE UN ELETTRICISTA?
SOLO ACQUA CORRENTE
E BIBITE ALLA SPINA!

Giochi con...

La PIRAMIDE d'acqua

Ti servono:

vasetti di yogurt, carta da regalo,
colla vinilica, 1 pennello,
cannucce, forbici, pistola per colla a caldo.

■ Prendi dei vasetti di yogurt vuoti e ricoprili con carta da regalo, incollandola con uno strato di colla vinilica passato con il pennello. Passa tutta la superficie dei vasetti con la colla in modo da renderli impermeabili. La carta da regalo forse non manterrà il colore e i disegni originari, ma saranno comunque belli da vedere.

■ Sistemali impilati per studiare la composizione della tua fontana. Studia esattamente in che punto praticare i fori per infilare le cannucce.

■ Pratica i fori e infila le cannucce tagliate nella misura desiderata. I fori dovranno essere meno larghi del diametro delle cannucce, per non far uscire acqua in posti sbagliati. Se per caso ti accorgi che esce acqua al di fuori dei fori, tappa il buco con colla.

■ Attendi che la carta di rivestimento dei vasetti sia asciutta e che siano asciutti anche eventuali tappi di colla.

■ Ora fissa, con la colla a caldo e l'aiuto di un adulto, i vasetti nella posizione desiderata in modo da formare la tua fontana.

Ed ora metti in funzione la fontana: versa nel vasetto più in alto l'acqua con una brocca e divertiti a osservare come scorre fino all'ultimo vasetto!

Ah, dimenticavo! Meglio se questo gioco lo fai in bagno, nella vasca, oppure in terrazzo.
Così eviterai di bagnare in giro!

Cosa c'è dentro gli armadilli?
I vestitilli!

Cosa fa un gallo in mare?
Galleggia!

... l'acqua

DUBITO

Nella vita, come nel gioco delle carte, è un grande vantaggio quello di essere i primi a giocare, perché a carte uguali si vince.

Baltasar Gracián y Morales

Questo gioco è adatto alle "facce di bronzo", a coloro cioè che riescono a non far trapelare le proprie emozioni o la propria soddisfazione, soprattutto quando stanno barando o l'hanno appena fatto. Si può giocare con qualsiasi mazzo di carte e con qualsiasi numero di giocatori. Tutti, comunque, devono ricevere lo stesso numero di carte. Distribuisci tutte le carte, coperte, ai vari partecipanti (se mai, per far pareggiare i conti, si può scartare qualche carta).

Il primo di mano mette una carta, coperta, al centro del tavolo e contemporaneamente dice ad alta voce "uno".
Nel farlo deve far coincidere il valore del numero che dice con il valore della carta, se ne ha una che vale lo stesso numero. Altrimenti bleffa e fa finta che la sua carta abbia il valore dichiarato.

Il secondo giocatore mette una sua carta, sempre coperta, sopra la precedente dicendo "due".
Il terzo mette la sua carta nello stesso modo e dice "tre".

E così via fino al dieci, ricominciando poi dall'uno.

Chi vuole, in qualsiasi momento del gioco, può "dubitare". Per farlo occorre che dica **"dubito!"** immediatamente dopo che una carta è stata posata sul mucchio. A questo punto il gioco si ferma e si va a vedere la carta che è stata giocata per ultima. Se il suo valore corrisponde a quello dichiarato, allora chi ha dubitato deve prendere tutte le carte che si trovano sul tavolo. Se invece il valore della carta girata non corrisponde al valore dichiarato, allora sarà il giocatore che ha barato a prendersi tutte le carte.

Il giocatore che raccoglie tutte le carte ha il diritto di cominciare il nuovo giro.
Vince chi resta per primo senza carte.

L'UOMO NERO

Si può giocare con un mazzo da 40 o da 52 carte e in più giocatori, fino a quindici, se il numero di carte lo permette. Bisogna però fare in modo che a ogni giocatore venga distribuito un ugual numero di carte. Spieghiamo comunque il caso classico, con 40 carte e tre giocatori.

L'uomo nero è rappresentato di solito in modo diverso da regione a regione: in Veneto è il **fante di spade (la cosiddetta vecia)**, altrove è l'asso di bastoni. Può essere anche la Peppa tencia lombarda, rappresentata dalla donna di picche.

Metti ora il caso che l'uomo nero sia il fante di spade. Con il mazzo da 40 carte per tre giocatori, distribuisci 13 carte a testa, dopo aver tolto un fante (chiaramente non quello di spade!).

Prima di iniziare il gioco vero e proprio, ogni giocatore deve scartare tutte le coppie di carte di uguale valore che ha in mano: due assi, due 3, due cavalli ecc.

Si possono anche scartare due fanti (se qualcuno li ha, escluso sempre quello di spade). Eliminate tutte le coppie, ogni giocatore, a cominciare dal primo di mano, pesca una carta a scelta (ovviamente senza guardare) fra quelle in mano al giocatore che siede alla sua sinistra.

Se con questa carta si forma una coppia la scarterà, altrimenti la metterà fra quelle che ha già in mano che, disposte a ventaglio, porgerà al compagno successivo.

Alla fine degli scarti resterà un solo giocatore che avrà in mano l'uomo nero. Quel giocatore sarà il perdente.

Puoi andare avanti eliminando di volta in volta un giocatore. A seconda degli accordi iniziali, il giocatore perdente dovrà pagare una penitenza.

Una curiosità:
il gioco prende il nome dalla penitenza tradizionale, che consisteva nel tingere la faccia del perdente con polvere nera di carbone.

IL BINGO CON LE CARTE

Questo gioco è per due o più giocatori. Occorrono un mazzo da 52 carte e gettoni (o caramelle ecc., secondo gli accordi). Se i giocatori sono più di cinque, è meglio giocare con due mazzi, sempre da 52 carte. In questo gioco il banchiere funge semplicemente da mazziere. Dopo aver mescolato accuratamente, questo distribuisce cinque carte coperte a ciascun giocatore. Mette le carte restanti in mezzo alla tavola e le scopre a una a una. Quando un giocatore ha in mano una carta uguale a quella che viene scoperta, paga una posta equivalente al valore della carta stessa (se per esempio si tratta di un 5, mette nel piatto cinque gettoni oppure cinque caramelle ecc.); il fante vale 10 gettoni, la donna 12, il re 13, l'asso 1. Dopo che il giocatore ha pagato la posta, egli consegna la carta al banchiere che la mette da parte e riprende a scoprirne altre.

Chi ha eliminato (pagandole) per primo tutte le carte, si aggiudica il piatto.
Nel caso in cui due giocatori arrivino pari,
il piatto si divide a metà.

... le carte

COLORE »»

Da dove derivi la parola baro, non è ben chiaro. Alcuni etimologisti dicono dal provenzale baran = «inganno», altri dallo spagnolo baruca = «raggiro». Alcuni invece la fanno derivare dal latino varus = «storto». In ogni lingua il baro, è comunque quello che cerca di vincere ingiustamente e falsando la situazione davanti agli avversari.

Si gioca con un mazzo da 40 carte, da cui avrete tolto tutti gli 8, i 9 e i 10, e due o più giocatori.

Il gioco prevede una posta, che potrà essere fissata in caramelle, cioccolatini, figurine, pupazzetti, giornalini ecc.

Prima di iniziare, stabilisci con gli altri giocatori un banchiere, che resterà in carica per il numero di giri che concorderete.

Mescola le carte e fissa il valore della posta.

Il banchiere posa ora sul tavolo tre carte coperte, poi si rivolge al giocatore che sta alla sua sinistra e gli fa dichiarare un colore (rosso o nero).

Il banchiere volta le tre carte.

Se il colore predominante coincide con quello dichiarato dal giocatore, il banchiere gli corrisponde una posta. In caso contrario, è il giocatore a dover pagare una posta al banco.

Il turno passa al giocatore successivo.

Il gioco è per due o più persone.

Serve un mazzo da 52 carte. È prevista una posta.

Prima di iniziare, scegli con i tuoi amici un banchiere.

Tutti i giocatori depongono la posta pattuita nel piatto. Il banchiere versa doppia posta, poi distribuisce una carta scoperta a ciascun giocatore e ne prende una per sé.

Se nessuno ha ricevuto una carta di valore uguale a quella del banchiere, quest'ultimo incassa tutte le poste e si passa al turno successivo. Ma se a uno o più giocatori è capitata una carta uguale, essi hanno diritto a una seconda carta.

Il banchiere distribuisce quindi un'altra carta, scoperta, agli sfidanti e una a se stesso.

La posta viene vinta da chi avrà ricevuto la carta più alta.

Attenzione: in questo gioco l'asso viene considerato col valore massimo, seguito dal re, dalla donna, dal fante e così via.

Ricordati, o buon giocatore, che non giochi soltanto con le tue ma anche con le carte del compagno.

Marcello Chitarrella

Giochi con...

TAPPO

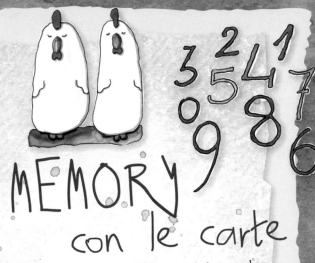

A questo gioco possono partecipare quanti bambini si vogliono.

Il numero delle carte deve essere uguale a quello dei bambini moltiplicato per quattro, cioè si devono avere tanti gruppi di quattro carte dello stesso valore quanti sono i bambini. Se per esempio a giocare siete in cinque, allora si possono prendere tutti gli assi, i 2, i 3, i 4 e i 5 di un qualsiasi mazzo di carte. Metti sul tavolo un numero di tappi di sughero uguale al numero dei partecipanti meno uno. Sempre nel caso che giochiate in cinque, metterai sul tavolo quattro tappi.

Prima di iniziare il gioco mescola accuratamente le carte che poi distribuirai ai vari giocatori, quattro ciascuno.

Il gioco consiste nel cercare di formare in mano un poker, cioè quattro carte dello stesso valore, nel modo seguente.

Il primo di mano sceglie una delle sue carte e la passa al compagno che gli sta a destra. Questo, vista la carta ricevuta, ne sceglie a sua volta una delle cinque che ora ha in mano e la passa al giocatore di destra. Adesso quest'ultimo esegue la stessa operazione e si continua così. A un certo momento uno dei giocatori riuscirà a formare il poker e cioè, ricevuta la carta dal suo vicino, si troverà in mano quattro carte dello stesso valore. Dovrà subito gridare **"tappo!"** e precipitarsi a prenderne uno di quelli che stanno sul tavolo. Anche gli altri, sentendo il grido, dovranno impossessarsi di un tappo.

Ma poiché c'è un tappo in meno rispetto ai giocatori, un bambino rimarrà senza.

È lui che perde la partita e che dovrà pagare una penitenza.

MEMORY con le carte

Se vuoi giocare a memory, puoi farlo usando le carte. Il gioco è per due o più persone. Si esegue con un mazzo da 52 carte.

Questo allena la memoria e l'attenzione.

Mescola più volte il mazzo e distribuisci le carte coperte sul tavolo, in ordine sparso o anche in file parallele.

Il primo giocatore gira una carta qualsiasi e subito dopo un'altra. Se le due carte hanno uguale valore (per esempio due 3, due fanti, due 10 ecc.) le raccoglie e le mette da parte, girandone poi altre due. Se invece le carte hanno valore diverso, le copre e il turno passa al giocatore che siede alla sua sinistra.

Il secondo giocatore gira una prima carta; se questa ha lo stesso valore di una di quelle scoperte dal giocatore precedente cerca di ricordarsi quale fosse, per poterla scoprire e ottenere una coppia. Se la trova, raccoglie le due carte e ne gira altre due; altrimenti le ricopre e il gioco passa al concorrente successivo.

Per avere maggiori probabilità di vincere è importante ricordare la posizione delle varie carte che man mano vengono scoperte e ricoperte. Una volta che tutte le carte sono state raccolte i giocatori contano le proprie: vince chi ne avrà di più in mano.

... le carte

RUBAMAZZETTO

Si gioca in due o in quattro con un mazzo da 40 carte. Distribuisci tre carte per ciascun giocatore e quattro carte scoperte al centro del tavolo. Con le carte che avete in mano dovete prendere quelle scoperte sul tavolo accoppiando due carte uguali oppure più carte possibile che, sommate, abbiano lo stesso valore della carta che voi giocate.

Quando fai una presa, devi mettere la tua carta (quella che hai giocato di mano e che ha fatto la presa) scoperta sopra il mazzo delle carte conquistate in precedenza.

Ma come si fa a rubare il mazzo?

Chi ha in mano una carta uguale a quella scoperta su uno dei mazzi degli altri giocatori può, invece di prendere le carte dal tavolo, prendere tutto il mazzo del giocatore concorrente.

Attenzione, però. Se il giocatore derubato o uno degli altri ha in mano un'altra carta uguale a quella che ha permesso il furto, ruberà a sua volta il mazzo, arricchito di tutte le carte che il primo ladro aveva già.

Vince chi, alla fine, avrà il maggior numero di carte.

IL GIOCO DEL SUICIDIO

Le carte sono un gioco molto antico e dalla semplicità disarmante. Sono rettangoli di carta con impressi su un lato il valore e sul retro una decorazione che è valida per l'intero mazzo. In India però non sono rettangolari ma rotonde!

Le carte da briscola, come le conosciamo noi, vennero fatte conoscere dai Mamelucchi, una popolazione che abitava in Egitto nel XIV secolo. A quel tempo c'erano già i quattro semi, cioè bastoni, coppe, denari e spade. I bastoni erano quelli per giocare a polo.

Per il gioco serve un mazzo da 40 carte. Occorre precisare che le carte numerate valgono per il numero che vi è rappresentato o scritto, mentre le figure valgono 8 (il fante), 9 (la regina o il cavallo) e 10 (il re).

Mentre volti le carte a una a una devi contare a voce alta da uno a dieci e poi, di ritorno, da dieci a uno. Lo scopo del gioco è riuscire a contare e non trovare mai la carta del valore che stai dichiarando. Sarà molto difficile che il gioco riesca: spesso, proprio quando si crede di averla fatta franca, mentre si pronuncia "dieci!" esce il re!

Giochi con...

Cosa fa una mucca sulla panchina di una squadra di calcio di serie A? MOU!

Il SOLITARIO dei QUINDICI

Si tratta di un solitario abbastanza semplice che ti farà tanta compagnia. Ti occorre un mazzo da 52 carte. Mescola e alza. Gira ora le prime sedici carte del mazzo disponendole scoperte sul tavolo, in modo da formare un rettangolo con quattro file di quattro carte ciascuna. Puoi comunque disporle anche in altro modo: deciderai tu, quando avrai acquistato un po' di pratica.

Fatto questo, comincia a scartare le carte di valore uguale o superiore a 10 (i 10, i fanti, le donne e i re) se compaiono tutt'e quattro scoperte sul tavolo. Spieghiamo meglio: se sul tavolo ci sono tutte e quattro le donne, allora le puoi scartare; se invece ce ne sono solo tre o due, non puoi scartarle e le lascerai al loro posto.

Le carte di valore inferiore a 10 vanno scartate quando formano combinazioni che diano come somma 15. Per esempio puoi scartare un 9 con un 6, un 7 con un 8, ma puoi ottenere 15 anche con un numero maggiore di carte, purché la somma sia sempre 15. Terminati questi primi scarti, riempi i vuoti lasciati con carte prese dal mazzo e ricomincia la stessa operazione.

Il solitario riesce se tutte le carte possono essere scartate passando il mazzo una sola volta.

Il passatempo di Pitagora

Prendi un mazzo di carte e leva un asso, un 2, un 3, un 4, un 5, un 6, un 7, un 8 e un 9, non importa di che seme.

Disponi le nove carte in tre file, in maniera che ciascuna delle linee verticali, orizzontali e diagonali diano ciascuna 15 come somma dei punti segnati sulle tre carte.

Il gioco non è difficile: richiede solo un po' di pazienza e di attenzione e, soprattutto, una certa pratica. Se ti allenerai, potrai stupire gli amici quando glielo insegnerai.

... le carte

Il gioco di MARIENBAD

Ci sono 4 file di fiammiferi formate da 1-3-5-7 elementi.

Se sei a casa e non hai molti giochi a disposizione, la televisione ti annoia e non vuoi creare niente con carta e forbici, puoi sempre stupire un tuo amico con una scatola di fiammiferi! Ti sembrerà strano, ma questi semplici oggetti possono permetterti giochi di logica davvero intriganti.

Si gioca in due, alternativamente. Ad ogni turno, il giocatore deve togliere uno o più fiammiferi. L'unica regola è che i fiammiferi devono essere della stessa fila. Può anche togliere un'intera fila. Quando è il turno dell'avversario, fa la stessa cosa. Chi prende l'ultimo fiammifero, perde la partita.

COME FARE PER VINCERE?

■ Lascia la prima mossa al tuo avversario.

■ Conta i fiammiferi di ogni fila e trasformali in un sistema binario. È sufficiente quindi far corrispondere 1 a 1, 2 a 10, 3 a 11, 4 a 100, 5 a 101, 6 a 110, 7 a 111.

■ Si sommano poi i numeri binari così trovati. Se le cifre della somma sono degli zeri oppure numeri pari, la configurazione è vincente, altrimenti, se c'è anche una sola cifra dispari, è perdente.

■ In quest'ultimo caso, si procederà con una sottrazione di fiammiferi, in modo da trasformare la configurazione in vincente.

■ L'esempio di figura può chiarire le idee. La somma dei fiammiferi sulle tre file è 132. La cifra dispari 3 ci segnala che la configurazione di sinistra è perdente e possiamo trasformarla in vincente sottraendo sei fiammiferi dalla terza fila. In questo modo infatti la somma diventa 22, con le cifre tutte pari.

■ In chiusura del gioco, per vincere, sarà sufficiente che tu lasci un numero dispari di file con un solo fiammifero.

$$\rightarrow 10 \qquad \rightarrow 10$$

$$\rightarrow 11 \qquad \rightarrow 11$$

$$\rightarrow \frac{111}{132} \qquad \rightarrow \frac{1}{22}$$

Esempio di una mossa per passare da una configurazione perdente a quella vincente.

Giochi di logica...

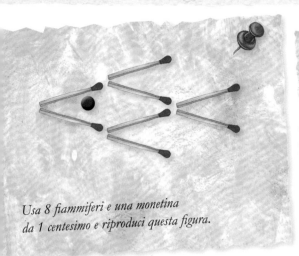

Ora prova a ricostruirla, orientandola in direzione opposta, spostando semplicemente la monetina da 1 centesimo e 3 fiammiferi. Ecco come!

Usa 8 fiammiferi e una monetina da 1 centesimo e riproduci questa figura.

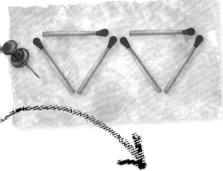

Come puoi creare 4 triangoli equilateri usando 6 fiammiferi, in modo che tutti i triangoli abbiano i lati della lunghezza di un intero fiammifero?

Per farlo devi usare i fiammiferi in senso tridimensionale, creando una piramide le cui 4 facce saranno i 4 triangoli equilateri richiesti.

La sedia costruita con questi fiammiferi è rivolta verso destra.

Ora rivolgila a sinistra semplicemente muovendo 2 fiammiferi.

• Partendo da questa spirale nella figura, costruita con 35 fiammiferi, come puoi spostare 4 fiammiferi in modo da formare 3 quadrati?

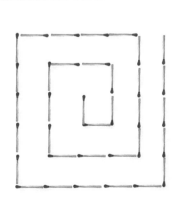

ECCO LA SOLUZIONE!

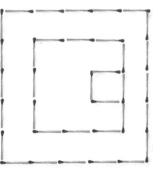

...Incandescente!

Giochi di numeri MAGICI

Esistono alcuni giochi da proporre ai tuoi amici con cui li potrai stupire, come se tu avessi delle capacità da indovino. In realtà si tratta di semplici trucchi matematici. Basta essere un po' svelti a fare di calcolo per capire come costruirli!

PENSA UN NUMERO

Moltiplica il numero pensato per 2, aggiungi 10, dividi il numero ottenuto per 2, sottrai il numero che hai pensato.

HAI OTTENUTO IL NUMERO 5

PENSA UN NUMERO DI 2 CIFRE

Sottrai dal numero la cifra che rappresenta le decine e la cifra che rappresenta le unità. Somma le cifre del numero ottenuto.

HAI OTTENUTO IL NUMERO 9

La sequenza... numerica

Secondo quale ordine logico sono elencati questi numeri?
11, 13, 7, 4, 10, 5
SOLUZIONE
In ordine alfabetico al contrario!

Questione di gambe

In una stanza ci sono 7 bambini. Ogni bambino ha 7 sacchi. In ogni sacco ci sono 7 gatti grandi. Ogni gatto grande ha 7 gatti piccoli. Quante gambe ci sono nella stanza?
SOLUZIONE
238. Cioè 7x2=14 le gambe dei bambini
7x4=28 le zampe dei gatti grandi
7x7=49X4=196 le zampe dei gatti piccoli
In totale: 14+28+196=238
Ma se vuoi essere pignolo, le gambe vere e proprie sono solo 14, perché i gatti hanno le zampe!

Giochi di logica...

PENSA A UN NUMERO DA 1 A 10, moltiplicalo per 2, aggiungi 8, dividi per 2, sottrai il numero che avevi pensato. Ora, utilizzando un semplice codice alfa numerico, in cui a ogni lettera corrisponde un numero (es. A=1, B=2, C=3, ...), abbina il numero che hai ottenuto alla lettera corrispondente. Pensa adesso a una nazione del mondo che cominci con quella lettera. Adesso passa alla lettera immediatamente successiva della tabella mostrata sopra e pensa a un animale che cominci con quella lettera. Per finire pensa al colore di quell'animale.

MA NON CI SONO ELEFANTI GRIGI IN DANIMARCA!!!
(da Dylan Dog numero 133)

Cosa significa pensiero laterale? Significa un pensiero che riesce a vedere la cose in maniera diversa dal solito, trovando soluzioni dove tutti trovano solo problemi. Quando leggerai le soluzioni ai quesiti che ti presentiamo dirai: "Ma perché non c'ho pensato prima?" E lo stesso diranno gli amici a cui proporrai questi quesiti!

L'operazione

Padre e figlio hanno un gravissimo incidente stradale. Il padre muore sul colpo. Il ragazzo viene ricoverato e, se vuole essere salvato, deve subire un'operazione urgente. Il chirurgo, appena il ragazzo entra in sala operatoria, esclama: "Non posso operarlo! È mio figlio!"
Come è possibile che avvenga ciò?
SOLUZIONE
Il chirurgo è la madre!

Gigio e Gigia

In una stanza al secondo piano di un edificio, chiusa a chiave dall'esterno, vengono trovati sul pavimento i corpi senza vita di Gigio e Gigia. La finestra è spalancata. Sul pavimento vi è un sasso, una grossa pozzanghera d'acqua e dei frammenti di vetro. Nessuno è entrato o uscito dalla stanza prima che Gigio e Gigia morissero.
Come sono morti Gigio e Gigia?
SOLUZIONE
Gigio e Gigia sono due pesci rossi. Sono morti a causa della rottura dell'acquario che li conteneva provocata da un sasso lanciato da qualcuno dall'esterno.

L'uomo nell'ascensore

Un signore abita al dodicesimo piano di un palazzo.
Tutti i giorni, quando esce di casa, prende l'ascensore al decimo piano e scende fino al pianterreno.
Quando invece rientra in casa, sale con l'ascensore dal pianterreno fino al settimo piano e sale il resto delle scale a piedi per raggiungere la sua abitazione.
Quel signore non è superstizioso, non è uno sportivo e odia salire le scale a piedi.
Quando però in ascensore con lui salgono altre persone o quando piove arriva con l'ascensore fino al dodicesimo piano.
Come mai?
SOLUZIONE
L'uomo in questione è un nano e arriva a premere solo i pulsanti fino al settimo. Se ci sono altre persone nell'ascensore o se ha l'ombrello, riesce a raggiungere il dodicesimo pulsante.

da proporre agli amici

Il re malvagio

Un re malvagio tiene in prigionia un uomo. Gli promette la libertà se saprà risolvere un enigma: "Metterò una pallina bianca sotto questo bicchiere di legno e una pallina nera sotto quest'altro bicchiere. Se indovinerai sotto quale bicchiere c'è la pallina bianca sarai libero, altrimenti rimarrai in prigione per tutta la vita!". In realtà il re è perfido e mette sotto i bicchieri due palline nere. Il prigioniero, conoscendo la malvagità del re, immagina che entrambe le palline sotto i bicchieri siano nere. Come può fare il prigioniero per guadagnarsi la libertà, pur scegliendo un bicchiere?

SOLUZIONE

Sceglie un bicchiere dicendo: "Qui sotto c'è la pallina bianca". Per dimostrarlo alzerà però l'altro bicchiere dicendo: "Qui invece c'è la pallina nera". Il re non potrà svelare il suo inganno e dovrà liberare il prigioniero.

Più ne perdi più ne hai. Che cos'è?
Il sonno!

Buon compleanno!

L'altro ieri avevo 20 anni.
Il prossimo anno ne compirò 23.
In quale giorno è il mio compleanno per essere possibile?

SOLUZIONE

Se oggi è il primo gennaio e io compio gli anni il 31 dicembre:
- l'altro ieri, ovvero il 30 dicembre, avevo 20 anni,
- ieri, 31 dicembre, ho compiuto 21 anni
- il 31 dicembre di quest'anno compirò 22 anni,
- il prossimo anno ne compirò 23.

La sequenza alfabetica

Risolvi la seguente sequenza, trovando le lettere mancanti in luogo dei punti interrogativi:

G F ? A ? G L A S O N D

SOLUZIONE

Sono le iniziali dei mesi dell'anno.
Mancano marzo e maggio:

G F M A M G L A S O N D

Nè vedovo, nè divorziato

Un uomo sposa 20 donne del suo comune ma non viene accusato di poligamia. L'uomo non è né vedovo né divorziato.
Il comune si trova in Italia e l'uomo rispetta le leggi italiane.
La legge italiana vieta la poligamia.
L'uomo non appartiene ad una religione che ammette la poligamia, è italiano di nascita e di cittadinanza.
L'uomo ha sposato tutte le 20 donne in pubblico, con il loro consenso e davanti ai loro parenti. L'uomo non ha mai tenuto nascosto il fatto di aver sposato 20 donne.
L'uomo ha tutte le intenzioni di sposare altre donne. Il colmo è che quasi tutte le donne nubili di quel paese vorrebbero esse sposate da quell'uomo. Come si spiega?

SOLUZIONE

L'uomo è il sacerdote di quel comune.

Giochi di logica...

Corre e salta
di qua e di là,
ma non ha le gambe.

La palla.

Avventura di Giochi all'ARIA APERTA

DIN DON CAMPANON,
LE CAMPANE DI SAN SIMON
CHE SUONAVAN TANTO FORTE
DA BUTTARE GIÙ LE PORTE
E BUTTAVAN GIÙ IL PORTON
BIM BUM BOM!
UN, DUE TRE,
A STAR SOTTO TOCCA A TE!

MISSIONE NATURA

GIOCHI PER STARE INSIEME E DIVERTIRSI PER SGRANCHIRE LE GAMBE E ALLENARE IL CERVELLO

Ci sono molte occasioni per stare all'aria aperta. Non deve essere necessariamente estate, l'importante è che non faccia brutto tempo. Si può stare fuori anche in inverno, ben vestiti, e giocare sui prati coperti di neve! Si può giocare da soli ed è molto bello, perché scateni la tua fantasia.
Ancora più bello, però, è quando c'è qualche amico con cui giocare!

Giocare bene fa divertire tutti: per questo ci sono le regole e si devono seguire non perché si deve e basta, ma soprattutto perché in questa maniera ci si diverte molto tutti quanti.

Può capitare a volte di incontrare nel gioco bambini che non vogliono perdere. Arrivano a imbrogliare pur di vincere oppure si arrabbiano molto con chi sta vincendo.

Questi sono comportamenti piuttosto deboli: il forte è contento quando vince ma sa anche accettare di perdere, sportivamente.

Giocare fa bene al tuo spirito ma anche al tuo corpo: giocando, anche se non te ne rendi conto, alleni i tuoi muscoli, migliori l'equilibrio e i riflessi, acquisisci nuove tecniche di movimento.
Inoltre, se anche non stai facendo sport, ti stai comunque muovendo e ciò non fa per niente male al tuo fisico!

L'uomo non smette di giocare perché invecchia, ma invecchia perché smette di giocare.
George Bernard Shaw

CORRERE in libertà

LA CORSA

La corsa si può svolgere in diversi modi e non è detto che chi vince nello scatto iniziale sia poi quello che taglia il traguardo alla fine: infatti **chi è più veloce nello scatto spesso non lo è nelle corse di resistenza.**

Se organizzi una corsa in un cortile, tu e i tuoi amici potrete mettervi spalle al muro e correre fino al muro opposto, toccarlo e tornare indietro.

La corsa può però essere anche di resistenza e svolgersi su dieci giri del cortile.

Per fare una corsa di resistenza è bene **mettere in chiaro il percorso e quante volte ripeterlo.** Un altro modo per movimentare la corsa è stabilire **un percorso a ostacoli** con salite e discese, scale da superare e ogni altro ostacolo, sempre non pericoloso, ti venga in mente. Se siete in tanti potete dividervi in due o più squadre e **correre a staffetta.** Ogni squadra è composta da tre o quattro giocatori e ha un bastone. Partono assieme i primi giocatori che devono eseguire il percorso stabilito, al termine del quale passano ai compagni di squadra in attesa il bastone che tengono in mano. Questi rifanno il percorso e così via fino all'ultima staffetta di concorrenti.

Vince la squadra che riesce a terminare il percorso complessivo per prima.

Mi piace correre di notte, quando nessuno mi guarda, quando nessuno sente le mie scarpe da ginnastica sprecciare nella ghiaia sul ciglio della strada. La gravità non esiste. Non mi fanno male i muscoli. Galleggio, lascio che mi scivolino accanto chiese, negozi e scuole, e poi porte chiuse a chiave e finestre che si illuminano di tanto in tanto con lampi di luce blu. Mi sento serena.
Laurie Halse Anderson

Strana è la corsa, è stancante tanto da purificarti, e ti aiuta molto bene a collegare insieme le nascoste radici degli attimi, e quasi non si sa se sei tu che corri o se tutto scorre attorno a te in un lento movimento di giostra, paesi che hai già oltrepassato ecco ritornano a galleggiarti davanti nel buio.
David Grossman

Giochi di corsa

CORSA con difficoltà

È un modo divertente per movimentare la corsa: devi portare a termine il percorso ostacolato da **impedimenti che rendono difficile correre**.

La difficoltà più semplice consiste nel completare il percorso di gara **saltellando su una sola gamba**.

Una variante può prevedere di **correre come un granchio**, cioè avanzando di traverso: all'andata da un lato, al ritorno dall'altro.

Puoi anche **correre all'indietro**, come un gambero, oppure **alternare nello stesso percorso tutte le difficoltà** precedenti secondo un regolamento prestabilito.

Durante il percorso puoi poi concordare punti in cui fare delle **capriole** da eseguire correttamente **con la testa in mezzo alle mani e rotolando bene sulla schiena**.

Un altro tipo di difficoltà può essere **una cordicella che lega strettamente le caviglie** e ti obbliga a saltare come i canguri; oppure un po' più lunga per lasciarti la possibilità di effettuare piccolissimi passi.

Una difficoltà simpatica consiste nel dare a ogni giocatore un cucchiaio con dentro una pallina o un piccolo frutto. I concorrenti devono completare il percorso di gara tenendo in mano il cucchiaio senza far cadere la pallina. Se questo avviene, il giocatore deve fermarsi e ricominciare il percorso.

Una variante può essere tenere in bocca il manico del cucchiaio...

Se lavori un po' di fantasia troverai il modo di animare all'infinito le corse con i tuoi amici.

Si può scoprire di più su una persona in un'ora di gioco che in un anno di conversazione.
Platone

La corsa ad ostacoli è una vera e propria disciplina sportiva, che fa parte dell'atletica leggera. Più che di salto, si tratta di corsa perché l'importante non è saltare in alto, bensì arrivare per primi al traguardo, perdendo meno tempo possibile nel superamento degli ostacoli.

Giochi di corsa

La colonna delle FORMICHE

Un gioco semplice e divertente consiste nel cercare da dove vengono le formiche che sempre troviamo dappertutto: nei prati, nei boschi, nei giardini pubblici, nei cortili, nella piazzetta asfaltata.

Se ne vedi, prova a mettere sul loro cammino un po' di pane e aspetta. Dopo un po' ti accorgerai che il pane diventa nero di formichine che lo sminuzzano per portarlo nel formicaio. Inizia allora a seguire la loro via del ritorno.

Le formiche percorrono spesso strade strane e fanno mille giri prima di ritornare a casa. Con pazienza e spirito di osservazione riuscirai a seguirle e poco alla volta scoprirai il loro modo di superare gli ostacoli, di comunicare fra loro e, alla fine, il formicaio!

È un gioco che puoi fare anche in gruppo, magari dividendovi per vedere chi di voi individua per primo l'obiettivo.

Una raccomandazione:
*non uccidere le formiche e non
mettere i piedi nel formicaio!
Se lo fai, le padrone di casa
si arrabbiano e potrebbero
anche darti qualche pizzicotto.
Inoltre, stai privando la terra
di un animale utilissimo,
che la mantiene pulita
e ordinata!*

Giochi di corsa

La corsa nei SACCHI

La corsa con i sacchi è un passatempo piuttosto antico e diffuso un po' ovunque nel mondo. Spesso è organizzata in occasione di fiere e manifestazioni che si tengono all'aria aperta e può avere diverse denominazioni e particolarità.

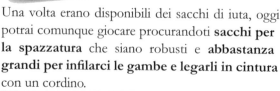

Una volta erano disponibili dei sacchi di iuta, oggi potrai comunque giocare procurandoti **sacchi per la spazzatura** che siano robusti e **abbastanza grandi per infilarci le gambe e legarli in cintura** con un cordino.

Quindi **stabilisci un percorso**: dritto, a curve o con varie difficoltà. Poi... VIA!!!

Corri con i tuoi amici nei sacchi fino all'arrivo e ricordati che **chi rompe il sacco viene squalificato**. Ognuno cercherà il modo migliore per essere più veloce.

OVVIAMENTE, VINCE CHI ARRIVA PRIMO.

Esiste anche una variante che si chiama **"corsa a tre gambe"**. In questo caso si corre in coppia affiancati e le gambe, una per ciascun giocatore, vengono legate ed eventualmente messe nel sacco. La coppia deve avanzare con una gamba autonoma per ciascuno e questa "terza gamba" è formata dall'unione delle altre due.

Giochi di corsa

Puoi organizzare, con l'aiuto di alcuni amici o di un adulto, un percorso a ostacoli.

Più il percorso è lungo e vario e più dovrai impegnarti, ma il gioco sarà molto divertente.

A volte potrai sfruttare alcuni elementi naturali e reinventarli come ostacoli: un tronco caduto o una pozzanghera da saltare, una salita o una discesa da percorrere all'indietro o di lato ecc. Ecco alcuni degli ostacoli che potrai aggiungere:

■ **Un'asse di equilibrio** su cui camminare messa in bilico su un sasso o su un tronco. L'asse si sposterà con il tuo peso oscillando sul perno ma tu dovrai rimanere sopra, senza toccare terra con mani o piedi!

■ **Un passaggio carponi:** metti un qualsiasi ostacolo abbastanza basso, una cordicella tesa tra due bastoni, una canna appoggiata orizzontalmente tra due cespugli, un cavalletto ecc. Per superare questi ostacoli dovrai strisciarvi sotto, senza toccarli o farli cadere.

■ **Salto a piedi pari o a piedi alternati:** puoi movimentare il percorso inserendo salti a piedi pari o alternati su una gamba sola. Puoi anche scegliere una superficie particolare dove saltare, ad esempio all'interno di copertoni usati.

■ **Salto in lungo:** puoi decidere di aggiungere al percorso una sosta con salto in lungo. Puoi anche scegliere un salto in lungo con una corda, appesa ad esempio al ramo di un albero.

■ **Salto in alto:** metti dei piccoli ostacoli ravvicinati o degli ostacoli abbastanza grandi da saltare, a piedi pari o a gambe alternate.

■ **Cammino in campo minato:** puoi usare i sassi di un torrente da attraversare o disporre dei sassi lungo il percorso. In questo tratto della gara si deve camminare solo sopra di essi, senza poggiare piedi o mani a terra.

■ **Salita o discesa da una scala di corda:** se ci sono dislivelli nel percorso, puoi usare scale di corda per far salire o scendere i concorrenti.

Giochi di corsa

NASCONDINO

E se ti trovi a giocare con dei bambini
che non parlano in italiano,
come si dice nascondino?
- in francese: jouer à cache-cache
- in inglese: play hide-and-seek
- in tedesco: Versteckspiel
- in spagnolo: jugar a escondite

È un gioco che tutti conoscono, ma per giocarlo bene e a lungo occorre rispettare alcune regole. Prima di tutto devi **decidere qual è la tana**: un albero, un sasso, una seggiola, anche un semplice muretto, ma è importante che sia **al centro del campo di gioco** e che attorno la visuale sia abbastanza libera. Infatti se si fa tana con troppa facilità il gioco diventa subito noioso.

Poi **tira a sorte per chi sta sotto**, che deve coprirsi gli occhi col braccio per non vedere e appoggiare la testa contro la tana.

Giochi di corsa

178

A questo punto deve **recitare una filastrocca oppure contare fino a trenta**, a seconda delle regole stabilite dal gruppo, e al termine dire ad alta voce guardandosi intorno: "**Chi è sotto è sotto, chi è fuori è fuori**". Nel frattempo tutti saranno fuggiti a nascondersi astutamente, così da essere **invisibili a chi è sotto, ma abbastanza vicini alla tana** da poter correre a conquistarla. Chi è sotto scruta e ascolta i rumori sospetti per trovare dove sono nascosti i compagni, ma sta **attento a non allontanarsi troppo dalla tana!** Appena ne individua uno, per esempio Guido, deve cercare di riconoscerlo, gridare ad alta voce il suo nome e **correre velocemente a toccare la tana**. Se tocca prima che Guido raggiunga a sua volta la tana lo elimina dal gioco.

Se invece Guido è più veloce e tocca per primo grida "**Libera me!**" oppure "**Libera Guido**" e resta in gioco. Poco alla volta tutti cercano di fare tana: se ci riescono tutti, **tutti restano in gioco e chi sta sotto ripete la conta**.

Se chi sta sotto riesce invece a eliminare dei compagni, il primo di questi sarà quello che dovrà stare sotto il giro successivo.

C'è una regola che, se vuoi, puoi aggiungere. Se uno o più giocatori sono stati eliminati possono essere rimessi in gioco attraverso **la regola del "libera tutti"**: gli ultimi giocatori che riescono a fare tana possono infatti gridare "libera tutti" e così **rimettere in gioco i compagni eliminati**. In tal caso chi sta sotto dovrà nuovamente coprirsi gli occhi e ricominciare la conta.

Se vuoi decidere chi tocca per primo a contare quando giochi a nascondino con i tuoi amici scegli una di queste conte:

*- Sotto la cappa del camino
c'era un vecchio contadino
che suonava la chitarra
bim bum sbarra.
- Sette quattordici ventuno ventotto
questa è la conta del paperotto.
Il paperotto è andato in cantina
a cercare la regina.
La regina è andata a Roma
a cercare la corona.
La corona ce l'ha il re.
A star sotto tocca a te.*

Giochi di corsa

Indovina indovinello

*Cosa successe quando ci fu il famoso black out nella capitale russa?
Organizzarono la più colossale partita a Mosca Cieca della storia.*

Gioca solo **se tu e i tuoi amici vi conoscete bene e se siete almeno in sei**. Procurati un fazzoletto pesante e grande, meglio un asciugamano da cucina o un asciugapiatti, con cui bendare chi sta sotto in modo che sicuramente non veda nulla.

Stabilisci l'area del gioco stando attento che non vi siano pericoli: **non giocare vicino a una strada, vicino a un ruscello o a un burrone**, non giocare se nel terreno ci sono buche o rami con spine. Fai questo gioco solo se il luogo è sicuro e **se chi è bendato non corre alcun pericolo**.

Tira a sorte per chi sta sotto, bendalo e fagli fare **sette giri su se stesso**. Stabilisci la regola per cui chi è sotto può bloccare un compagno o prendendolo per un braccio o anche afferrandolo per un qualsiasi indumento, come il maglione, i calzoni o la gonna.

È meglio **non considerare valide semplici toccate** perché sono difficili da vedere e quindi facili da contestare.

Al via tutti si avvicinano al compagno bendato e, a turno, o anche contemporaneamente, cominciano a stuzzicarlo, a sfiorarlo, a toccarlo, a sussurrargli qualche parolina da vicino, pronti però a sfuggirgli non appena lui cerchi di afferrarli.

L'abilità di chi è bendato consiste nel **saper ascoltare e attendere il momento opportuno**: deve fingere disinteresse per qualcuno e interesse per un altro, ma poi improvvisamente afferrare chi meno se lo aspetta.

Appena ci riesce grida "preso!" e allora tutti si fermano.

Chi è stato preso si blocca come una statuina e si lascia toccare il viso e il corpo sperando di non essere riconosciuto.

Se viene riconosciuto tocca a lui stare sotto il prossimo giro, se invece riesce a non farsi riconoscere il gioco comincia da capo: chi è bendato resta bendato e di nuovo viene fatto girare sette volte su se stesso.

Tieni il conto di chi sta sotto e per quante volte e alla fine stabilisci chi è il più bravo.

MOSCA CIECA in tondo

Se tu e i tuoi amici siete in tanti, **almeno in dieci**, e temi che **il luogo di gioco non sia abbastanza sicuro** per la moscacieca classica, puoi provare questa variante.

Benda chi sta sotto, cioè la moscacieca, e insieme **circondatela prendendovi per mano**. Comincia poi con loro a cantare un girotondo correndo, mano nella mano, intorno al compagno bendato. **Dovete compiere almeno tre giri** e nello stesso tempo **anche lui deve girare su se stesso** in senso opposto.

Al termine del girotondo vi fermate come statue, ognuno dove si trova, senza muovere nemmeno un muscolo.

Il compagno bendato inizia allora a camminare **fino a scontrarsi con i compagni del girotondo**. Sempre bendato ne sceglie uno e, toccandogli il corpo e il volto, cerca di indovinare chi è.

Se indovina prende il suo posto nel cerchio e il compagno che è stato riconosciuto viene bendato. Se non ci riesce tiene la benda, ritorna al centro del cerchio e il gioco continua.

Giochi di corsa

Alto-terra o RIALZO

Se vuoi rendere il gioco difficile,
puoi anche inserire questa variante:
un giocatore non può risalire sullo stesso
rialzo una seconda volta.
Deve prima aver trovato rifugio
su un rialzo diverso!

Puoi giocare anche se siete solo in quattro o cinque: individua sul terreno di gioco tronchi, sassi, rocce, muretti, gradini o qualsiasi altra cosa su cui poter salire staccandoti così da terra. Perché tu sia in "alto" è necessario che entrambi i piedi non tocchino terra. Se sei in "alto" nessuno ti può toccare, ma **se anche un solo piede, o una mano o un'altra parte del corpo tocca terra**, allora puoi essere toccato e quindi squalificato. Nello stesso modo puoi **venire squalificato** se chi sta sotto riesce a toccarti mentre corri da un posto "alto" a un altro.

Al VIA tu e gli altri, ad eccezione di chi sta sotto, correte a cercare un rifugio "alto". Può capitare che due cerchino di stare dove c'è posto per uno solo, e allora **chi resta con i piedi per terra deve trovare immediatamente un altro rifugio. Chi sta sotto deve correre qua e là** cercando di toccare i compagni che si divertono a passare da un rifugio all'altro: se riesce a toccarne uno prende il suo posto. Chi è stato toccato deve a sua volta rincorrere i compagni che fuggono da un rifugio all'altro sbeffeggiandolo. **Si corre tanto e il gioco diventa bello** se tutti rischiano un po' e accettano prima o dopo di farsi toccare e stare sotto.

Giochi di corsa

SCALPO

Devi correre a perdifiato e puoi giocare in qualsiasi luogo, purché non vi siano pericoli. Il numero ideale di **giocatori è da dieci a venti**. Prima di tutto **lo scalpo: è un fazzoletto o uno straccio** infilato in cintura, sul fianco sinistro, in modo da essere facilmente sfilato con uno strappo. **Ogni giocatore deve averne uno** e tutti gli scalpi dovranno essere più o meno della stessa lunghezza.

Ci si divide in due squadre e ogni squadra si dispone in un punto di partenza a sua scelta. Al VIA **tutti i giocatori di una squadra devono cercare di scalpare gli avversari**, cioè di prendere i fazzoletti dalle cinture.

Ci sono delle **regole da rispettare**: quando corri puoi muovere liberamente ambedue le braccia, ma quando ci si affronta devi obbligatoriamente mettere il braccio sinistro dietro la schiena e cercare di **prendere lo scalpo dell'avversario utilizzando esclusivamente la mano destra** (a meno che tu non sia mancino come la ragazza del disegno). Con la mano destra inoltre **non puoi spingere, strattonare o afferrare l'avversario**, ma solo cercare di afferrare lo scalpo.

I due rivali si affrontano quindi sforzandosi di prendere con la mano destra il fazzoletto che pende dal fianco sinistro dell'avversario. **Ogni avversario scalpato viene eliminato dal gioco**. È consentito anche attaccare un avversario in due o tre, sempre che si rispettino le regole. Il gioco continua fino a quando restano in gioco solo i concorrenti di una squadra che a questo punto è la vincitrice.

CHIUDERE LA BRECCIA

Mettiti in cerchio con i tuoi compagni tenendoti per mano con loro. Uno rimane fuori per iniziare il gioco e cammina dietro le schiene dei compagni fino a quando, scelta la vittima, la tocca e poi si mette a correre all'esterno lungo il cerchio.

La vittima, a sua volta, si lancia in senso opposto per ritornare alla sua posizione e richiudere il cerchio. Chi dei due arriva prima chiude la breccia nel cerchio e lascia fuori l'altro. Questi dovrà allora a sua volta scegliere una nuova vittima e cercare di prenderne il posto nel cerchio.

Giochi di corsa

I quattro CANTONI

Prima di tutto devi decidere quali sono i quattro cantoni. Se sei in un prato puoi segnarli con dei sassi, se sei in un bosco puoi individuare quattro alberi opportunamente distanziati, se sei nel cortile del condominio utilizzare i quattro angoli.

A questo gioco **si partecipa di solito in cinque**: uno, tirato a sorte, sta sotto e si piazza **in mezzo al campo di gioco** così da essere più o meno alla stessa distanza da ognuno dei quattro cantoni.

Gli altri giocatori si dispongono ognuno in un cantone.

Se siete di più, varia il gioco e individua nel campo di gioco un numero di cantoni inferiore di uno rispetto a quello dei giocatori: per esempio, se siete otto, i cantoni saranno sette.

Al VIA ognuno cerca di **mettersi d'accordo con un altro compagno per scambiarsi di posto**. Nel tragitto però i cantoni restano vuoti per pochi attimi e proprio **in quel momento chi è sotto deve cercare di approfittarne e occuparne uno**. Se ci riesce, prima che arrivi il giocatore che sta tentando lo scambio, gli prende il posto.

Quel giocatore si trova allora senza più un cantone disponibile e a sua volta cerca di occuparne velocemente uno libero.

Il gioco è rapidissimo e se tutti si muovono contemporaneamente può diventare difficile per chi sta sotto riuscire a occupare un cantone in tempo. Spesso dopo i primi scambi succede che il meno veloce, o quello dai riflessi meno pronti, si ritrovi sotto e **non riesca più a conquistare un cantone**. L'amico intelligente capisce allora che il gioco diventa noioso, rallenta e permette a chi sta sotto di conquistargli il cantone: subito riprende l'interesse e il gioco riacquista la sua vivacità.

Giochi di corsa

Guardie e LADRI

Dovete **essere in otto, dieci o più** e avere a disposizione uno spazio abbastanza grande per correre tutti assieme liberamente: un rettangolo di circa quindici metri per otto potrebbe bastare. Il campo di gioco deve essere ben definito: **si può giocare solo dentro il campo**. Dividetevi quindi in **due squadre di pari numero e pari abilità**. Se siete in dieci, cinque sono i ladri e cinque sono le guardie. **Se siete dispari** ci sarà allora un ladro in più delle guardie. Scegliete **la refurtiva, cioè un oggetto che stia facilmente in tasca** ma che sia caratteristico: per esempio un sasso strano o una biglia particolare o un piccolo giocattolo. Dopo averlo mostrato a tutti, la squadra dei ladri si ritira in un posto nascosto e decide chi deve tenere la refurtiva in tasca e portarla in salvo.

I ladri si dispongono quindi sulla linea di partenza che segna un lato del campo di gioco. Al VIA devono correre fino alla linea tracciata al lato opposto e superarla per mettersi in salvo. Se, invece che con una linea, il campo termina con un muro, si può battere la mano sul muro per mettersi in salvo. **Le guardie si dispongono invece su un'altra linea tracciata circa a metà del campo. Al VIA le guardie** corrono subito verso i ladri e cercano di toccarli, perché se ci riescono li eliminano dal gioco. **I ladri** a loro volta corrono verso la linea di salvezza cercando di non farsi toccare. Con abilità devono evitare di farsi anche solo sfiorare dalle guardie, e quindi corrono a zig-zag, si fermano, scattano, scartano. Le guardie non sanno chi ha la refurtiva, ma cercano di intuirlo. **Se riescono a fermare il ladro con la refurtiva** hanno vinto e restano guardie per un altro turno. **Se il ladro con la refurtiva raggiunge la salvezza** vince la squadra dei ladri e quindi questi diventano guardie e le guardie ladri. Il bello del gioco sta nello sviare le guardie facendo credere che la refurtiva sia nelle tasche sbagliate. Alla fine del gioco **vince la squadra che è riuscita più volte a restare guardie**, ovvero la squadra che ha trovato la refurtiva il maggior numero di volte.

Giochi di corsa

BANDIERA

Per divertirti con i tuoi amici **dovete essere almeno in dieci**, ma a questo gioco ci si diverte anche se si è in venti o più.

Prima di tutto **decidi la bandiera**: può essere un fazzoletto, uno strofinaccio o un semplice straccio; l'importante è che, **tenuto in mano, ricada per almeno venti centimetri**.

Scegli il direttore del gioco. Se siete pari puoi reclutare come direttore di gioco anche un adulto.

Disponi le due squadre su due linee, una di fronte all'altra, distanti circa quattro metri. Partendo da uno, attribuisci un numero ai giocatori di ogni squadra, in modo che ciascuna abbia un uno, un due e così via. **I giocatori con lo stesso numero devono allinearsi ponendosi uno di fronte all'altro.**

Quando le squadre sono schierate dietro le rispettive righe, il direttore di gara stende il braccio e lascia penzolare la bandiera. Ad alta voce chiama quindi un numero tra quelli assegnati alle coppie di giocatori.

I due che hanno quel numero scattano e cercano di afferrare la bandiera e portarla alla propria squadra oltre la riga segnata.

Chi ci riesce senza farsi toccare dall'avversario guadagna un punto, **chi viene toccato** prima di essere riuscito a superare la riga regala un punto alla squadra avversaria.

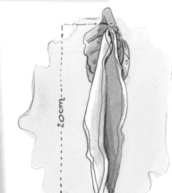

Traccia una linea oltre la quale c'è la casa: un giocatore prende posto nella casa, gli altri stanno al di là, in uno spazio di cui devono essere definiti i confini.

Al VIA chi sta nella casa intreccia le mani e grida: "Attenti!", poi corre fuori e cerca di toccare uno degli altri. Chi è stato preso viene portato nella casa. Questi due gridano quindi: "Attenti!" ed escono a caccia degli altri tenendosi per mano. Il terzo che viene preso si unisce a loro in una catena e di nuovo insieme gridano: "Attenti!" e così via.

La catena via via si allunga, ma **non deve mai spezzarsi, pena la perdita del gioco.**

Il gioco finisce quando tutti sono stati portati nella casa.

Qual è il gioco preferito dal veterinario?
Il gioco dell'oca!

E dell'eremita? Il solitario!

A cosa gioca la cuoca? Ai dadi!

E uno svizzero? Ai quattro cantoni!

L'abilità sta nell'essere veloci e fuggire schivando l'avversario prima che prenda posizione vicino alla bandiera.

Un'altra tecnica è **giocare di rimessa**, attendendo che l'avversario cerchi di prendere la bandiera per toccarlo poi un attimo dopo. Vince la squadra che per prima arriva a dodici punti.

Al gioco si conosce il gentiluomo.
Proverbio italiano

Cioè, chi si comporta bene anche giocando, è davvero educato.

Giochi di corsa

SALTO IN... ALTO

Per giocare al salto in alto è necessario tu sia **su un prato o comunque su un terreno soffice** per non farti male. Il modo più semplice è **tendere una cordicella fra due sostegni**, per esempio due bastoni piantati per terra a due metri di distanza l'uno dall'altro o due tronchi d'albero vicini. Poi prova a vedere tra te e i tuoi amici chi riesce a saltare più in alto. L'importante è che **la cordicella sia appena tesa** e che si allenti se solo viene toccata, cosicché non ti impigli e non corri il pericolo di farti male.

Se sei in passeggiata trova comunque rami, rocce, gradini, cespugli, muretti o altro con cui cimentarti.

Il salto in alto è una disciplina dell'atletica maschile e femminile. Lo scopo della gara è di superare un'asticella posta in alto, in qualsiasi modo si riesca, senza farla cadere. Detta così può sembrare una questione piuttosto semplice, ma devi considerare che l'altezza a cui sono poste le asticelle è superiore ai due metri! Il record maschile finora va al cubano Javier Sotomayor che nel 1993 saltò 2,45 m, mentre il record mondiale femminile è di 2,09 m ed è stato stabilito nel 1987 dalla bulgara Stefka Kostadinova.

Non è detto che se sei bravo a saltare a scuola tu sia altrettanto abile con salti più naturali. Per saltare in alto è necessaria senza dubbio forza fisica, ma anche abilità, coraggio e colpo d'occhio.

Giochi con...

Ci sono animali che sono dei veri campioni di salto in alto!

Eccone alcuni esempi:
Caracal: 3 metri
Antilope saltante: 2,50 metri
Topo marsupiale saltatore: 2 metri
Pulce: 25 cm, ovvero 260 volte la sua grandezza (come se un uomo di 1,80 metri saltasse 290 metri!).

SALTO IN... LUNGO

In un cortile segna con il gesso **la linea di battuta**, quella cioè da non superare col piede quando salti. Cerca poi di segnare con più precisione possibile anche **il punto in cui appoggi il piede** quando ricadi.

Assegna quindi una sigla diversa a ogni concorrente.

Se sei nei prati procurati invece dei legnetti da piantare nel terreno come segnali della linea di battuta e della lunghezza dei salti.

Anche nel salto in lungo **non è solo questione di forza fisica**, ma è importante una buona rincorsa e la capacità di fare bene l'ultimo passo prima del salto.

Se vuoi fare una gara puoi decidere che **vince chi salta più lontano**, ma anche che vince **chi ha fatto più metri con i suoi tre migliori salti**.

Se hai spazio a disposizione puoi provare anche col **salto triplo**: ogni volta che ricadi devi però **battere il terreno con un solo piede**. Misura poi chi in tre salti arriva più distante.

Un altro gioco consiste nel vedere chi salta più in lungo **usando una gamba sola**: si saltella su una gamba per prendere la rincorsa e poi, via!, si salta. Si può provare chi salta più lontano con la destra e chi con la sinistra.

Altra variante è vedere chi salta più in lungo **a piedi pari**.

Un'altra ancora è **il salto della raganella**: partendo da accovacciato come le rane, prova a distenderti e salta più in avanti che puoi.

Alcuni animali sono campioni di salto in lungo:
Leopardo delle nevi: 13 metri
Antilope saltante: 10 metri
Canguro: 9 metri
Pulce: 35 cm, ovvero 220 volte la sua grandezza (come se un uomo di 1,80 m saltasse 400 metri)!

Salti e corde

Saltamontone o ... CAVALLINA

Saltare i fossi per la lunghezza.
*Modo di dire italiano
che significa fare cose impossibili.*

Il salto della quaglia.
*Modo di dire italiano ispirato alla fuga
della quaglia che, se inseguita dai cani
e sentendosi minacciata, spicca un salto
cercando così di disorientarli. Viene detto
di chi cambia improvvisamente direzione
o parere, soprattutto in campo politico.*

Potete giocare anche solo in due, ma **non ci sono limiti di numero**. L'importante è non imbrogliare facendo cadere chi ci salta. Ognuno infatti a turno diventa montone e saltatore.
Chi fa il montone deve stare accovacciato con le mani sulle ginocchia e il capo chino sotto le spalle. **Il saltatore** appoggia le mani sulle spalle del montone e lo scavalca con un balzo. Subito dopo si china e diventa montone a sua volta. L'altro intanto si alza e salta il montone che ha davanti.

Va da sé che **il gioco è più divertente se siete in sette o otto**. Mettetevi in fila e ognuno a turno salta tutti gli altri montoni prima di diventare montone a sua volta. Si forma così una lunga fila di montoni che vengono continuamente saltati e avanzano man mano.

*Giocare significa allen[a]
la mente alla vita.
Un gioco non è mai
solo un gioco.*
Stephen Littleword

Giochi con...

Forma due squadre - le botti e i cavalieri - e il primo della squadra delle botti si mette con le mani sulle ginocchia e la testa contro un muro o, se siete in un giardino, contro un albero. Un altro si mette dietro di lui nella stessa posizione, poi un terzo, un quarto, finché formano **una lunga fila di schiene**.

Allora il **primo dei cavalieri spicca un salto** sulla prima schiena, da quella passa all'altra e poi alla successiva, finché non arriva alla botte appoggiata al muro e le si mette a cavalcioni.

Gli altri cavalieri lo seguono saltando ciascuno a cavalcioni di una botte.

Quando ogni botte ha il suo cavaliere comincia a cantare dondolandosi di qua e di là.

Se i cavalieri resistono, vincono.

Se cadono, perdono e tocca a loro fare da botte.

Nel saltare la cavallina si cercava di proseguire i salti fino al dieci e per ogni salto c'erano delle frasi, in rima, a volte senza particolare senso, che formavano una filastrocca che accompagnava il gioco.

◼ **Uno:** monda luna (salto semplice).

◼ **Due:** monda il bue (salto semplice).

◼ **Tre:** la figlia del re (salto semplice).

◼ **Quattro:** Spazzolini di XXX (il nome del luogo dove si gioca) che puliscono per terra (salto e nel ridiscendere a terra con le dita della mano si fa finta di pulire per terra).

◼ **Cinque:** tre pugni o tre calci (saltando si colpisce leggermente con i pugni la schiena della "cavallina" o saltando si colpisce leggermente con il tacco il sedere).

◼ **Sei:** l'incrociatore (saltare atterrando con le gambe incrociate e rimanere in quella posizione finché non saltano tutti facendo attenzione a non urtare nessuno dei giocatori, pena prendere il posto della "cavallina").

◼ **Sette:** il suonatore di violino (non si salta e ogni giocatore deve passare un dito lungo la schiena della "cavallina").

◼ **Otto:** i soldatini di piombo (si salta e si rimane dritti fino a quando non saltano tutti).

◼ **Nove:** batti mano (salto semplice e in volo battere le mani).

◼ **Dieci:** uccello rapace (chi salta nell'appoggiarsi sulla schiena deve chiudere le mani come artigli).

salti e corde

SALTI con la CORDA

Saltare la corda fa molto bene al tuo corpo:
- allena i muscoli del polpaccio
e migliora la circolazione del sangue;
- aumenta l'equilibrio;
- allena cuore e polmoni;
tonifica i muscoli della schiena
e degli addominali.
Inoltre, riesci a essere triste
quando salti alla corda?

Per saltare con la corda occorrono una **buona capacità di coordinazione dei movimenti e colpo d'occhio**.

Per giocare bene è importante tu abbia **la corda adatta**, morbida, non troppo leggera né troppo pesante. Anche tra quelle in vendita devi quindi fare una scelta accurata. All'inizio prova a saltare la corda **a piè pari**, abbastanza lentamente: dopo un po' di allenamento riuscirai a fare una ventina di salti consecutivi.

Prova poi a saltare **con un piede solo**, poi **alternando un piede all'altro**.
Man mano diventerai sempre più veloce, ma ci vuole molto allenamento.
Un'altra variante consiste nell'**incrociare le braccia una volta sì e una no** a ogni giro della corda: è più facile di quello che sembra!
Se siete in tre amici, due possono far roteare a turno la corda contando i giri mentre uno la salta.
Potete così impegnarvi in una piccola gara a chi fa più salti consecutivi.

Giochi con...

Soltanto nel gioco è possibile per l'uomo essere veramente libero. Il gioco costringe alla parità perché a tutti i giocatori sono state impartite le stesse istruzioni, e inoltre mette in pratica la certezza del diritto, perché un gioco può esistere soltanto nel rispetto delle regole.

Juli Zeh

Esiste anche una versione del salto della corda che si chiama Double Dutch. Si gioca con due corde e almeno tre giocatori. Due tengono le due corde per gli estremi e le fanno ruotare in senso contrario, come a formare una sfera, il terzo giocatore deve saltare dentro, coordinandosi con l'arrivo di entrambe le corde. A saltare possono essere anche più di una persona.

Per non inciampare, agli inizi:

◼ vai lentamente, coordinando il movimento di braccia e di gambe;

◼ tieni le mani scostate dai fianchi, in modo che la corda formi un arco più largo attraverso il quale salterai più facilmente;

◼ parti con la corda dietro i tuoi piedi e portala in avanti, in modo da prevedere il suo arrivo;

◼ salta concentrando il movimento sulle caviglie, rimanendo in punta di piedi all'atterraggio;

◼ fai un salto a vuoto tra un salto e l'altro con la corda. All'inizio ti darà tempo per coordinare il tutto. Quando ti sentirai sicuro, togli il salto vuoto.

Salti e corde

Tiro alla FUNE

È un gioco **a squadre per ragazzi e ragazze**: non lasciarti intimorire da chi sembra più grosso perché **l'abilità conta quanto la forza.**

Per giocare divertendosi **occorre essere in tanti, almeno sei.**

Se siete in numero dispari uno fa l'arbitro oppure aiuta la squadra evidentemente più debole. Procurati **una corda** lunga e grossa per poterla afferrare bene, **un gesso** e **un fazzoletto.** Traccia col gesso una linea sul terreno e lega il fazzoletto esattamente a metà della corda; poni quindi la corda perpendicolare alla linea tracciata sul terreno.

Dividi le squadre nei due campi, afferrate la corda tenendo il fazzoletto in corrispondenza della linea, mettetela in tensione e al via iniziate a tirare.

Vince chi riesce a tirare la squadra avversaria oltre la linea.

Il tiro alla fune era una disciplina olimpica fino al 1920. Oggi si svolgono campionati del mondo di tale sport, senza però che venga disputato alle Olimpiadi. Esistono delle categorie di peso e due squadre si sfidano solo se il loro peso complessivo appartiene alla stessa categoria.

Una squadra perde o perché viene tirata all'interno del campo avversario o perché compie tre falli. Il fallo avviene quando uno dei giocatori si siede o cade.

È un tiro alla fune!

È un modo di dire della lingua italiana: facendo riferimento al gioco, si intende una situazione in cui due controparti non trovano modo di accordarsi cedendo o scendendo a compromessi e perciò fanno ricorso alla forza bruta.

Giochi con...

Proverbi... sulla corda!

Avere molte corde al proprio arco.
Cioè avere molte possibilità.

Con la corda al collo.
Cioè essere destinati a fare una brutta fine, a perdere.

Dare corda.
Cioè dare confidenza, fare parlare qualcuno per estorcere informazioni.

Essere giù di corda.
Cioè essere giù di morale.

Mettere alle corde.
Cioè costringere qualcuno a fare o a dire qualcosa.

Parlare di corda in casa dell'impiccato.
Parlare in maniera inopportuna oppure fare una gaffe.

Tagliare la corda.
Scappare.

Tenere sulla corda.
Lasciare in sospeso.

Teso come una corda di violino.
Essere molto nervoso.

Tirar troppo la corda.
Esagerare, volere troppo.

Un signore si avvicina a un pescatore
che ha la canna in mano e la lenza
in acqua. "Cosa fa? Pesca?"
"No - risponde il pescatore - sto facendo
tiro alla fune con un tizio che sta
dall'altra parte del mare!"

Salti e corde

Indovina il MOTIVO

Puoi anche modificare il gioco in questo modo: fai sentire a un concorrente alla volta una canzone conosciuta, quindi abbassa improvvisamente il volume mentre la musica continua e invita il concorrente a cantare al posto del cantante. Il concorrente dovrà ricordare esattamente le parole e rispettare il ritmo della canzone. Poi rialza il volume improvvisamente mentre sta cantando e vedi se ciò che canta coincide con la canzone originale.

Ti occorrono uno stereo portatile e tanti cd o musicassette. Procurati poi due seggiole o due sgabelli e una campanella da far suonare. Se non ce l'hai, è sufficiente un bastone da afferrare per dimostrare di essere arrivato primo. Porta tutto all'aperto e **poni le sedie almeno a dieci metri dallo stereo**. Vicino allo stereo metti la campanella o il bastone.

Prepara in anticipo la musica da suonare. Fai sedere i primi concorrenti sulle seggiole e **suona un motivo**. Appena un giocatore lo riconosce si alza e corre verso la campanella. Se la prende ha il diritto di **dire per primo il titolo della canzone**; se sbaglia, può provare a indovinare l'altro giocatore. Per rendere più vivace il gioco **puoi aumentare il numero di giocatori**. L'importante è essere rigoroso e **assegnare i punti solo a chi dice esattamente il titolo**. Puoi assegnare due punti se, oltre al titolo, il concorrente indovina anche il cantante.

Vince chi arriva per primo a dieci.

Il ballo con la SCOPA

Giocare con la musica e giocare con il ballo non è cosa moderna, ma esiste fin dai tempi più antichi. Se pensi, anche da piccolo giocavi con alcune forme di ballo, come ad esempio nel girotondo.
Un tempo il divertirsi in compagnia e con il ballo aveva anche la funzione di far conoscere tra loro i ragazzi e le ragazze e di... accendere nuovi amori!

È un gioco semplicissimo che puoi **fare in un qualsiasi luogo**: basta non disturbare con la musica troppo alta. Occorrono quindi **il solito stereo portatile e una scopa o un lungo bastone**. Uno di voi fa il disc-jokey, gli altri ballano e **uno balla con la scopa**: è obbligato a tenerla non meno di cinque secondi prima di passarla a qualcun altro.
I cinque secondi **li conta lentamente a voce alta** mentre la musica suona: uno, due, tre, quattro, cinque! Da quel momento può scegliere qualsiasi altro ballerino a cui affidare la scopa. **Chi si vede proporre la scopa è obbligato a prenderla**.
A un certo punto **il disc-jokey ferma improvvisamente la musica e chi ha la scopa in quel momento viene eliminato**. Perché il gioco sia onesto è necessario che il disc-jokey giri le spalle al campo di gioco e quindi non veda chi tiene la scopa. **Vince l'ultimo che resta in gioco**. Il gioco **si può fare anche a coppie**, meglio se siete maschi e femmine: allora ogni volta che la musica si ferma viene eliminata una coppia.
Una variante nasce **quando i cavalieri sono uno in più delle damigelle**: allora quello in più inizia ballando con la scopa e l'affida poi al cavaliere di un'altra coppia, conquistando il diritto di ballare con la dama. Chi riceve la scopa deve a sua volta trovare un altro cavaliere e così via fino a che la musica si ferma. In questo caso chi resta con la scopa non può essere eliminato, altrimenti il gioco si bloccherebbe. Puoi però contare qual è il ballerino che al termine del gioco è rimasto più volte con la scopa.

Questo gioca aiuta... i timidi!
Se infatti non hai il coraggio di chiedere a qualcuno di ballare con te, il gioco te ne dà il pretesto senza molti problemi.
Lo scambio di compagni di ballo deve essere rapido, quindi basta avvicinarsi alla... preda prescelta e attendere che la musica termini!

... la musica

Le SEDIE MUSICALI

In un qualsiasi luogo all'aperto individua il posto dove ognuno di voi può mettersi a sedere.

Il modo più semplice è segnare in un prato queste "sedie" con dei **fazzoletti aperti e stesi per terra**. Se non hai abbastanza fazzoletti puoi usare anche semplicemente le pagine aperte di un giornale. Le "sedie", cioè i fazzoletti, **devono essere uno in meno rispetto ai ragazzi che ballano.**

All'inizio della musica mettetevi tutti a ballare eccetto **chi deve fermare improvvisamente la musica.**

Quando, dopo qualche minuto, la musica viene interrotta **ognuno deve cercare di sedersi velocemente** sul fazzoletto o sul giornale.

Succede che il più lento si ritrova senza "sedia" e viene eliminato. A questo punto **si toglie un fazzoletto e si ricomincia**: al giro successivo un altro non trova la "sedia" su cui sedersi e a sua volta viene escluso. **Vince, naturalmente, l'ultimo che resta in gioco.**

Questo gioco è diffuso in tutto il mondo ed è conosciuto come "il gioco delle sedie".
In alcune lingue, invece, curiosamente, fa riferimento a un "viaggio del pellegrino":
– in tedesco Reise nach Jerusalem;
– in filippino trip to Jerusalem (viaggio a Gerusalemme).

QUAL È IL BALLO PREFERITO DAI CANI?
IL CAN-CAN...

E QUELLO DELLE SCIMMIE?
L'ORANGO-TANGO!

Le belle STATUINE

Scegli un direttore di gara, avvia la musica e insieme agli altri comincia a ballare. Improvvisamente **il direttore di gara ferma la musica** e voi dovete restare **immobili nella posizione in cui vi trovate**. In realtà c'è sempre qualcuno che si trova in una posizione di equilibrio difficile e non riesce a bloccarsi al momento giusto, oscilla, si scompone e si muove. Sta al direttore del gioco notare chi si blocca per ultimo, chi non riesce a diventare immediatamente statua: lo indica e gli **attribuisce una penalità**.

Quando non c'è la musica, si può sempre cantare questa canzoncina che permette ai concorrenti, mentre tu canti, di muoversi:

Le belle statuine d'oro e d'argento
che costan 500
è pronto il mio caffè?

Se invece siete stati tutti così bravi da fermarvi subito senza muovervi, il direttore del gioco può attendere e lasciarvi lì, immobili, per tutto il tempo che vuole.
Va da sé che prima o poi qualcuno ride, si scompone e si muove prendendo così una penalità. Alla fine la migliore statuina è quella con meno penalità.

... la musica

il DETECTIVE

Perché i libri o i video che hanno a che fare con misteri si chiamano gialli?
In realtà questa denominazione vale solo per l'Italia, mentre nel resto del mondo rimane la definizione "poliziesco".
Deriva da una collana del 1929 della casa editrice Mondadori, che pubblicò appunto dei romanzi polizieschi con copertina giallo canarino, definendoli "libri gialli".

Se siete **in una decina**, più o meno, e avete voglia di pensare più che di correre, potete fare questo gioco. Per prima cosa **scrivi** su un bigliettino **A, come assassino** e su un altro **D, come detective**.

Piega i bigliettini insieme ad altri bianchi in modo che il numero totale corrisponda a quanti siete. Mettili in una scatola, mescolali, poi **estraetene a turno uno per ciascuno**. **Chi pesca il biglietto con la D** lo dice a tutti e, poiché è il detective, **deve allontanarsi** per non vedere né sentire cosa avviene.

A questo punto accendi lo stereo e iniziate a ballare come volete, muovendovi qua e là nell'area che hai definito per il gioco.

A un certo punto, furtivamente, **chi ha il biglietto con la A di assassino** prende per il collo, ma **dolcemente**, un compagno a sua scelta. Questi finge di cadere e **si sdraia al suolo gridando: "Muoio!"** e rimane lì fino al termine del gioco.

È importante che **la scena del delitto resti com'è**, in modo che il detective possa trarne gli indizi.

Giochi di ricerca

I partecipanti possono muoversi, ma se richiesti dal detective devono indicare con esattezza dove erano al momento del delitto. **L'unico che può mentire è l'assassino.**

A questo punto **chiama in campo il detective** che inizia il suo lavoro osservando la scena del delitto. Poi può fare domande ai giocatori che devono cercare di rispondere dicendo sempre quello che sanno o hanno visto, **impegnandosi a dire sempre la verità.** Non possono però **mai dire il nome dell'assassino**, né indicarlo, né far capire chi è con altri stratagemmi.

Puoi dare al detective un tempo definito per trovare l'assassino, oppure stabilire che può fare solo dieci domande. Poi deve pronunciarsi. Se indovina tutti lo applaudono, se sbaglia tutti dicono "buuuh". Il gioco è bello se tutti cercano di recitare la parte e danno risposte corrette, ma astutamente destinate a sviare il detective.

Giochi di ricerca

CACCIA AL TESORO

mappa del tesoro

sotto l'albero del giardino guarda su, guarda giù saprai tutto.

Devi iniziare a **preparare questo gioco molto prima che arrivino gli amici.** Anzi, la preparazione è forse la parte più bella del gioco. Puoi arrangiarti da solo, ma è meglio se ti fai aiutare da uno o due amici. Per prima cosa mettiti a tavolino con loro a **progettare le tappe del gioco**, cioè i vari nascondigli dove i partecipanti troveranno le informazioni per raggiungere la tappa successiva e così via fino al tesoro.

Non esagerare: di solito **bastano sei od otto tappe** per arrivare al tesoro.

Se sei in un cortile o in un giardino puoi sbizzarrirti a **scegliere i nascondigli**: vanno bene siepi, rami di alberi, sassi, ma puoi nascondere i bigliettini anche nel collare del cane, nella tasca della mamma, sotto il tavolo della direzione di gara, nel campanello di una bicicletta ecc. Scrivi su un foglio la lista dei luoghi e poi inizia a **preparare i bigliettini per ogni squadra.** Se giocheranno quattro squadre dovrai mettere quattro bigliettini in ogni nascondiglio.

Sui bigliettini sarà scritta l'indicazione necessaria per arrivare alla tappa successiva: può essere **in forma di indovinello** che svela il nascondiglio seguente, oppure **assegnare un compito da svolgere** per proseguire nel gioco. In questo secondo caso la squadra può trovare sul biglietto una difficile divisione da eseguire, oppure una poesia da comporre in rima, oppure un rebus da risolvere o un esercizio da fare con una palla. Ci si può sbizzarrire in mille modi. La squadra dovrà **dimostrare davanti alla giuria di aver eseguito correttamente quanto richiesto**: allora il direttore del gioco fornirà le indicazioni, scritte sempre come un facile indovinello, per trovare il biglietto successivo. Le squadre iniziano il gioco tutte assieme, ma alle prime difficoltà si vede subito che alcune restano indietro, altre recuperano.

Se le difficoltà sono eccessive, cosa che può capitare, e ti accorgi che i tuoi amici non riescono a superare una tappa, puoi aiutarli. Ricordati però di **aiutare tutti allo stesso modo**. Chi arriva al tesoro per primo lo vince e se lo porta a casa: sta nella tua generosità far trovare un bel tesoro.

La caccia al tesoro è un gioco che necessita di un po' di preparazione e di inventiva, ma diverte moltissimo.

Se sei davvero bravo a inventare indovinelli, puoi anche decidere di farla a tema. Devi cioè cercare di dare gli indizi solo svelandoli una volta che avrai ottenuto delle risposte su determinati argomenti. Ad esempio, puoi farlare di matematica, oppure puoi creare delle domande sugli animali, sulla geografia, sulla storia...

UNA DELLE CACCE AL TESORO PIÙ TRADIZIONALI È QUELLA CHE SI SVOLGE IN MOLTI GIARDINI E PARCHI D'INGHILTERRA IL GIORNO DI PASQUETTA. QUALI COSE SI CERCANO? MA CERTAMENTE LE UOVA DECORATE E LE UOVA DI CIOCCOLATO LASCIATE DALL'EASTER BUNNY, IL CONIGLIETTO DI PASQUA!

Giochi di ricerca

La PIRAMIDE di LATTINE

Occorrono tre palle da tennis e tante lattine vuote tipo Coca-Cola o altre bibite. **Un buon numero è quindici** perché, mettendole una sopra l'altra, riesci a costruire un triangolo di base cinque: metti prima in fila le cinque di base, sopra altre quattro, poi tre poi due poi l'ultima in cima.

Su ogni lattina scrivi con un pennarello indelebile **un numero che rappresenta il suo punteggio**.

I punteggi più alti saranno sulle lattine della fila di base. Mettiti con i tuoi amici a dieci metri di distanza, prendi la mira e tira una alla volta le tre palle.

Poi **somma il punteggio delle lattine rovesciate**. Se diventi bravo puoi divertirti a cercare di far cadere unicamente la lattina al vertice del triangolo o solo quelle delle due file più alte.

A questo gioco puoi sfidare gli amici in una gara divertente e un po' rumorosa!

La PALLA che RICADE

Con la palla

Dopo che tu e i tuoi amici vi siete messi tutti intorno, **il primo giocatore lancia in alto la palla.** La deve lanciare più in alto che può e in verticale, dritta sulla propria testa. Nel farlo grida il nome di un compagno. Questi, sentendosi chiamato, deve cercare di acchiapparla al volo.

Appena è riuscito ad afferrarla al volo la rilancia subito gridando a sua volta il nome di un altro compagno. Il gioco diventa bello se è veloce e la palla viene continuamente rilanciata. Capita però che qualcuno non riesca a riprenderla al volo e allora viene escluso dal gioco.

È importante designare un arbitro che controlli se i lanci sono regolari.

Palle lanciate di sbieco o lontano dalla verticale non sono valide. Questi lanci vanno ripetuti. Vincono gli ultimi due che restano in campo.

PALLA RIMBALZA

Con questo gioco impari l'esercizio base della pallacanestro: diventerai cioè **abile nel palleggio**. Occorre una palla ben gonfia che rimbalzi bene e **un terreno solido e piano** su cui farla rimbalzare. Inizia lasciandola cadere a terra e quando ritorna in alto colpiscila con il palmo della mano così che torni a rimbalzare.

Questa è **la base su cui puoi sviluppare tanti giochi**. Il primo consiste nel contare **quanti rimbalzi consecutivi** riesci a fare: se sei bravo arriverai senz'altro a cento. Il secondo è tracciare **un percorso lungo il quale poi camminerai**, ma sempre facendo rimbalzare la palla. Ogni volta che sbagli devi ricominciare da capo!

Nel terzo gioco cercherai di **far rimbalzare la palla passandola da una mano all'altra** e, se sei abili, facendola passare anche sotto la gamba. Nel quarto gioco prova a **correre con la palla** lungo un percorso tentando il tempo migliore.

Il quinto gioco, e a questo punto dovrai già essere molto abile, sarà di cercare di **farla rimbalzare dietro la schiena**. Puoi poi inventare tu stesso gli altri cinque giochi necessari per arrivare a dieci. **Se saprai fare dieci giochi di rimbalzo sarai diventato bravissimo.**

Bastano **una palla e un muro**, possibilmente liscio e senza finestre. Decidete **una linea ideale a circa un metro da terra**. Se è possibile è meglio segnarla per la larghezza di due metri con un gesso o un frammento di coccio rosso. Mettetevi quindi davanti al muro e **lanciate la palla sopra la linea**. Dopo il rimbalzo colpitela nuovamente **col palmo della mano** per farla rimbalzare ancora e così via. Se siete bravi non la farete mai **toccare terra e sarete capaci di fare anche cento colpi**. Se volete un modo più facile di giocare, lasciate che la palla rimbalzi prima sul muro e poi per terra prima di colpirla nuovamente. Attenti però che **il rimbalzo a terra deve essere uno solo!**

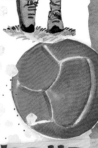

Con la palla

205

PALLABASE

Si gioca con **una palla piccola**, tipo tennis o simili. È necessario **uno spazio aperto di almeno sei metri di lato**, possibilmente sterrato. Fissato con un segno il centro del gioco, stabilisci attorno, **a circa tre metri di distanza dal centro, le basi dei giocatori**.

Al centro c'è il lanciatore di palla, quindi **le basi corrispondono al numero dei giocatori meno uno**. Perché il gioco venga bene è importante ch**e le basi siano a distanza regolare una dall'altra**.

Ogni base è una buca nel terreno grande abbastanza da contenere la palla: **falle tutte uguali**, per esempio del diametro di venti centimetri e profonde circa dieci.

... Quando i bimbi giocano e li odo
giocare qualcosa nella mia anima
comincia a rallegrarsi e tutta
quell'infanzia che non ebbi mi viene
in un'onda di allegria
che non fu di nessuno...
Fernando Pessoa

Al VIA **il primo lanciatore**, estratto a sorte, lancia la palla con le mani cercando di mandarla in una buca, mentre **gli altri giocatori** percorrono di corsa un cerchio esterno alle basi per tornare alla propria base prima che il lanciatore abbia centrato la buca. Se ci riescono **riconquistano la base e la palla non ci può più entrare**.

Il lanciatore ha a disposizione quanti tiri vuole, purché li faccia sempre dal centro del cerchio.

Il giocatore che occupa la buca-base in cui cade la palla diventa il lanciatore successivo, e chi ha lanciato può prendere il suo posto.

Se il lanciatore sbaglia e non riesce a infilare nessuna buca deve ripetere il lancio dando di nuovo il via. È un gioco che si può continuare all'infinito, ma per renderlo più divertente puoi stabilire che **al termine del gioco vinca chi è stato lanciatore il minor numero di volte**.

Con la palla

PALLA PRIGIONIERA

Tira a sorte **chi sta al centro**; mettiti in cerchio con gli altri attorno a lui e **distanziatevi uno dall'altro di un metro circa**.

Ora **uno a caso inizia** lanciando la palla a un altro giocatore del cerchio e questi a un altro e così via. È vietato però lanciare la palla a chi sta subito di fianco a destra e a sinistra e la palla non deve mai toccare terra.

È importante inoltre che **tutti conservino il loro posto nel cerchio**. Mentre la palla vola da un giocatore all'altro, **chi è al centro si muove e cerca di intercettarla**, prenderla o deviarla così da farla cadere.

Se ci riesce, e fa prigioniera la palla, scambia il suo posto con quello dell'ultimo giocatore che l'ha lanciata. **Chi si fa intercettare la palla il minor numero di volte è il più bravo.**

La palla prigioniera è una versione libera di una vera e propria disciplina sportiva, il dodgeball americano. O forse il dodgeball si è sviluppato regolarizzando un gioco libero come la palla prigioniera... chi lo sa?

Esiste anche il beach dodgeball che si gioca in spiaggia.

Con la palla

PASSA LA PALLA

È un gioco da provare se si è **in tanti, almeno otto o dieci**. Ci si diverte se il gioco va avanti velocemente e tutti stanno alle regole senza imbrogliare. Consiste nel **passarsi velocemente la palla senza farla cadere**.

Prima di tutto occorre **disporre le squadre su due righe parallele**, a circa un metro e mezzo l'una dall'altra. I giocatori di ogni fila poi allargano le braccia e prendono così la giusta distanza reciproca: alla fine **ogni giocatore della prima fila deve avere davanti il corrispondente della seconda**.

Il primo giocatore da un lato di una riga lancia la palla a chi gli sta di fronte, questi invece la lancia a chi sta di fianco al primo giocatore, quest'ultimo a chi ha di fronte che a sua volta la lancerà a chi sta di fianco al terzo giocatore.

La palla procederà quindi a zig zag e, arrivata alla fine delle file, tornerà indietro per il percorso opposto.

Ogni tanto qualcuno perde la palla o sbaglia, allora dovrà arretrare di un passo, così gli sarà più difficile prendere la palla e, se sbaglierà di nuovo, farà un altro passo indietro.

Al terzo passo è fuori dal gioco. Se decidi che il gioco si svolge in cinque giri **vince la squadra che al termine avrà ancora il maggior numero di giocatori validi**.

circa 1,50 m

Disporsi in file

Palla a zig zag

Con la palla

PALLA AVVELENATA

Tira a sorte chi deve avere la palla avvelenata, cioè l'avvelenato.

Si gioca meglio con una palla piccola, comunque, in caso non ci sia, va bene anche un normale pallone.

Decidi **i limiti del campo** in cui tutti, escluso chi ha la palla avvelenata, dovranno stare. **L'avvelenato si mette al di fuori del campo** e da lì deve tentare di contagiare tutti gli altri lanciandogli addosso la palla.

Quando ci riesce, **chi è stato colpito deve uscire dal campo**, mentre gli altri si muovono e cercano disperatamente di evitare i colpi avvelenati. Poco alla volta tutti vengono colpiti e il gioco termina.

Un altro allora prende il posto dell'avvelenato e il gioco ricomincia.

Si può fare a gara per vedere **chi riesce a contagiare tutti nel minor tempo**, oppure chi è più bravo a restare sempre fra gli ultimi in gioco.

Ci sono anche delle varianti:
una consiste nel giocare vicino a un muro. Chi è avvelenato lancia la palla contro il muro e chiama il nome di un avversario. Mentre tutti scappano lontano, chi è stato chiamato deve prendere la palla e gridare, il più in fretta possibile "Fermi tutti!". Tutti si devono a questo punto fermare e l'avvelenato, che ora è chi è stato chiamato e ha in mano la palla, dalla stessa posizione in cui l'ha presa, deve colpire un avversario a scelta. Se lo colpisce, diventa lui l'avvelenato e si ricomincia da capo.

Con la palla

L'UOVO nel CAPPELLO

Si gioca **meglio con una palla da tennis**, ma si possono usare anche palle più grandi.
Disponi **a terra, in fila, cappelli e berretti**, uno accanto all'altro. Se non hai berretti o cappelli potrai usare qualcos'altro, per esempio la sciarpa o lo zainetto.

Mettiti poi in fila con i tuoi amici a circa cinque metri dai cappelli e fai lanciare la palla a un giocatore tirato a sorte che **cercherà di colpire un cappello**.
Il proprietario del cappello colpito per primo scatterà in avanti a recuperare la palla, mentre gli altri giocatori tenteranno di scappare. Con la palla, **il giocatore cercherà di colpirne un altro**.
Se ci riesce, toccherà a questo lanciare la palla ai cappelli.
Se non ci riesce, nel suo cappello verrà messo un sassolino-penalità e dovrà riprovare il gioco.
Chi arriva a tre penalità viene escluso dal gioco.
Quando si decide di terminare **si dichiarano vincitori quelli che hanno meno penalità** nei cappelli.

Uno, due, tre... Roma!

Con i tuoi amici segna dei cerchi con un gessetto, degli hula-hop, dei nastri adesivi...
Ogni cerchio è una città: Genova, Napoli, Palermo, Verona...
C'è poi una pedana che viene chiamata Roma.
Ciascuno deve prendere possesso di una città.
Uno di voi però è fuori da ogni cerchio e sarà quello che dirà: **"Uno, due, tre + il nome di una città dei cerchi"**.
Il bambino nel cerchio della città nominata deve scappare e cercare di raggiungere la pedana Roma. Se la raggiunge deve dire: "Uno, due, tre, Roma!" ma il compagno senza città intanto deve cercare di bloccarlo e, se ci riuscirà, toccherà a chi è preso rimanere senza città!

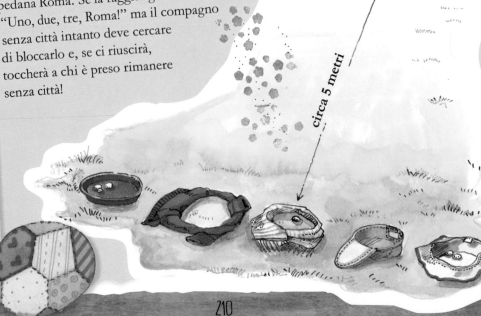

circa 5 metri

Con la palla

GIOCO DEL SETTE

È sempre un gioco di rimbalzo, ma invece di lanciare la palla verso terra la lancerete verso il muro. È necessario quindi un muro, possibilmente dove nessuno possa sgridarvi se facendo rimbalzare la palla lo sporcherete un po'. Per evitare guai, non giocate su muri bianchi!!!

Potete usare qualsiasi palla, ma sono da preferire quelle piccole che si possono prendere con una sola mano.

Lanciate la palla e battete la mani una volta prima di riafferrarla, poi lanciatela nuovamente e battete le mani due volte.

Al terzo lancio battete le mani dietro la schiena, al quarto portate la mano sinistra alla spalla destra, al quinto fate il contrario.

Al sesto lanciate la palla restando sul piede destro, al settimo sul sinistro.

All'ottavo toccate terra con entrambe le mani, al nono lancio fate una giravolta e riafferrate la palla, al decimo fate la giravolta in senso opposto.

Ogni volta che sbagliate dovrete ricominciare dall'inizio. L'importante è seguire sempre l'esatta successione delle difficoltà. Potete inventarvi anche altre difficoltà, come per esempio battere le mani sotto una gamba o lanciare la palla stando con le spalle al muro e girandovi per riafferrarla.

Con la palla

I GOLEADOR e il PORTIERE

Naturalmente è necessaria una porta in cui tirare. Nel disporre i limiti della porta è importante che facciate attenzione a non usare sassi o bastoni che potrebbero farvi male. Le soluzioni possono essere: segnare i limiti col gesso, con due cuscini, con gli zaini, con due maglioni o comunque con qualcosa di visibile, ma morbido.

La larghezza della porta dovrà essere proporzionata all'ampiezza dei vostri passi. Potete decidere 4 o 5 passi. L'altezza sarà quella del vostro braccio alzato quando siete in punta di piedi. Definita la porta, stabilite la distanza da cui tirare i rigori. Dipenderà dalla vostra abilità di calciatori e portieri: una distanza ragionevole è di 10 o 12 passi. Perché il gioco proceda bene e non si litighi è necessario stabilire anche qui delle regole. Chi tira deve sempre attendere che il portiere sia in posizione e dia il via; chi è in porta deve accettare di sbagliare senza contestare ogni gol.

Stabilite che a turno ognuno calcerà 5 volte e contate quanti gol riuscirà a fare. Vince il primo che arriva a dieci gol segnati. Il gioco riesce meglio se c'è un arbitro, per esempio il papà.

Con la palla

A chi la prende

Mettetevi a due o tre metri di distanza l'uno dall'altro: il gioco consiste nel buttarsi la palla l'uno all'altro avendo però l'abilità di non far capire a chi la si vuol tirare.
Anzi, il trucco del gioco è guardare il compagno e lanciare la palla a un altro.
Dovete lanciarla bene, non troppo forte così che sia comunque facile da afferrare.
Chi non la prende paga penalità e dopo tre penalità esce dal gioco.
Il gioco è bello se riuscite a farlo velocemente: allora vedrete che si sbaglia anche quando si cerca di stare attentissimi! Vincono i due che restano per ultimi.

TUTTI FISSI

Stabilite i limiti di un campo di gioco. Mettetevi al centro in circolo, mano nella mano e, strisciando i piedi sul terreno o con un gesso, segnate il cerchio sul terreno. Chi **"sta sotto"** si mette al centro del cerchio e lancia la palla in alto battendo le mani prima di riafferrarla. Deve riprenderla senza lasciarla cadere e senza uscire dal cerchio. Quando getta la palla in aria i compagni sciolgono le mani e fuggono. Appena riesce a riafferrarla grida: **"Tutti fissi!"**, e tutti devono restare immobili dove sono in quel momento e senza muovere i piedi. Allora chi sta sotto prende di mira un compagno, chi vuole, e cerca di colpirlo con la palla.

Se ci riesce tutti gli altri fuggono nuovamente mentre il colpito prende la palla e grida a sua volta: **"Tutti fissi!"**. Tutti di nuovo si fermano e chi ha la palla cerca a sua volta di colpire un altro. E così di seguito.

Quando la palla lanciata per colpire uno esce dai limiti del campo di gioco, chi ne è stato colpito la raccoglie e la lancia dal punto in cui essa è uscita oltre i limiti, gridando prima: **"Tutti fissi!"**.

Se qualcuno sbaglia e non riesce a colpire nessun compagno, si ricomincia rifacendo il circolo iniziale e chi ha sbagliato cede la palla a un compagno per turno.

Con la palla

La lotta di EQUILIBRIO

È UNA LOTTA IN CUI NON CI SI FA MALE.

Si lotta uno contro l'altro e si possono organizzare dei tornei.

Prima di tutto devi **limitare con due righe parallele il campo di gara.** Traccia per terra un rettangolo di un metro per tre. I due lati corti sono le righe di partenza dei combattenti. In alternativa delimita il campo con sassi o legnetti.

Ogni lottatore deve **incrociare le braccia sul petto e appoggiare le mani sulle spalle:** la mano sinistra sulla spalla destra e viceversa.

Tu e i tuoi amici portatevi quindi sulle vostre rispettive linee di partenza e con loro inizia a combattere saltellando su un piede solo: la difficoltà sta proprio nel mantenere l'equilibrio e nel cercare di **non appoggiare mai il secondo piede per terra.** Chi lo fa perde.

Si perde anche se si esce dal rettangolo di gara.

Al VIA ogni lottatore avanza saltellando e attacca l'avversario spingendolo e urtandolo per fargli perdere l'equilibrio. Per ottenere questo risultato serviti esclusivamente dei gomiti che tieni incrociati sul petto.

È assolutamente vietato dare calci, usare **le mani o la testa.**

Il gioco si svolge velocemente e ci si può quindi divertire anche se si è in tanti.

Anche in questo gioco non sempre vince la forza, ma più spesso l'astuzia e l'agilità.

Lo sai che l'equilibrio ha sede... nel tuo orecchio? Proprio così! Gli orecchi sono due cavità naturali che sono poste ai lati della nostra testa e che ci permettono di udire i suoni. Oltre a questo, sono sede dei centri nervosi che trasmettono al cervello le sensazioni uditive e quelle dell'equilibrio.

Gioco di abilità

La conquista delle BANDIERE

Per giocare dovete essere almeno in sei. Tracciate sul terreno di gioco una linea per dividere due nazioni avversarie: quella dei blu e quella dei gialli. Potete segnare la linea anche solo appoggiando sul terreno una corda. Dovete poi decidere chi difende la nazione blu e chi la gialla. Dividete le squadre tenendo presente che devono avere lo stesso numeri di giocatori. Ogni componente depone sul terreno, a due metri dalla linea di confine, tre oggetti distanziati uno dall'altro – per esempio un fazzoletto, un berretto, una sciarpa – che rappresentano le bandiere. Prende quindi posizione circa due metri dietro alle proprie bandiere. A un dato segnale, per esempio semplicemente:

"All'attacco!", la squadra blu si precipita oltre la linea a prendere le bandiere della nazione gialla. Quelli che ci riescono possono tornare al loro paese, ma quelli che vengono afferrati prima di aver preso una bandiera sono fatti prigionieri. Poi l'altro esercito, a sua volta, corre all'assalto. Porta con sé i prigionieri, se ne ha fatti, e questi devono aiutare a riconquistare le bandiere perdute e a catturarne delle altre. Nessun giocatore può prendere più di una bandiera per ogni attacco. **Vince chi riesce a conquistare tutte le bandiere avversarie.**

Il gioco è movimentato e state attenti perché basta un solo giocatore molto abile e veloce per sovvertire le sorti della battaglia.

La VOLPE

La volpe sta nella sua tana fino a quando i cacciatori non si avvicinano, allora esce. Deve camminare, o meglio saltare, **sempre su un piede solo**, se mette giù l'altro ha perso: deve ritornare alla tana e il gioco ricomincia. **Per difendersi** la volpe usa un fazzoletto annodato su un angolo. Lo tiene in mano e con quello, sempre saltellando su un piede solo, deve toccare un cacciatore. Se ci riesce diventa lei stessa cacciatore e il cacciatore volpe. **L'abilità dei cacciatori** sta nel confondere la volpe, farle perdere l'equilibrio e posare un piede a terra. **La volpe deve invece** essere così astuta da ingannare i cacciatori e, quando meno se lo aspettano, toccarli col fazzoletto.

Gioco di abilità

Il GIOCO del MONDO

Si chiama "gioco del mondo" o "della settimana" o "la campana". Ha anche molti altri nomi ed è conosciuto, oltre che in Italia, in diversi altri paesi. È divertente da giocare soprattutto se sei con un piccolo gruppo di amici ma **non più di sette od otto**.

Per prima cosa devi **tracciare per terra lo schema del gioco**. È quindi necessario un gesso o, in alternativa, un pezzo di mattone rosso se devi scrivere sull'asfalto o sul cemento; sulla terra basta che tracci lo schema con un bastone. In queste pagine **riportiamo alcuni schemi di gioco**: volendo, puoi provarli tutti. Quando li tracci tieni conto che se disegni le caselle più piccole, rendi più difficile il gioco. In ogni caso, per giocare bene, **una casella-tipo dovrebbe essere di circa 50 cm per 50**.

Ogni casella va poi numerata, perché per superarle tutte devi seguire un ordine preciso. Anche per i numeri fai riferimento agli schemi disegnati.

Una volta disegnato lo schema hai bisogno di **un sasso adatto** al gioco. Deve essere abbastanza piatto, grande circa 3 cm per 3.

Oltre a variare lo schema di gioco, puoi scegliere anche regole diverse. Una però vale in tutti i casi: **non bisogna mai mettere il piede su una riga**, ma saltare sempre completamente dentro gli spazi segnati. Lo stesso vale per **il sasso, che non deve mai fermarsi su una riga**.

Ora prendi come esempio lo schema più semplice, il rettangolo diviso in dieci caselle uguali. Disegnalo per terra, mettiti davanti e lancia il sasso sulla prima casella, stando attento che non si fermi su una riga o esca dal tracciato.

1

6	5
7	4
8	3
9	2
10	1

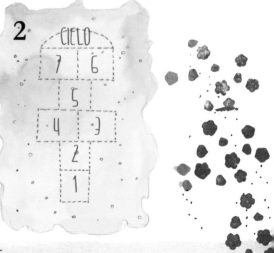

2

CIELO

Gioco di abilità

Salta poi nella casella usando un piede solo, recupera il sasso e torna indietro.

Poi ripeti la stessa operazione con la casella numero due, poi con la tre e così via fino alla numero dieci. Se sbagli devi ricominciare dall'inizio.

Percorri il tracciato saltando sempre da una casella all'altra con un piede solo; parti dalla 1 fino alla 5, cioè lungo quelle di destra, poi, arrivato in fondo, ridiscendi per quelle di sinistra, da 6 a 10.

Puoi decidere che l'ultima casella di destra, la 5, è vietata e va sempre saltata.

Se porti a termine il primo giro puoi iniziare **il secondo** seguendo le stesse modalità, ma inserendo la difficoltà di portarlo a termine trasportando il sasso sul piede, senza mai farlo cadere.

Al terzo giro lancia di nuovo il sasso e arriva alla casella su un piede solo, poi con abilità, sempre saltellando, sospingi il sasso lungo il resto del percorso, di casella in casella. **Evita che si fermi sulla riga o nella casella d'angolo**, pena la squalifica.

Se vuoi, puoi complicare ulteriormente il gioco provando a portare il sasso in testa, sul dorso della mano oppure saltando all'indietro su una gamba ecc. Il massimo dell'abilità sta nel **compiere il percorso senza sasso**, ma saltando sempre su un piede solo e a occhi chiusi; provaci, non è impossibile!

Nello **schema classico della settimana**, che corrisponde al **secondo disegno**, si saltella di casella in casella, ma quando ne trovi due accoppiate devi dar prova di abilità mettendo contemporaneamente **un piede nell'una e uno nell'altra**, sempre senza toccare le righe. Quando poi arrivi alla casella di testa, il cielo, puoi riposarti un attimo sui due piedi prima di percorrere a ritroso il percorso.

Il terzo, quarto e quinto schema sono alcuni fra i tanti altri possibili per i quali sta a te inventare le regole. L'importante è che tu sia poi capace di rispettarle.

Un ultimo suggerimento: questo è un gioco di abilità e coordinazione e come tutti i giochi di questo tipo richiede un paziente allenamento. Per impararlo bene è necessario **all'inizio affrontare il percorso lentamente e con precisione**, solo dopo che ci sei riuscito puoi compierlo in velocità. Questo gioco dà anche grandi soddisfazioni nella sfida con gli adulti, che spesso credono di saperlo ancora fare bene: infatti quando accettano la sfida appaiono goffi e spesso sbagliano e toccano le righe. Può essere una piccola soddisfazione inattesa riuscire a essere più bravo di loro!

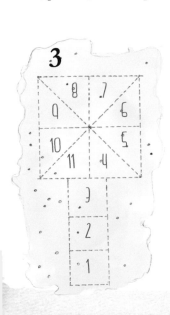

Gioco di abilità

SASSI che SALTANO

È una gara di abilità e di intelligenza. Sembra semplice far saltare i sassi sull'acqua, ma per riuscirci bene sono necessarie **coordinazione e colpo d'occhio**. Prima di tutto bisogna **trovare i sassi adatti**: devono essere **piatti**, ma non troppo; se sono spessi circa mezzo centimetro vanno bene.

Possono poi avere **forme** diverse, ma si lanciano e **saltano meglio quelli ovali**. Devono essere grandi non più di tre o quattro centimetri, perché quelli più **grandi pesano troppo** e affondano con rapidità. Possono saltare bene **anche pezzi di mattoni** o i vetri arrotondati che si trovano lungo le rive ghiaiose.

Ora **la tecnica di lancio**: prendi il sasso fra pollice e indice, appoggiando il medio leggermente, sotto, sulla parte più piatta, per **dare stabilità al lancio**. Allarga il braccio indietro e lancia come se avessi una palla da baseball.

L'unica differenza è che il sasso deve essere lanciato di piatto, abbassandoti alla fine del movimento così da permettergli di "atterrare" sull'acqua e rimbalzare più volte.

Naturalmente è più facile far saltare i sassi su uno specchio d'acqua calma che sul mare mosso, ma se impari bene la tecnica riesci ovunque a far compiere al tuo sasso evoluzioni entusiasmanti.

Quando sei diventato abile prova a sfidare gli amici. Il più bravo è chi riesce a far fare al sasso il maggior numero di salti sull'acqua: si può arrivare anche a 8 o 9 prima che affondi!

Se siete una truppa agguerrita vale la pena fare una sfida seria e tenere con carta e matita il conto di quanti salti ognuno riesce a far fare.

Il papà spesso crede di essere più bravo a questo gioco, ma se poi non è così si scuserà dicendo che... gli duole la spalla!

Lo sapevi che?

Il sasso riesce a rimbalzare sull'acqua perché, più forte della forza di gravità, in questo caso c'è la forza di appoggio di un solido su un liquido. Uno scienziato saprebbe spiegartela con maggiore precisione, ma non si tratta di cosa così semplice! C'entra comunque anche nella dinamica dello sci nautico!

GioCo di abilità

Che cosa facevano
i Romani per far
passare il tempo?

Allargavano i buchi
della clessidra.

Avventura e Manualità in NATURA

*Non so come il mondo potrà giudicarmi
ma a me sembra soltanto di essere un
bambino che gioca sulla spiaggia e di essermi
divertito a trovare ogni tanto un sasso o una
conchiglia più bella del solito, mentre l'oceano
della verità giaceva insondato davanti a me.*

Isaac Newton

MISSIONE NATURA

LAVORI DI PICCOLO E GRANDE INGEGNO OSSERVANDO CIÒ CHE NATURA OFFRE!

La natura ti dona regali dal valore inestimabile: la distesa delle onde del mare, un bel tramonto, un cielo limpido, una montagna ammantata di neve, un prato fiorito...

Sono spettacoli che ti riempiono gli occhi di colori, il cuore di contentezza e l'anima di pace.

La natura ti dona però anche molto di più: se vai a fare una passaggiata in mezzo ai boschi, puoi fermarti a raccogliere qualche ghianda, qualche pigna, dei sassi particolarmente luccicanti ai bordi di un ruscello, foglie cadute di mille colori...

Se ti trovi a passeggiare in riva al mare, puoi imbatterti in bellissime conchiglie, in sassolini, legnetti...

Se osservi attentamente puoi scoprire che alcuni alberi hanno rami dalle forme speciali, proprio adatte a qualche tuo progetto...

Con un po' di ingegno, un pizzico di fantasia, colla, carta, forbici e qualche attrezzo, oltre all'aiuto di un adulto, troverai moltissimi lavoretti da realizzare. **Sono fuori, nella natura, e ti stanno aspettando!**

BUONA AVVENTURA...

220

COME PULIRE E LUCIDARE LE CONCHIGLIE

Le conchiglie raccolte sulla spiaggia sono un bel ricordo dell'estate e possono anche diventare materiale prezioso per diversi lavori. Si possono raccogliere senza particolare abilità, nelle lunghe passeggiate sul bagnasciuga e trattare con semplici accorgimenti. Scegli le conchiglie che più ti piacciono: sono tutte diverse per dimensione e colore. Cerca di prendere gli esemplari interi, perché sono quelli più simmetrici e preziosi.

Innanzitutto dovrai preparare le conchiglie in modo che siano pulite e non emettano cattivi odori. Lavale in acqua corrente con del sapone neutro, non bollirle! Le scoloriresti! Se temi che ci possano essere residui dell'animaletto che viveva dentro, fai dei risciacqui con l'acqua ossigenata. Per pulirle meglio usa uno spazzolino da denti vecchio o stuzzicadenti o ferri ricurvi. Mettile ad asciugare all'ombra. Il sole le renderebbe fragili e le scolorirebbe.

Se prelevate vicino a scogli, possono presentare incrostazioni calcaree: per farle diventare lucide, cerca di asportare con un taglierino affilato le incrostazioni calcaree più grandi. Puoi anche aiutarti con un trapano da bricolage con mini-punte, magari usando dei dischetti abrasivi per i lavori di piccola manutenzione. Contro il calcare puoi usare anche il succo di limone o l'aceto bianco, che sono anticalcare naturali. Puoi sfregarli sulla superficie o immergervi la conchiglia dentro. Per lucidare e proteggere il tuo prezioso oggetto, usa la cera neutra bianca che lascerai solidificare, per poi passarla con un panno di lana. Puoi anche usare l'olio di mandorle o un olio minerale, che ridona brillantezza ai colori e protegge la conchiglia dalla disidratazione.
Et voilà, ecco una conchiglia perfetta!

Perché nelle conchiglie si sente il rumore del mare?

In realtà il rumore del mare è solo una fantasia. Non c'è nessun rumore che esce dalla conchiglia, altrimenti lo sentiresti anche se non l'appoggi all'orecchio. La cosa che senti è la vibrazione dell'aria contenuta all'interno della conchiglia, che vibra quando l'aria esterna si agita all'infuori. La conchiglia funge perciò da cassa di risonanza.

Giochi di mare

Come pulire le conchiglie

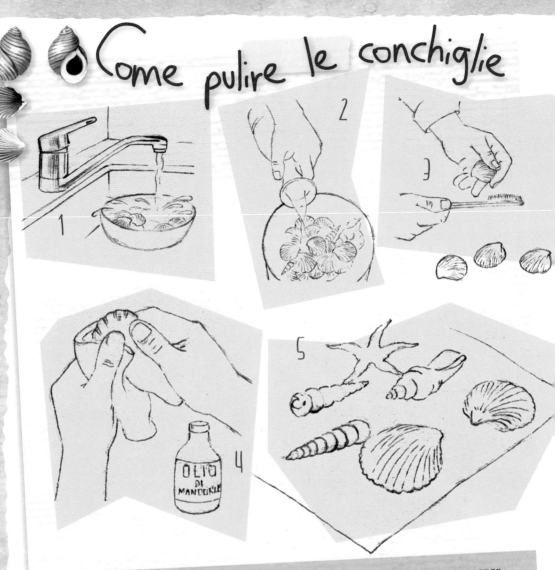

■ Sciacqua le conchiglie sotto acqua corrente. Se temi ci possano essere resti dell'animaletto interno, disinfettale con acqua ossigenata. (disegno 1)

■ Versa aceto bianco o succo di limone nell'acqua di ammollo delle conchiglie per eliminare le eventuali incrostazioni di calcare. (disegno 2)

■ Pulisci le conchiglie con un vecchio spazzolino da denti. (disegno 3)

■ Lucida le conchiglie con olio di mandorle o paraffina liquida. (disegno 4)

■ Mettile ad asciugare all'ombra su un foglio di carta assorbente. (disegno 5)

Bijoux marini

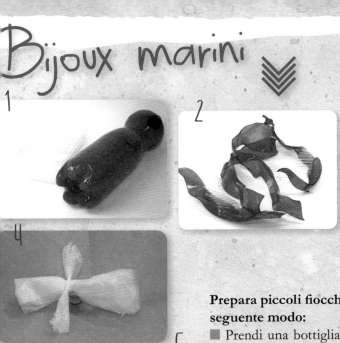

Ti servono:
conchiglie, legni di mare lunghi circa 20/25 cm, spago, una bottiglia di plastica colorata, sacchetti di plastica bianca o colorati, una candela, forbici, colla vinilica, un pennello.

Prepara piccoli fiocchi con i sacchetti di plastica nel seguente modo:

■ Prendi una bottiglia e un contenitore di plastica, tagliali in strisce sottili (alcune più lunghe e altre più corte); passale sopra una candela tenendole ad alcuni centimetri di distanza e deformandole a tuo piacimento. (foto 1-2)

■ Unisci i legni in piccoli gruppi e legali insieme con lo spago; inserisci in ogni gruppo una striscia di plastica e, se necessario, fissali con la colla vinilica. (foto 3)

■ Piega il sacchetto in strisce di circa 5 cm di altezza e 10 di lunghezza. (foto 4)

■ Legalo al centro. Taglia i laterali e taglia il fiocco in piccole strisce. (foto 5)

■ Apri il fiocco e inserisci una striscia di plastica sottile. (foto 6)

■ Unisci i gruppi di legno legandoli tra loro con lo spago, creando una forma circolare; fai in modo che i legni aderiscano uno all'altro adeguandoti alle loro forme. Lega i fiocchi, incolla alcune conchiglie. (foto 7)

■ Completa con un fiocco più grande. (foto 8)

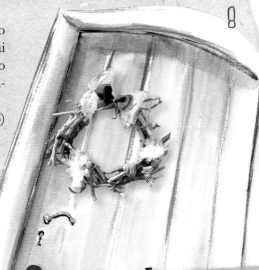

Giochi di mare

UNA COLLANA CON SPAGO E CONCHIGLIE

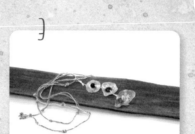

Ti servono:

3 valve di conchiglie di 3/4 cm circa,
spago bianco (da cucina)
e spago in tinta naturale,
perline, con un buco abbastanza grande
da poter far passare lo spago
forbici, un trapano a mano con punta fine
o un piccolo trapano di precisione.

■ Lava le conchiglie in modo da eliminare residui di sabbia e di sale, e forale nella parte alta e centrale. (foto 1)

■ Taglia circa 20 cm di spago. Partendo dal basso alterna le perline alle valve, bloccando ogni parte con doppi nodi e regolando sempre con i nodi la distanza tra una valva e l'altra. (foto 2)

■ Prepara un girocollo legando insieme i due spaghi e facendo doppi nodi circa ogni 5 cm. Lega il ciondolo al girocollo. (foto 3-4)

Certe conchiglie non hanno nulla da invidiare ai gioielli più ricercati, perché non usarle dunque per una collana...

Giochi di mare

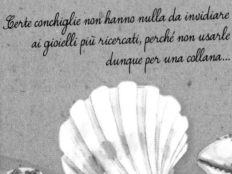

CONCHIGLIE PORTAFOTO

1

4

2

3

UN BARATTOLO CHE NON SI USA PIÙ, UNA FOTO CHE CI È CARA E LE CONCHIGLIE RACCOLTE DURANTE L'ULTIMA VACANZA. PERCHÉ NON METTERLI INSIEME IN UN ORIGINALE PORTAFOTO?

■ Scegli un barattolo abbastanza grande e largo. (foto 1)

■ Arrotola lo spago sul coperchio del barattolo e fissalo con la colla. (foto 2)

■ Lava le conchiglie in modo da eliminare residui di sabbia e di sale e inseriscile nel barattolo insieme alla fotografia. (foto 3)

■ Incolla sul bordo del coperchio un nastro e un fiocco in tinta con la fotografia. (foto 4)

■ Chiudi il tutto. Ecco il modo più originale per conservare i tuoi ricordi!

Puoi mettere anche qualche pietra

I sogni sono come le conchiglie che il mare ha depositato sulla riva. Bisogna raccoglierle ed ascoltare la loro voce.
Romano Battaglia

Io compagna d'agili pesci e d'alghe ebbi la vita dal grembo delle libere onde.
Margherita Guidacci

Giochi di mare

Ii MEMORY

Ho raccolto una conchiglia sulla riva del mare, una conchiglia dove si rifugia il vento nelle notti di luna, dove si riflette il sole quando le onde la bagnano. **Brillava per essere raccolta.**

Ti servono:

28 valve di conchiglie possibilmente di colori e dimensioni simili, colla vinilica, legumi di diversi colori, un pennello.

■ Lava le conchiglie in modo da eliminare residui di sabbia e sale, metti una buona quantità di colla all'interno di ogni valva e inserisci varie combinazioni di legumi uguali a due a due. (foto 1-2)

■ Partita! (foto 3)

Candele decorate ⌄⌄⌄

Per creare candele raffinate con i tuoi ricordi dell'estate, segui queste indicazioni. Taglia a metà un contenitore del latte vuoto. Infila in esso una candela a tuo piacere, del colore e della dimensione che vuoi.

Riempi il vuoto che si è creato tra le pareti del contenitore e la candela con le conchiglie che hai raccolto, badando a disporle in modo armonico.

Sciogli la paraffina o usa la cera liquida e colala all'interno del contenitore del latte, in modo che aderisca alla candela al centro e riempia gli spazi vuoti tra essa e le conchiglie.

Lascia raffreddare il tutto per almeno tre ore, quindi taglia il contenitore del latte per estrarre la candela, che ora sarà decorata esternamente con le tue conchiglie!

Giochi di mare

Decori con conchiglie

Con un po' di colla a caldo e la fantasia, puoi usare le conchiglie che hai raccolto in estate per decorare vari oggetti. Ecco solo alcune idee:

- ◼ Cornici portafoto in legno, plastica, cartoncino...
- ◼ Sassi fermacarte, magari decorati in tema marino.
- ◼ Vasi portafiori o altri contenitori simili.
- ◼ Piatti d'appoggio.

CARACOLA
(CONCHIGLIA)

MI HANNO PORTATO
UNA CONCHIGLIA.
DENTRO CANTA
UN MARE DI CARTA.
IL MIO CUORE
SI RIEMPIE D'ACQUA
CON PESCIOLINI
D'AMBRA E D'ARGENTO.
MI HANNO PORTATO
UNA CONCHIGLIA.

FEDERICO GARCÍA LORCA

O conchiglia marina, figlia della pietra e del mare biancheggiante, tu meravigli la mente dei fanciulli.
Salvatore Quasimodo

Giochi di mare

Lo scaccia-spiriti di conchiglie

- Raccogli parecchie conchiglie e forale con un piccolo trapano a punta sottile o con un ago.
- Ora lega le conchiglie a 5-6 fili colorati, di rafia o di cotone naturale. Alterna sui fili le forme, i colori e le altezze di disposizione delle conchiglie, in modo da ottenere un effetto armonico e piacevole.
- Attacca i fili a un supporto. Se lo scaccia-spiriti è da appendere al muro o sopra una porta o una finestra, può esserti utile un ramo, magari anche quello raccolto in spiaggia e slavato dalle onde.
- Se invece vuoi uno scaccia-spiriti da mettere sotto a un lampadario o appeso a una porta che resta aperta, può andarti bene anche un cerchio, creato con una struttura metallica o con della pasta di das.
- Puoi decorare il tuo scaccia-spiriti come più ti piace, colorando il supporto di legno o di das, aggiungendo piume sintetiche o altri ninnoli. Fa' in modo di trovare oggetti che al vento suonino bene!

Per sempre me ne andrò per questi lidi,
tra la sabbia e la schiuma del mare.
L'alta marea cancellerà le mie impronte
e il vento disperderà la schiuma.
Ma il mare e la spiaggia dureranno in eterno.

Kahlil Gibran

Anche le sartie da nave possono essere utilizzate per decorare. Danno un tocco molto elegante e naturale all'arredamento e agli oggetti di casa e richiamano subito l'idea del mare e dei viaggi!

Giochi di mare

228

ATTREZZATURA

SASSI... da spiaggia

Pietre e sassi sono indispensabili per costruire abitazioni, altari o barriere, monumenti o basiliche... oppure paesaggi, villaggi, fermacarte, fiori.

Scopri lungo il greto dei fiumi, lungo le spiagge, nel vorticoso scorrere dell'acqua nei torrenti i sassi con forme strane e colori svariati... per realizzare, assemblandoli e dipingendoli, ciclamini, bamboline, coniglietti, pesciolini, sogni e desideri.

Per assemblare i sassi usa vari tipi di colla: vinavil, UHU, superattac, colla-stucco per marmo. Sono utili anche gli spiedini di legno, le spatole per modellare il DAS o lo stucco, il nastro adesivo e la carta vetrata.

PULIZIA

Immergi i sassi in acqua con detersivo da bucato per togliere le incrostazioni di terriccio. Strofinali con una spazzola a setole dure. Lasciali asciugare su un piano. Separa i grandi dai piccoli.

COLORITURA

Per colorare i sassi usa colori a pastello, olio, acquerello, acrilici, a tempera. I modelli illustrati nel libro sono dipinti con tempere, facili da usare e miscelare, diluibili in acqua. Procura i colori base, i pennelli (a spatola per coprire grandi campiture, a punta per i particolari); una vaschetta d'acqua; una tavolozza per mescolare i colori. Dopo la coloritura dei soggetti e l'asciugatura, fissa la tempera con una vernice coprente, tipo Vernidas.

Giochi di mare

L'ACQUARIO

1

Per realizzare un pesce bastano tre sassi: uno per il corpo, rotondo oppure ovale, e due per la pinne caudale e dorsale. Sono ottimi i sassi appiattiti e a ventaglio. (foto 1)

Assembla ogni singolo pesce, adoperando colla e stucco. Fissa la pinna dorsale col nastro adesivo. (foto 2)

2

Assembla le parti dell'acquario. (foto 3)

3

4

Dipingi le alghe, le onde, i pesciolini... Fissa il colore con una pennellata di Vernidas. (foto 4)

Giochi di mare

FARFALLE, CHIOCCIOLE, LIBELLULE

SASSI... da spiaggia

Sulla spiaggia non trovi solo conchiglie ma **sassi** ben levigati. Puoi utilizzarli come base per i tuoi disegni, con pennarelli, matite o meglio con tempere e acrilici. Prima disegna ciò che vuoi rappresentare sul sasso con una matita, poi dipingi.

Cerca di guardare bene e interpretare la forma del sasso prima di dipingere: magari **"assomiglia"** già a qualcosa.

Lascia asciugare il colore e, se vuoi un effetto lucido e una maggiore durata, usa della vernice trasparente.

Se usi il sasso come ferma-porta o fermacarte, puoi anche incollare sul fondo con della colla vinilica della carta vellutata.

■ Su un grosso sasso appiattito attacca con Vinavil e DAS altri sassolini, piccoli e piatti, per creare fiori, foglie e insetti. (foto 1)

■ Per incollare stendi prima un po' di Vinavil sulla parte interessata, poi un pizzico di pasta di DAS, e infine ancora colla. Premi per qualche minuto. Se i sassi stentano ad attaccarsi, fissa l'insieme con nastro adesivo e aspetta la completa asciugatura. (foto 2)

■ Costruisci alcuni elementi direttamente sulla base (fiori, foglie, insetti, farfalle e la coccinella), altri devi prima assemblarli e poi disporli sul prato. (foto 3)

CESPUGLIO

■ Incolla con DAS e Vinavil dei sassolini ovali e appiattiti come mostrato nella foto. Sovrapponili dai più piccoli ai più grandi. Lascia delle cavità entro le quali adagiare i fiori, precedentemente preparati. Alla fine copri le superfici colorate con Vernidas. (foto 4)

Giochi di mare

L'ANATROCCOLO SASSI...
da spiaggia

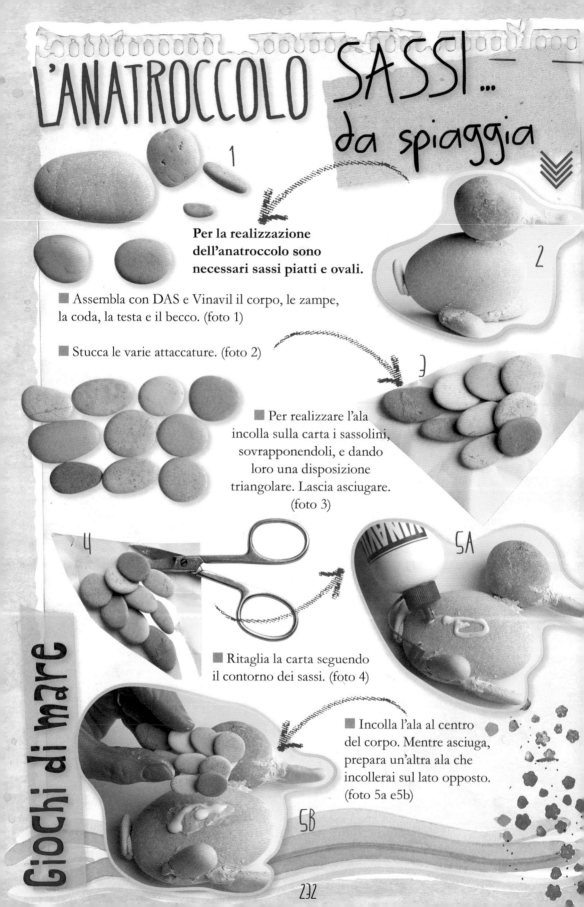

1

Per la realizzazione dell'anatroccolo sono necessari sassi piatti e ovali.

■ Assembla con DAS e Vinavil il corpo, le zampe, la coda, la testa e il becco. (foto 1)

■ Stucca le varie attaccature. (foto 2)

2

3

■ Per realizzare l'ala incolla sulla carta i sassolini, sovrapponendoli, e dando loro una disposizione triangolare. Lascia asciugare. (foto 3)

4

5A

■ Ritaglia la carta seguendo il contorno dei sassi. (foto 4)

■ Incolla l'ala al centro del corpo. Mentre asciuga, prepara un'altra ala che incollerai sul lato opposto. (foto 5a e5b)

5B

Giochi di mare

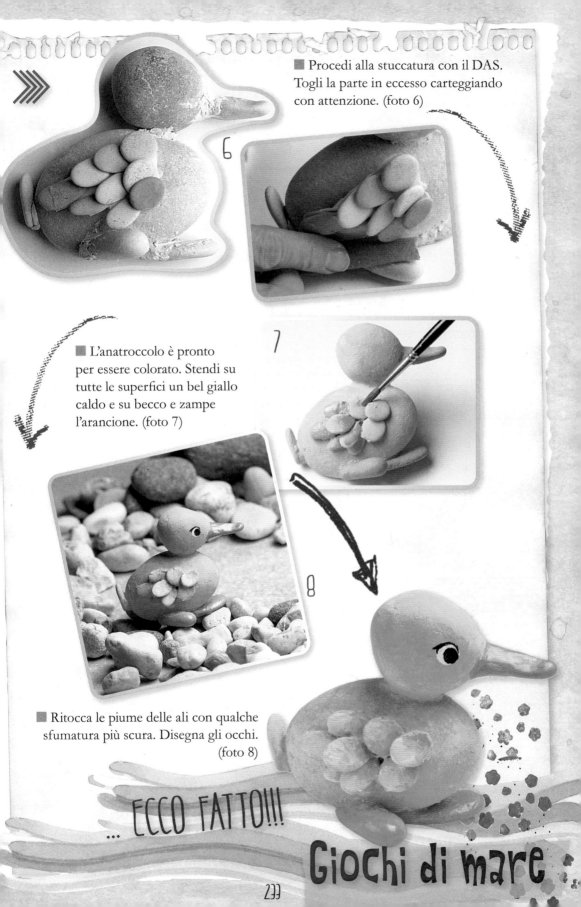

■ Procedi alla stuccatura con il DAS. Togli la parte in eccesso carteggiando con attenzione. (foto 6)

6

■ L'anatroccolo è pronto per essere colorato. Stendi su tutte le superfici un bel giallo caldo e su becco e zampe l'arancione. (foto 7)

7

8

■ Ritocca le piume delle ali con qualche sfumatura più scura. Disegna gli occhi. (foto 8)

ECCO FATTO!!!

Giochi di mare

233

Piccole figure per GIOCARE e DECORARE

LEGNI... da spiaggia

Pochi passi sulla spiaggia e un tesoro di pietre
e legni si apre sotto ai nostri piedi:
quando li osserviamo sembrano animali,
barche, case, mondi straordinari
che vorremmo portare a casa.
Proviamo a renderli ancora più belli con pochi,
piccoli accorgimenti.

Ti servono:

piccoli legni recuperati sulla riva del mare,
pietre, filo metallico (ferro o rame),
pinze a punta fine, un punteruolo,
un cacciavite, colla vinilica,
viti da legno di varie dimensioni, rondelle,
tempere acriliche o smalti per unghie,
pennelli a punta fine, forbici.

COME SI FA:

■ Per questo lavoro ti serviranno dei legni piccoli, alcuni ton-
di, altri piatti e morbidi. Lasciati
ispirare dalle forme del legno per
comporre le tue figure.
(foto 1)

■ Posiziona i legni e le pietre
per costruire le forme desiderate
puoi decidere se usarle come gioco o come decorazione. Se diventeranno giochi dovranno essere
più robuste e senza parti pericolose, se saranno decorazioni (da
tavolo o da muro) potranno avere anche parti un po' più fragil
(foto 2-2a-2b)

1

2

2A

2B

■ Unisci i legni tra di loro utilizzando le viti dove è possibile, altrimenti serviti della colla vinilica. Ricordati di sfruttare le forme del legno per far aderire meglio le parti. (foto 3)

■ Utilizza le rondelle, le viti e le pietre per evidenziare la figura che hai scelto o per arricchirla (occhi, zampe, finestre e altro). (foto 4-5 o 5a)

■ Se preferisci colorare la tua creazione puoi utilizzare le tempere acriliche cercando di non coprire interamente il legno. Per ottenere un effetto più "vissuto" puoi dipingerlo e, finché il colore è fresco, asportare quello in eccesso con un panno umido. (foto 6)

3

4

5

5A

6

Giochi di mare

235

SPECCHIO SPECCHIO
delle mie brame....

LEGNI...
da spiaggia

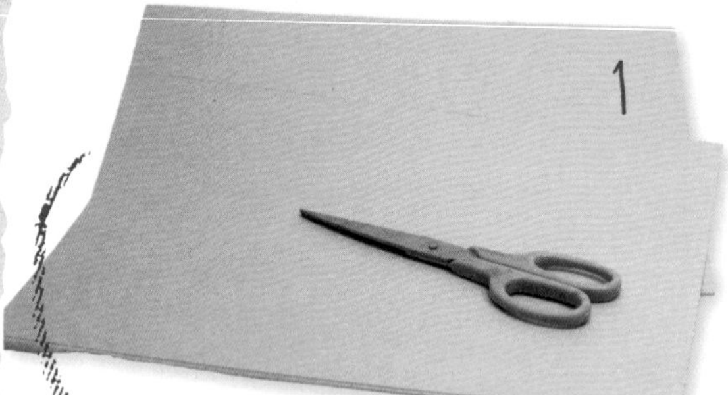

1

Ti servono:

uno specchio, due cartoncini uguali
spessi almeno 2 mm di dimensioni
maggiori dello specchio,
legni marini (in questo caso cortecce),
carta colorata, cutter, forbici,
righello, matita, pennello,
colla vinilica, colla velo (da decoupage).

2

COME SI FA:

■ Ritaglia in uno dei due cartoncini un
rettangolo leggermente inferiore allo
specchio (almeno 1 cm per lato).
(foto 1)

■ Inserisci lo specchio tra questa
cornice e il cartoncino di base, fissa
bene con colla vinilica.
(foto 2)

■ Pulisci i legni da eventuali residui di
sabbia e posizionali sulla cornice per
verificare gli spazi che vuoi coprire con
il legno e quelli che ricoprirai di carta.
(foto 3)

3

Giochi di mare

■ Ritaglia e incolla la carta; in questo caso è stato utilizzato un sacchetto da regalo. A seconda dello spessore utilizza la colla a velo o la colla vinilica diluita (più la carta è spessa, più la colla va densa). (foto 4)

■ Posiziona i legni e fissali con abbondante colla vinilica non diluita e una volta che il lavoro è asciutto ricopri tutto con la colla a velo. Inserisci un gancio sul retro per poter appendere il tuo specchio. (foto 5)

4

5

C'è chi a forza di guardarsi nello specchio crede di diventar più bello.
Proverbio

Gli occhi sono lo specchio dell'anima.
Proverbio

Il miglior specchio è l'amico vecchio.
Proverbio

Giochi di mare

Come fare sculture di SABBIA

Creare sculture con la sabbia,
che sia un semplice castello fatto con il secchiello,
o qualcosa di più grande e impegnativo,
è una delle più belle attività
per trascorrere le giornate in spiaggia.

Se segui i consigli che ti diamo di seguito,
potrai stupire i tuoi amici!

■ Il materiale di base deve essere la sabbia. Vanno bene quelle sottili e compatte, come quelle sull'Adriatico, ma va bene anche la sabbia più granulosa che si trova sul Mar Ligure.

■ Munisciti degli strumenti adatti: non solo secchiello e paletta, ma anche rastrelli, formine e oggetti che ti permettano di smussare angoli e scavare piccole buche.

■ Fai un gran monte di sabbia, a seconda di cosa vuoi produrre: come per una scultura, si deve sempre partire con un progetto in testa, si deve sapere bene cosa si vuole creare.

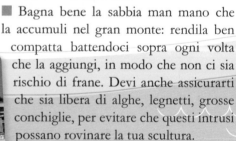

■ Bagna bene la sabbia man mano che la accumuli nel gran monte: rendila ben compatta battendoci sopra ogni volta che la aggiungi, in modo che non ci sia rischio di frane. Devi anche assicurarti che sia libera di alghe, legnetti, grosse conchiglie, per evitare che questi intrusi possano rovinare la tua scultura.

■ Ora sbizzarrisciti a creare la tua scultura. Fai attenzione a non lasciare troppi fori: le colonne di sabbia non reggono molto!

Come creare piste per le BIGLIE

Giocare alle biglie è una delle attività
più divertenti che si possono fare in spiaggia.
Il bello di questo gioco
è che ci si diverte anche
quando si sta creando la pista
e non solo quando si gioca con le biglie!

*A mio avviso il golf è un modo
costoso di giocare alle biglie*
Gilbert Keith Chesterton

■ Cerca un posto ampio dove costruire la pista e che non dia fastidio a qualcuno.

■ Con la paletta traccia il percorso della pista che può essere chiusa ad anello, cioè partire e arrivare nello stesso punto, oppure aperta.

■ **Una buona pista deve avere parecchie varianti:** curve, rettilinei piani, zone di salita, zone di discesa, fossati, ponti, gallerie, percorsi ad ostacoli, rettilinei con piccoli dossi ecc. Fai attenzione a creare un percorso praticabile con le biglie perché pendenze esagerate o curve troppo strette possono compromettere il gioco rendendolo impossibile.

■ Fai attenzione a tenere la tua pista bagnata: la sabbia asciutta scivola e non permette alla biglia di avere una buona traiettoria, senza contare che la pista dopo un po' si cancellerebbe. Bagna non solo il fondo ma anche i lati della pista.

■ **Ora è il momento di giocare:** stabilisci quanti giri di pista si devono fare e dividi le biglie tra i giocatori in base al colore. Ognuno potrà avere uno o più colori assegnati. Fai correre una biglia alla volta, segnando il punteggio ottenuto.

■ Per colpire la biglia dovrai usare un dito qualsiasi della mano, oppure farla schioccare con un movimento del pollice e dell'indice uniti. In alcuni passaggi delicati è possibile, se siete tutti d'accordo, soffiare con la bocca per dirigere la biglia.

■ Se la biglia esce dalla pista o cade in trabocchetti, gallerie ecc, si riporta al punto precedente l'ultimo tiro e, al proprio turno, si riprova a superare l'ostacolo.

Giochi di mare

Le BARCHETTE DI GUSCI DI NOCE

Ti servono:

noci, cartoncino, stuzzicadenti, forbici.

■ Prendi delle noci e rompile a metà perfettamente, cercando di salvare i gusci. (disegno 1)

■ Capovolgi i gusci di noce su un cartoncino e disegnane i contorni. (disegno 2)

■ Ritaglia i pezzi di cartoncino segnati e infila ciascun pezzo all'interno del guscio. (disegno 3)

■ Infila uno stuzzicadenti al centro del cartoncino in corrispondenza di dove troveresti un albero maestro. (disegno 4)

■ Ritaglia dei piccoli quadrati o dei rettangoli, decorali a tuo piacere e infilzali sullo stuzzicadenti creando vele e bandiere. (disegno 5-6)

■ Ora sei pronto a fare veleggiare la tua barchetta di noce: puoi lasciarla andare alla corrente di qualche fiume oppure riempire una vasca d'acqua in casa e soffiare nelle vele!

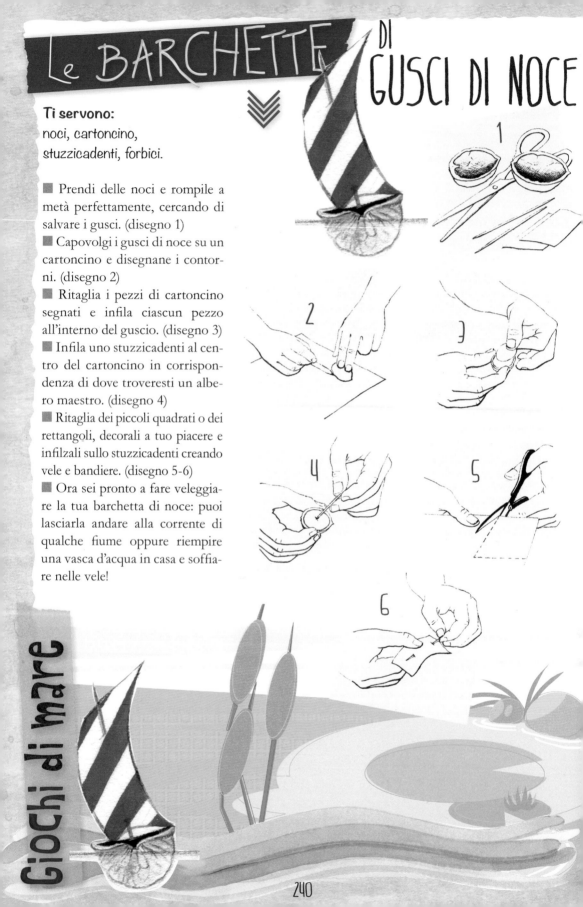

Le barchette di carta

Per fare le barchette di carta, osserva le sequenze numerate e seguine le istruzioni con attenzione. Ti serviranno solo un foglio di carta e un po' di pratica per avere bellissime barchette!

... e il pesce Alfonso

1

Ritaglia un foglio quadrato. Traccia la diagonale (linea azzurra). Piega due lati opposti sulla diagonale.

2

Piega i lati minori sulla diagonale.

3

Piega il modello sulla diagonale.

4

Per formare la testa del pesciolino arrotola la punta su se stessa.

5

Per modellare la coda, piega di lato la parte finale della cosa, quindi rovescia verso l'interno, in modo da accorciarla e alzarla verso l'altro, come mostrato nel disegno.

Blocca la carta inserendo la punta all'interno.

6

7

Giochi di mare

Ti servono:
un secchiello, un telo di plastica
(va bene anche un materassino
o un gonfiabile da acqua sgonfi) ben pulito,
sassi, acqua di mare.

Acqua

Acqua di monte
Acqua di fonte
Acqua che squilli
Acqua che brilli
Acqua che canti e piangi
Acqua che ridi e muggi
Tu sei la vita
E sempre sempre fuggi

Gabriele d'Annunzio

■ **Scava una buca nella sabbia.**
(disegno 1)

Ecco come bisogna essere!
Bisogna essere come l'acqua.
Niente ostacoli - essa scorre.
Trova una diga, allora si ferma.
La diga si spezza, scorre di nuovo.
In un recipiente quadrato, è quadrata.
In uno tondo, è rotonda. Ecco perché
è più indispensabile di ogni altra cosa.
Niente esiste al mondo più adattabile dell'acqua.
E tuttavia quando cade sul suolo, persistendo,
niente può essere più forte di lei.

Lao Tzu

Giochi di mare

■ Poni al centro della buca un secchiello e sopra un telo di plastica tenuto fermo da dei sassi sul bordo. Poni un piccolo sasso al centro del telo in corrispondenza del secchiello.
(disegno 2)

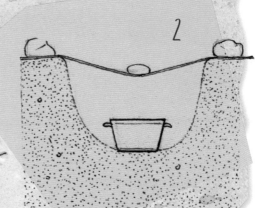

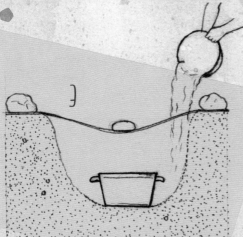

■ Versa acqua di mare nella buca, senza farla entrare nel secchiello, ma sufficiente a non essere assorbita dalla sabbia.
(disegno 3)

■ Attendi che l'acqua marina evapori sulla superficie interna del telo di plastica e coli verso il secchiello, attirata dal peso del sasso al centro.
(disegno 4)

HAI OTTENUTO ACQUA DOLCE!

Il sale infatti non evaporerà con l'acqua ma rimarrà in chiazze biancastre sul fondo della buca.

Giochi di mare

Facciamo l'ORTO

Se vuoi coltivare l'orto, vestiti in maniera comoda, anche con vestiti che si sono macchiati e non ritornano più senza macchia oppure che si sono strappati e che quindi hanno qualche toppa o qualche rammendo.
Non ti sarà facile fare tutto da solo: chiedi a qualche adulto di accompagnarti in questa avventura!

COM'E' FATTO IL TERRENO

Il terreno è polvere derivante da rocce frantumate ed è vecchio come la Terra! La frantumazione non è sempre uguale e neppure le rocce sono sempre uguali, perciò ci saranno terreni sottili, altri con sassolini e ghiaia e altri con sassi più grandi. Non tutte le piante crescono sullo stesso tipo di terreno perché tutto dipende dal tipo di minerali che lo compongono.

Il terreno però è anche vivo:

il sole, l'acqua, i vegetali che vi crescono e che vi muoiono contribuiscono a popolarlo di molti micro-organismi.

SI DISTINGUE:

■ **Il suolo**: è la parte superficiale del terreno, coperta da rametti, foglie, semi, frutti caduti dagli alberi, animaletti morti.

■ **L'humus**: è un terriccio più scuro, soffice e poroso, adatto a far circolare acqua e aria. Esso deriva dalla decomposizione delle sostanze organiche vegetali o animali. Vi sono numerosi esseri decompositori, tra cui il lombrico, che ingoia la terra e le sostanze decomposte che vi si trovano dentro e le restituisce arricchite di sostanze nutritive indispensabili per la crescita delle piante.

■ Il **sottosuolo**, costituito di parti rocciose di diversa dimensione e ricco di sali minerali attirati dalle radici delle piante in superficie.

Per creare del terreno morbido e arieggiato dove porre a dimora le tue piante, passa il terreno attraverso una rete (va bene anche una vecchia rete a molle da letto), rompendo le zolle, eliminando le radici, le piante infestanti, i sassi più grossi.

Dove porre l'orto

SE VUOI FARTI UN ORTO, PREPARALO:

■ in un terreno lontano da fonti di inquinamento.

■ In un luogo esposto al sole durante tutto il tempo dell'anno. L'ideale è porlo a sud-est, in modo che goda dell'esposizione al sole di almeno 4-5 ore, preferibilmente al mattino.

■ Distante dagli alberi, perché non solo l'ombra, ma anche le radici degli alberi risulterebbero dannose alle piante, rubando sole e nutrimento.

■ Protetto dai venti ma non a ridosso di un muro alto che, nei mesi più caldi, cederebbe troppo calore, rovinando le coltivazioni.

■ Vicino a un rubinetto cui attaccare tubi di gomma per annaffiare.

Per proteggere il tuo orto da eventuali grandinate o per anticipare la maturazione di alcune specie di verdure, può esserti utile la costruzione di un cosiddetto tunnel. È più di una serra e permette una crescita meno forzata e più naturale delle piante. Bastano degli archetti in metallo o plastica rigida da conficcare nel terreno a distanza regolare. Copri poi gli archetti con nylon adatto. Non dimenticare di lasciare delle aperture laterali per permettere una buona ossigenazione!

Il pollice verde

245

Gli ATTREZZI adatti

Per coltivare l'orto dovrai avere:

Vanga: è un attrezzo che serve a rivoltare la terra. Ce ne sono a lama rettangolare e a lama a scudo, che servono per sminuzzare il terreno.

Falce o falcetto: servono a tagliare arbusti infestanti, come rovi o grossi cespugli di gramigna.

Forca: è un attrezzo che serve a rompere le zolle e a penetrare più facilmente nel terreno, anche per liberarlo da pietre e grosse radici.

Rastrello: attrezzo che permette di raccogliere foglie, pareggiare il terreno, ricoprire i semi con un leggero velo di terra.

Badile: serve a spostare grosse quantità di materiale: sassi, terra, foglie, vegetazione infestante...

Zappa: a differenza della vanga, che rivolta la terra, la zappa serve a scavare dei solchi nel terreno in cui seminare.

Carriola: serve a trasportare materiali pesanti o terra.

Innaffiatoio: a differenza del tubo di gomma per innaffiare, serve per poche porzioni dell'orto, ad esempio per piante che hanno bisogno di più acqua oppure per innaffiare sementi in maniera poco invasiva.

La preparazione del terreno

◼ Quando avrai scelto dove porre l'orto, suddividi il terreno in aiuole di almeno 1 metro di larghezza, separate da un piccolo sentiero di 30-40 centimetri per il tuo passaggio.

◼ Con la vanga dissoda, rompi, muovi il terreno per aerarlo. Devi lavorare in profondità, per eliminare le sementi e le radici delle erbe infestanti che, man mano, toglierai dal terreno, gettandole in un secchio o nella carriola.

◼ Con un rastrello asporta ogni residuo di sassi, radici, erbe.

◼ Spargi del concime e con la zappa incorporalo nel terreno. Lascia il terreno a riposo per 3-4 giorni, senza calpestarlo.

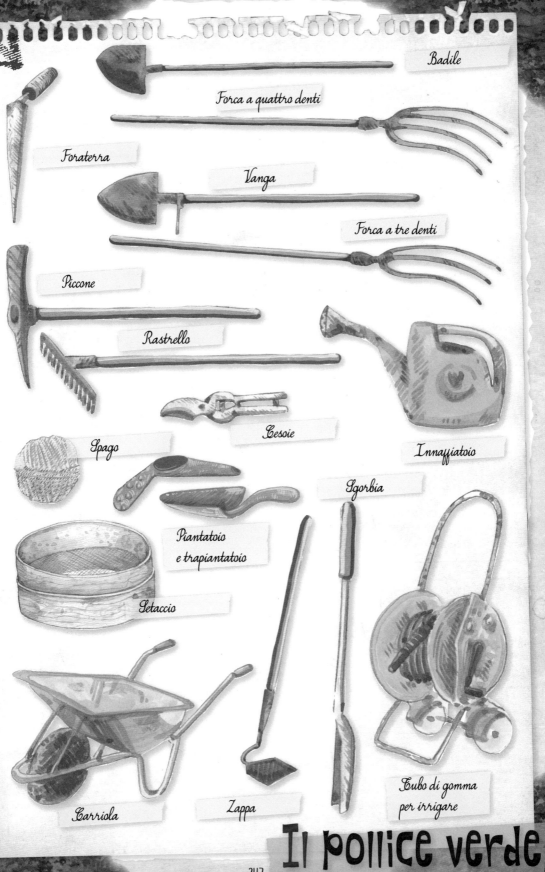

Badile

Forca a quattro denti

Foraterra

Vanga

Forca a tre denti

Piccone

Rastrello

Cesoie

Innaffiatoio

Spago

Sgorbia

Piantatoio
e trapiantatoio

Setaccio

Carriola

Zappa

Tubo di gomma
per irrigare

Il pollice verde

Il SEMENZAIO

Nell'orto puoi piantare piantine già germogliate, che si trovano facilmente nei negozi di piante e sementi. Molto più interessante può essere però creare il tuo semenzaio, dove far germogliare i semi delle piante che vuoi trasferire nel tuo orto.

Ti serviranno:
una cassetta di legno, tipo quelle che trovi nei negozi di frutta e verdura,
un po' di terra del tuo orto, acqua,
un nebulizzatore.

Riempi i contenitori con la terra e pianta i semi. Mettili nella cassetta per mantenerli in equilibrio e non sporcare.
Con il nebulizzatore mantieni la terra umida. Spruzza solo se vedi che è secca.
Se lasci il semenzaio all'aperto, proteggilo da animali domestici e precipitazioni, coprendolo con un velo leggero e mettendolo in un luogo riparato.
Se invece lo tieni in un luogo chiuso, riponilo riparato dalla luce e dal freddo.

COME PIANTARE I SEMI:

■ I semi non devono essere troppo sprofondati nel terreno, altrimenti assorbono troppa umidità e, privati dell'aria, non germogliano e marciscono.

■ Non devono neppure essere posti troppo in superficie: altrimenti non ricevono sufficiente umidità e si disseccano.

■ La distanza giusta dalla superficie è di 2-3- volte il volume del seme se è grosso, 2 volte il volume se il seme è medio, un leggerissimo strato di terra o sabbia se è piccolo.

■ I semi possono essere sparsi, se sono piccoli, magari mischiandoli a finissima sabbia per distanziarli meglio quando li si getta, oppure possono essere piantati in piccole buche regolari, scavate in linee, 3-4 alla volta.

■ Dopo aver piantato i semi premete leggermente per far aderire la terra e favorire la germogliazione.

Si semina in genere in primavera, da marzo a maggio, a seconda del tipo di pianta.

In campagna...

Tutto l'anno: carote, lattuga, rucola.

Gennaio: cavolfiori, cipolle, prezzemolo (da gennaio a settembre), melanzane (da gennaio a maggio), meloni, peperoni (da gennaio a giugno).

Febbraio: sedano.

Marzo: angurie, asparagi, basilico (da marzo a maggio), pomodori (da marzo a giugno).

Aprile: cavoli (da aprile a luglio), cetrioli, zucche (da aprile a giugno).

Maggio: broccoli (da maggio a giugno).

Giugno: fagioli (da giugno ad agosto).

Luglio: cavoli, carciofi.

Agosto: zucchine (da agosto a gennaio).

Settembre: ravanelli (da settembre a giugno).

Ottobre: piselli, spinaci (da ottobre a marzo).

Novembre: cime di rapa, carote.

Dicembre: fave, piselli.

Se prendi le bustine di semi, in esse troverai tutte le indicazioni sul come ottenere i migliori risultati dalle tue sementi. Procurati dei paletti e infilaci sopra le bustine di sementi, aperte sotto-sopra, in modo che, infilate a testa in giù, presentino le parole diritte. Così saprai cosa avrai seminato e non dovrai attendere che spuntino le piantine per capire di che pianta si tratta.

Il pollice verde

Come creare il tuo CONCIME NATURALE

Esistono in commercio dei particolari contenitori, detti compostiere, che permettono di creare il proprio concime naturale. Esse devono essere posizionate in un luogo isolato dell'orto, ma raggiungibile agevolmente anche durante la brutta stagione per potervi portare i residui alimentari. Inoltre devono essere vicino a una fonte d'acqua, perché la massa in trasformazione deve essere mantenuta umida anche in estate.

Devi nutrire il terreno, non le piante. Per farlo, prima della semina, arricchisci la terra con del concime. Se vuoi davvero un orto salutare ed ecologico, puoi creare il tuo concime naturale o, come si dice tecnicamente, il tuo compost.

■ In un angolo del tuo orto destina un angolo dove creare il cumulo di concime naturale.

■ In esso ammonticchia tutti i rifiuti umidi che man mano si creano in casa: per fare ciò devi essere abituato a fare la raccolta differenziata! Vanno bene scarti alimentari, fondi di caffè e the, scorze di frutta e verdura, erbacce, fiori appassiti, legno sminuzzato ecc.

■ Alterna questo materiale alla terra, in strati.

■ Smuovi di tanto in tanto con una forca il cumulo per dargli aria ed accelerare la decomposizione organica. Questo sistema ti permette anche di bloccare il cattivo odore.

■ Aggiungi segatura o sabbia tutt'attorno che assorbano eventuali liquidi che, oltre a essere maleodoranti, possono far proliferare insetti indesiderati.

■ Copri il cumulo con del telo, tipo di iuta, per evitare l'arrivo di topi e gatti, attirati dagli avanzi di cibo.

■ Utilizza il concime dopo che si è decomposto per 4-6 mesi per concimare il tuo orto.

In campagna...

250

L'irrigazione dell'orto

■ Per irrigare, attacca un tubo di gomma flessibile a un rubinetto e metti un diffusore alla fine del tubo.

■ Irriga alle prime ore del mattino oppure alla sera.

■ Durante l'estate, da maggio a settembre, se non piove naturalmente, considera che dovrai annaffiare tutti i giorni.

■ Se il terreno è sabbioso, dovrai bagnarlo a intervalli regolari perché l'acqua drenerà facilmente verso gli strati inferiori, diventando inaccessibile alle piantine.

■ Se invece il terreno è argilloso, puoi bagnarlo meno frequentemente, perché le argille mantengono l'acqua in superficie.

L'orto delle aromatiche

Se invece ti piacciono le piante aromatiche, puoi decidere di adibire una zona del tuo orto alla loro coltivazione. Scoprirai che alcune sono davvero semplici da coltivare, anche se devi rispettare le loro specifiche esigenze! In genere, queste piante non sopportano i ristagni d'acqua, perciò non annaffiare troppo!

■ **Il prezzemolo:** è una pianta erbacea biennale. Significa che nel primo anno si sviluppa e nel secondo fiorisce e va in seme. Vuole stare all'ombra e deve essere cimato spesso, cioè tagliato alla sommità per emettere nuove foglioline. Soffre la siccità se non lo annaffi bene.

■ **Il basilico:** è una pianta annuale che con i primi freddi perde le foglie e muore. Vive benissimo in estate e deve bere molto.

■ **La salvia:** ama il caldo e il sole ed è una pianta rustica, che ha poche esigenze. Per proteggerla dalle gelate, addossala a un muro.

■ **L'origano:** ama l'esposizione al sole. Per averlo fresco tutto l'anno, in agosto pota la pianta a livello terreno, continuando a innaffiarla pochissimo. Ai primi freddi, proteggi con paglia e un telo dalle basse temperature.

L'alloro e il rosmarino possono essere piantati nell'orto, ma considera che si svilupperanno come pianta, sotto forma di arbusto o albero. Decidi quali dimensioni vuoi che abbiano e scegli bene il posto dove piantarli, perché poi non li puoi spostare!

Il pollice verde

Come costruire un LAGHETTO in giardino

Se hai il pollice verde e hai a disposizione un giardino, puoi decidere di creare un angolo molto bello creando un laghetto per piante acquatiche.

Ti serviranno:

una pala, una o più coperte vecchie,
un paio di forbici da giardinaggio,
un telo di plastica
tipo quello che si usa per le piscine,
dei sassi non porosi, piuttosto grandi
e di forma regolare, vasi per fiori,
terra per piante, semi per erba.

■ Scava con la pala una buca nel terreno nel luogo dove vuoi mettere il laghetto: fai attenzione che non sia una zona di passaggio, a non danneggiare impianti di irrigazione o altro che possa essere interrato in giardino. Chiedi comunque sempre l'autorizzazione ai tuoi genitori!

■ La buca deve avere le dimensioni e la forma del telo di plastica che hai, oppure del ritaglio che ti servirà per ricoprirla. Considera che il telo andrà adagiato sul fondo della buca, perciò dovrà avere una superficie maggiore di quanta ne avrebbe se fosse semplicemente steso!

■ Fai in modo che sul fondo non vi siano superfici dure o appuntite. Togli rami, sassi, sporgenze aguzze, che potrebbero forare il telo. (disegno 1)

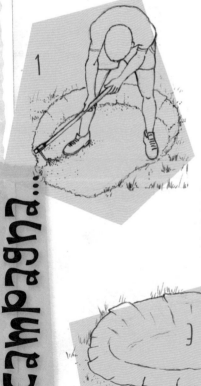

■ Copri il fondale con una o più coperte vecchie, in modo da creare un fondo morbido su cui poggiare il telo, senza il rischio che si fori o si strappi. (disegno 2)

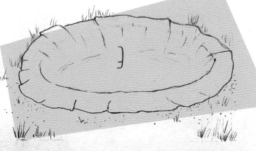

■ Stendi il telo , facendolo ben aderire al fondo e ai lati, in modo che non ci siano bolle. Possono crearsi delle pieghe, che appiattirai poggiandoci sopra come peso dei sassi ben puliti dalla terra. (disegno 3)

In campagna...

■ Ora appoggia tutt'attorno alla buca sopra al telo i sassi che hai messo da parte scavando o che avevi raccolto già prima di scavare, in modo da fermare il telo e da creare una sorta di bordo. (disegno 4)

■ Usa la terra che ti è rimasta dallo scavo per riempire le fessure tra un sasso del bordo e l'altro. In questa terra semina l'erba, in modo che il tuo bordo diventi erboso.

■ Ora riempi il tuo giardino acquatico con acqua da irrigazione oppure, se non vuoi sprecare acqua, attendi la prima pioggia.

■ Dopo che il buco si è riempito, taglia il telo attorno al bordo con le forbici da giardiniere. Lascia un paio di centimetri appena fuori dai sassi. (disegno 5)

■ Procurati delle piante acquatiche o dal fiorista o andando lungo qualche argine o lago. Attento a non cadere mentre le raccogli! Prendile con l'apparato radicale completo e mettile nei vasi per fiori, che avrai riempito di terra. (disegno 6)

■ Ora poni i vasi nell'acqua del tuo giardino.

■ Mantieni ossigenata l'acqua cambiandone un secchio ogni 2-3 giorni. I grandi stagni artificiali hanno pompe che permettono all'acqua di essere sempre in movimento e quindi di ossigenarsi, altrimenti finisce per marcire!

Il tuo giardino acquatico può attirare insetti acquatici, tra cui zanzare. Per questo, puoi anche "sguinzagliarci" dentro dei pesci d'acqua dolce, come le carpe o i pesciolini rossi dei comuni acquari. I pesci si nutriranno delle larve deposte dagli insetti sul pelo dell'acqua e ti libereranno dai fastidiosi coinquilini!

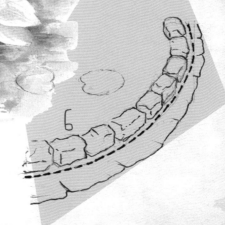

Il pollice verde

Come costruire uno
SPAVENTAPASSERI

Ti serviranno:

una maglia, un paio di pantaloni, un cappello,
una cintura, vestiti rotti o che non usi più,
un bastone ben lungo (circa 2 metri)
e uno più corto (circa 1 metro),
corde di nylon resistenti,
un sacchettino di iuta, ago e filo,
bottoni di diverse misure e colori,
paglia per l'imbottitura meglio se sottile e secca.

■ Per prima cosa crea la struttura del corpo mettendo a croce i due bastoni, il più corto incrociato a quello più lungo in corrispondenza delle braccia (a circa 30 centimetri dalla sommità). Usa il nylon per legare i due bastoni.

■ Infila una gamba dei pantaloni nella parte inferiore del bastone più lungo.

■ Scava una piccola buca nel posto dove vuoi mettere lo spaventapasseri e infila il bastone ben saldo nel terreno. Puoi farti aiutare da un adulto in questa operazione perché lo spaventapasseri rimarrà fuori sempre e dovrà essere ben saldo, per non cadere al primo colpo di vento o al primo temporale. (disegno 1-2)

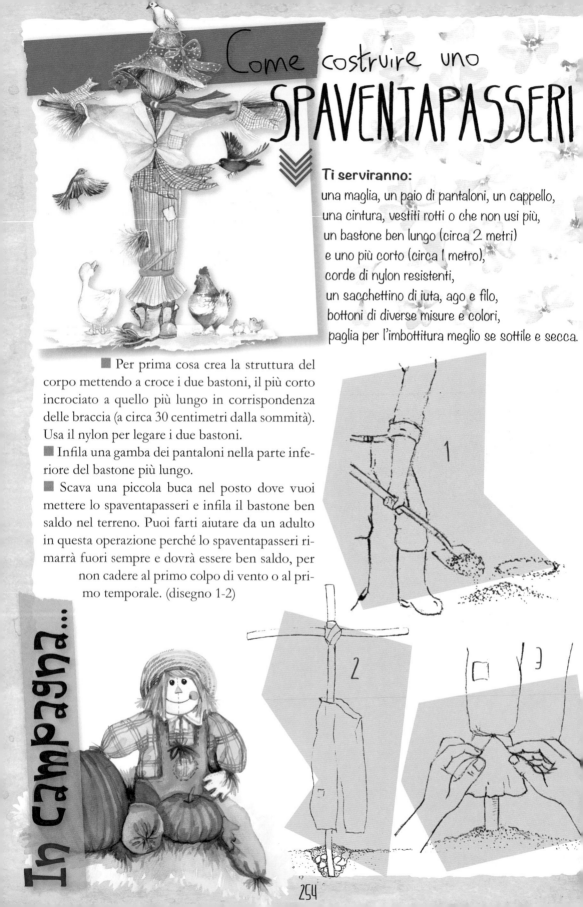

In campagna...

254

Lega i pantaloni in basso in corrispondenza delle caviglie: riempili bene di paglia, imbottendo le gambe. (disegno 3-4)

Ora infila la camicia, facendo passare le due maniche sul bastone più corto. Lega anche la camicia in corrispondenza dei polsi, poi abbottonala davanti. Riempi sempre con della paglia in modo da modellare il tronco e le braccia.

Con la cintura, fissa i pantaloni sulla camicia, stringendo per creare il punto vita.

Infine riempi il sacchettino di iuta di paglia e capovolgilo. Questa sarà la testa del tuo spaventapasseri.

Con ago e filo crea gli occhi, il naso, la bocca, in modo da rendere il tuo spaventapasseri animato e... divertente. **Attento a creare la testa nel senso giusto, con l'imboccatura del sacchetto rivolta verso il basso.** (disegno 5-6)

Ora infila la testa al tuo spaventapasseri e lega l'imboccatura del sacchettino di iuta sulla sommità del bastone alto.

Puoi anche infilare un cappellaccio alla tua creazione, magari fissandolo con qualche punto di filo, perché non voli con il vento.

Se vuoi rendere il tuo spaventapasseri ancora più terribile per gli uccelli, **legagli qui e là dei nastri, che si alzeranno con l'aria.**

SPAVENTAPASSERI

Il pollice verde

Un giardino... in TERRAZZO!

SE HAI UN TERRAZZO E VUOI METTERCI DEI VASI, È MOLTO SEMPLICE

Come annaffiare?

Annaffia le tue piante di mattina oppure di sera tardi.

■ Cerca di non bagnare le foglie ma solo il terreno. Le gocce di acqua rimaste sulle foglie possono, con la luce del sole, creare un effetto lente e far sì che la pianta abbia delle scottature. (disegno A)

■ **È il momento di annaffiare le piante quando, se infili un dito nel terreno attorno, esce pulito.** (disegno B)

Per mantenere maggiormente l'umidità del terreno, metti del fogliame morto, degli aghi, del muschio sul terreno attorno alla pianta. Ti aiuteranno a mantenere il terreno più bagnato, impedendo all'acqua di evaporare.

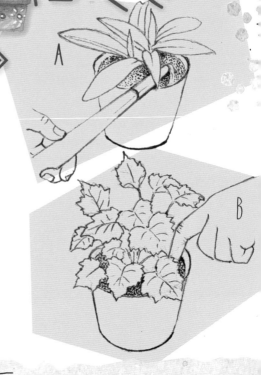

In campagna...

E se vado in vacanza?
Come posso annaffiare... a distanza?

■ Prendi una bottiglia di plastica e tagliala su fondo. (disegno A)

■ Rovesciala, togli il tappo e inserisci alla base del tappo una spugna, meglio se naturale. (disegno B)

■ Infilala nel terreno, lontano dal fusto, in modo da non rovinare la corteccia o le radici.

Versa l'acqua nella bottiglia rovesciata: essa passerà nel terreno gradualmente, mantenendo la tua pianta irrigata anche quando non ci sei!

Ricorda di aerare la terra! Se è troppo compatta o si è seccata, smuovila superficialmente con un rastrello, senza affondarlo. Potresti, andando troppo a fondo, danneggiare le radici! In questa maniera aria, acqua e sostanze nutritive circoleranno meglio! (disegno C)

Un giardino... da BAGNO!

Ti serviranno:

una spugna, meglio se naturale
e rotonda, uno spago,
semi di piante varie
(trifoglio, erba, lino, orzo),
un erogatore a spruzzo.

■ Fora la spugna al centro e fai passare attraverso il foro uno spago: per non far scivolare la spugna annoda la parte finale dello spago. (disegno A)
Ora bagna la spugna, senza inzupparla eccessivamente: se dovesse essere troppo inzuppata, strizzala leggermente.
■ Infila in ogni poro della spugna i semi, cercando di farli penetrare bene. (disegno B)
■ Appendi la spugna, in bagno, se ti piace, o comunque in un luogo ricco di luce e aria e lontano da correnti fredde. (disegno C)
Nebulizza di tanto in tanto la spugna con acqua attraverso l'erogatore a spruzzo.
Dopo poche settimane vedrai che la tua spugna sarà diventata una bellissima palla verde, un giardino... da bagno!

Spesso si sconsiglia di mettere troppe piante in casa, soprattutto in camera da letto, perché durante la notte esse sottraggono ossigeno all'aria, privandola quindi in parte di una sostanza importante per la nostra respirazione. In realtà le piante producono durante il giorno molto più ossigeno di quello che sottraggono di notte, perciò la loro presenza in casa è positiva. Bisogna solo lasciarle sotto una fonte di luce durante il giorno perché possano compiere la fotosintesi clorofilliana.

Il pollice verde

Un giardino... in BOTTIGLIA

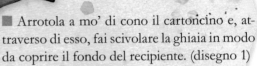

Se non hai un terrazzo sufficientemente grande per ospitare molti vasi o un giardino vero e proprio, non disperare! Puoi sempre attrezzarti per creare un tuo giardino in bottiglia!

Desideri

Ti serviranno:

una bottiglia piuttosto larga, come un fiasco, con il tappo di sughero sopra. Non è necessario che sia di vetro, può anche essere di plastica. L'importante è che abbia un'imboccatura larga, dove può facilmente passare la tua mano. Della ghiaia con sassi abbastanza piccoli da passare attraverso l'imboccatura, pezzi di carbonella, quella che serve per accendere i barbecue, del buon terriccio per fiori, semi per l'erba del prato, piantine già nate e in buona salute, con tutto l'apparato radicale, acqua, un pezzettino di cartoncino o di plastica che si possa piegare.

■ Arrotola a mo' di cono il cartoncino e, attraverso di esso, fai scivolare la ghiaia in modo da coprire il fondo del recipiente. (disegno 1)

■ Aggiungi la carbonella, quindi ricoprila con parte del terriccio.

■ Semina i semi per erba.

■ Ricopri con la terra rimasta.

■ Infila una mano nella bottiglia e, con il dito indice, fai dei fori nel terreno. Poi estrai la mano, prendi una piantina alla volta e infilala proprio nei buchi che hai creato. (disegno 2-3)

■ Sistema per bene il terreno intorno in modo da coprire le radici e da mettere le piantine in posizione verticale.

■ Ora annaffia il tuo giardino, facendo scorrere poca acqua lungo le pareti. In questo modo laverai via eventuali residui di polvere e di terra che si siano formati sopra e nutrirai i semi e le piante. (disegno 4)

FAI ATTENZIONE A:

■ **non esagerare con l'acqua:** rimanendo imprigionata nel terreno senza possibilità di sfogo porterebbe le radici delle tue piante a marcire!

■ Non mettere la tua bottiglia esposta direttamente alla luce del sole che potrebbe bruciare le piante all'interno a causa dell'effetto lente del vetro.

■ Scegli delle piante adatte. Vanno bene quelle che amano il caldo umido: violette africane, edera, piante grasse, felci ecc.

■ **Apri di tanto in tanto il tappo:** in questa maniera all'interno l'aria si rinnoverà e l'ossigeno si produrrà automaticamente grazie alla fotosintesi clorofilliana.

In campagna...

L'erba "voglio" non cresce
neanche nel giardino del re!
Proverbio

Il fiore si nasconde nell'erba,
ma il vento sparge il suo profumo.
Tagore

1

2

3

4

Il pollice verde

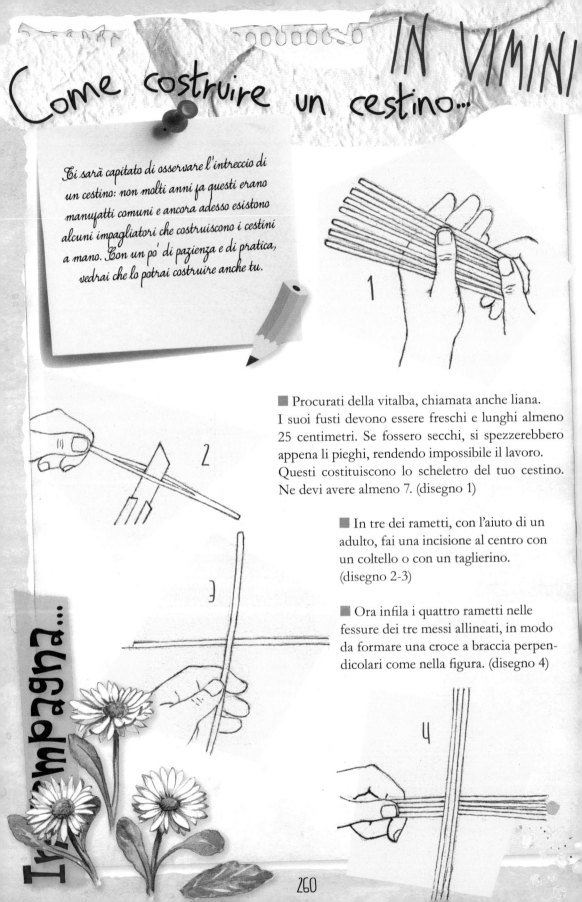

Come costruire un cestino... IN VIMINI

Ti sarà capitato di osservare l'intreccio di un cestino: non molti anni fa questi erano manufatti comuni e ancora adesso esistono alcuni impagliatori che costruiscono i cestini a mano. Con un po' di pazienza e di pratica, vedrai che lo potrai costruire anche tu.

■ Procurati della vitalba, chiamata anche liana. I suoi fusti devono essere freschi e lunghi almeno 25 centimetri. Se fossero secchi, si spezzerebbero appena li pieghi, rendendo impossibile il lavoro. Questi costituiscono lo scheletro del tuo cestino. Ne devi avere almeno 7. (disegno 1)

■ In tre dei rametti, con l'aiuto di un adulto, fai una incisione al centro con un coltello o con un taglierino. (disegno 2-3)

■ Ora infila i quattro rametti nelle fessure dei tre messi allineati, in modo da formare una croce a braccia perpendicolari come nella figura. (disegno 4)

In campagna...

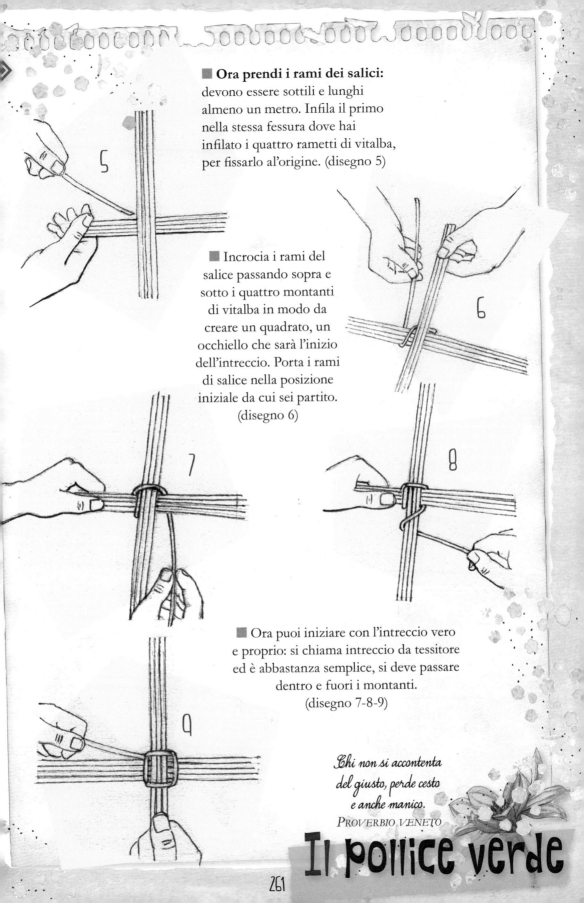

■ Ora prendi i rami dei salici: devono essere sottili e lunghi almeno un metro. Infila il primo nella stessa fessura dove hai infilato i quattro rametti di vitalba, per fissarlo al'origine. (disegno 5)

■ Incrocia i rami del salice passando sopra e sotto i quattro montanti di vitalba in modo da creare un quadrato, un occhiello che sarà l'inizio dell'intreccio. Porta i rami di salice nella posizione iniziale da cui sei partito. (disegno 6)

■ Ora puoi iniziare con l'intreccio vero e proprio: si chiama intreccio da tessitore ed è abbastanza semplice, si deve passare dentro e fuori i montanti. (disegno 7-8-9)

Chi non si accontenta del giusto, perde cesto e anche manico.
PROVERBIO VENETO

Il pollice verde

Gira in senso orario e, man mano che intrecci, allarga i raggi della croce fino a portarli, nel giro di 3-4 giri, alla stessa distanza, come se fosse una raggiera. (disegno 10-11)

Lavora con il cesto appoggiato sulla pancia, con la destra che tesse (se si è destri) e tira a ogni passaggio verso il centro, con la sinistra che allarga e regolarizza i portanti. Ogni tanto, con la punta delle dita, stringi l'intreccio verso il centro, in modo da non lasciare buchi.

Se il ramo di salice finisce, lì dove è terminato inserisci il piede del ramo successivo. Cerca di mantenere "pulito" sempre lo stesso lato, che sia quello visibile del cesto, nascondendo all'interno gli eventuali spuntoni.

Se usi piante diverse nell'intreccio, potrai avere intrecci di diversi colori.

Infine taglia gli avanzi dei rami di salice quando hai terminato di tessere e taglia anche gli spuntoni di vitalba che dovessero fuoriuscire dal tuo intreccio.

Ora il tuo cestino è pronto! (disegno 12)

In campagna...

LA VITALBA

È una pianta che cresce spontanea nei boschi. Si raccolgono in inverno e si utilizzano con la scorza, previo ammollo di un paio di giorni, oppure bolliti e privati della scorza.

Vitalba

IL VIMINI

Il vimini non è costituito che dai rami flessibili del salice. Questo albero, che cresce in zone umide vicine a fiumi, fossati, stagni, da sempre ha donato all'uomo il suo legno, non solo per fare cesti, ma anche, ad esempio, per legare le viti. Meglio raccoglierne i rami in inverno in luna calante e usarli con la corteccia dopo un ammollo di due settimane oppure senza la corteccia dopo un riposo di un giorno.

CANNA PALUSTRE

La canna è un vegetale che cresce ovunque nelle zone umide con clima non troppo freddo. Va raccolta in inverno, scegliendo le canne con 1-3 centimetri di diametro, e va spaccata in 4-8 sezioni. Viene utilizzata di solito per le pareti del cestino.

Olivo

L'OLMO E L'OLIVO

Vivono in zone temperate in gran parte d'Italia. Essi forniscono ramoscelli più legnosi e meno flessibili di quelli del salice, ma possono essere utilizzati anche freschi. Servono soprattutto per fare manici, bordi, fondi.

Questi sono solo i materiali naturali maggiormente usati, ma molti altri sono stati utilizzati dall'uomo: castagno, nocciolo, pioppo, pruno, giunchi, gelso, ginestra, asfodelo, tamerice, mirto ecc.

Olmo

Lo sapevi che?

Alcuni impagliatori hanno pensato di riutilizzare alcuni materiali non naturali, ma che sarebbero diventati rifiuti, come carta di giornale, tetrapak, fili o tubi di plastica, vecchie borsine ecc.
I risultati sono davvero sorprendenti!

Il pollice verde

Come fare una FIONDA

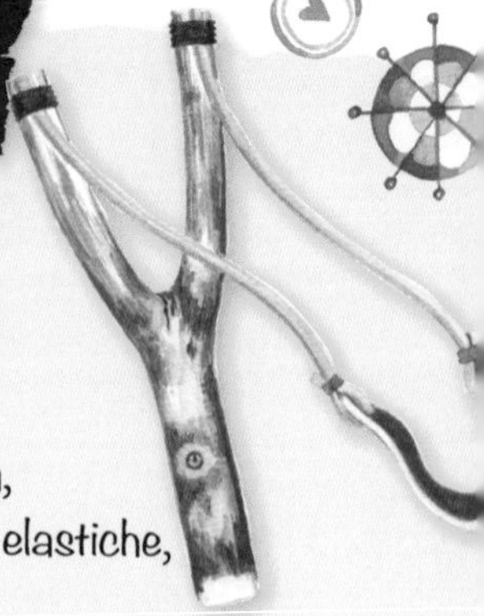

La fionda può essere apparentemente un innocuo giocattolo, ma sappi che gli uomini primitivi la usavano come arma per uccidere prede e per difendersi da animali feroci. Perciò fai attenzione al suo uso: non indirizzare mai i proiettili verso un amico o verso bersagli fragili. Se non sei sicuro di saper lanciare, prima allenati da solo e in luoghi dove non puoi arrecare danni. E avverti sempre un adulto dell'uso della fionda.

Ti serviranno:
un ramo fatto a Y,
un taglierino,
della carta vetrata,
forbici, due fasce elastiche,
filo di nylon,
un pezzo di cuoio o di gomma.

■ Per fare una fionda per prima cosa devi trovare un ramo che presenti naturalmente una biforcazione. (disegno 1)

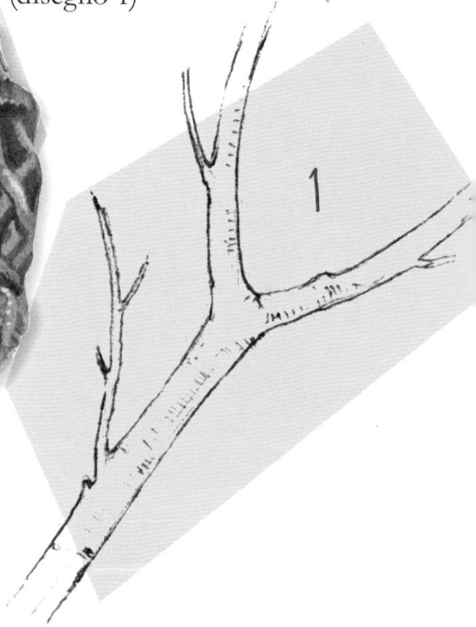

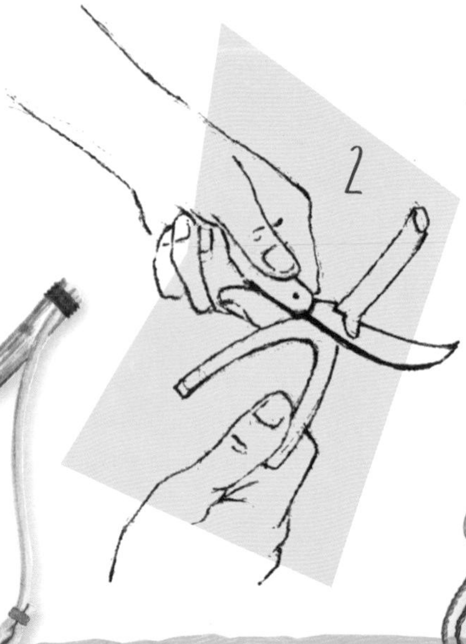

1

■ Rimuovi la corteccia, per renderla più liscia e comoda da maneggiare. Con la carta vetrata leviga eventuali nodi e protuberanze. (disegno 2)

2

Il più famoso guerriero armato di fionda fu Davide. Nella Bibbia si racconta come riuscì a sconfiggere il gigante Golia che terrorizzava l'esercito ebraico, uscendo a duello armato appunto della sola fionda!

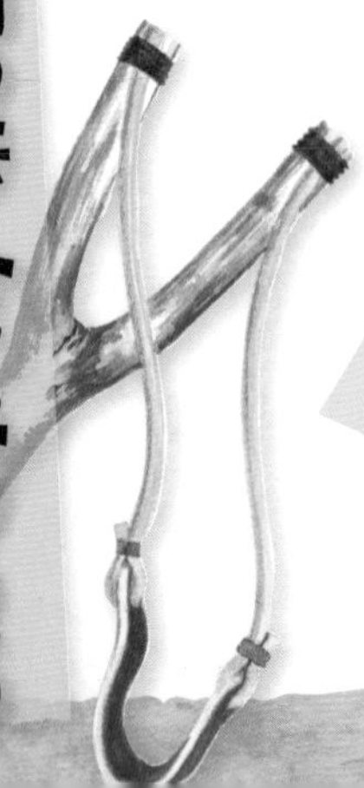

Giochi in mezzo

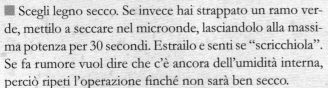

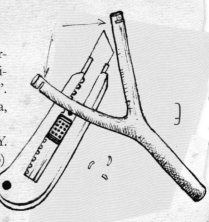

■ Scegli legno secco. Se invece hai strappato un ramo verde, mettilo a seccare nel microonde, lasciandolo alla massima potenza per 30 secondi. Estrailo e senti se "scricchiola". Se fa rumore vuol dire che c'è ancora dell'umidità interna, perciò ripeti l'operazione finché non sarà ben secco.

■ Con un taglierino incidi le tacche all'estremità della Y. Saranno i punti dove fisserai le fasce elastiche. (disegno 3)

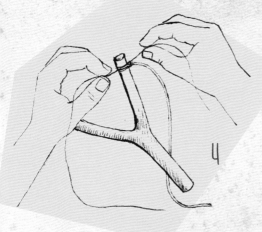

■ Sistema gli elastici tagliandoli a metà e annodando ciascuno di essi a una estremità della Y. Gli elastici troppo corti permettono dei lanci potenti ma sono difficili da tendere. Quelli troppo lunghi invece sono difficoltosi da gestire e spesso non lanciano bene. Trova la misura giusta in base anche alla tua corporatura facendo delle prove. (disegno 4)

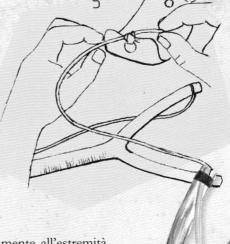

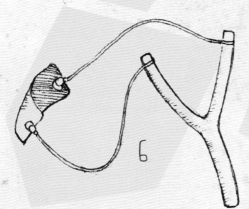

■ Fissa con il filo di nylon i due elastici strettamente all'estremità della forcella, in modo che siano indissolubili.

■ Taglia un pezzo di cuoio o di gomma in un rettangolo di 5x10 centimetri. Pratica una fessura in ciascun lato della tasca usando la punta del taglierino.

■ Infila ciascun elastico in una delle due fessure ai lati del rettangolo di cuoio e fissalo annodandolo sul retro del foro. (disegno 5)

■ Ora la tua fionda è finita. Usala con attenzione. (disegno 6)

... agli alberi

Come fare un ARCO

■ Per fare un arco dovrai scegliere un pezzo di legno che non sia secco ma che sia asciutto. I legni migliori sono la quercia, il limone, il noce, il tasso, l'acacia, il ginepro, il gelso o anche il bambù giovane. La loro lunghezza deve essere di circa un metro e mezzo. Scegli un ramo senza nodi, pieghe, sporgenze. L'ideale sarebbe che fosse più grosso nella parte centrale.

■ Piega leggermente il ramo per trovare la sua curvatura naturale, tenendolo dalle estremità. Con un pennarello indica il punto centrale di maggiore curvatura. Questo punto è quello dell'impugnatura. (disegno 1-2)

■ Elimina con un coltellino ogni irregolarità e sporgenza che impedisca una buona curvatura. Cerca di incidere sulla pancia della curva e non all'interno di essa perché potresti rovinare la capacità di curvatura del legno.

■ Fai delle tacche all'estremità del legno a circa 3-5 centimetri senza incidere troppo. In queste tacche inserisci la corda da tendere. (disegno 3-4)

■ La corda dell'arco, contrariamente a quello che si pensa, non deve essere elastica. Deve essere un filo di cotone, di canapa, di nylon... Devi infilarla nelle tacche delle estremità in modo che sia ben stretta. Deve essere leggermente più corta rispetto all'arco, in modo che l'arco rimanga leggermente curvato e la corda leggermente tesa. (disegno 5)

■ Nella zona segnata per l'impugnatura, applica un fazzoletto di tessuto, una stringa di cuoio, qualcosa che ti permetta di tenere in mano l'arco senza che ti sfugga. (disegno 6)

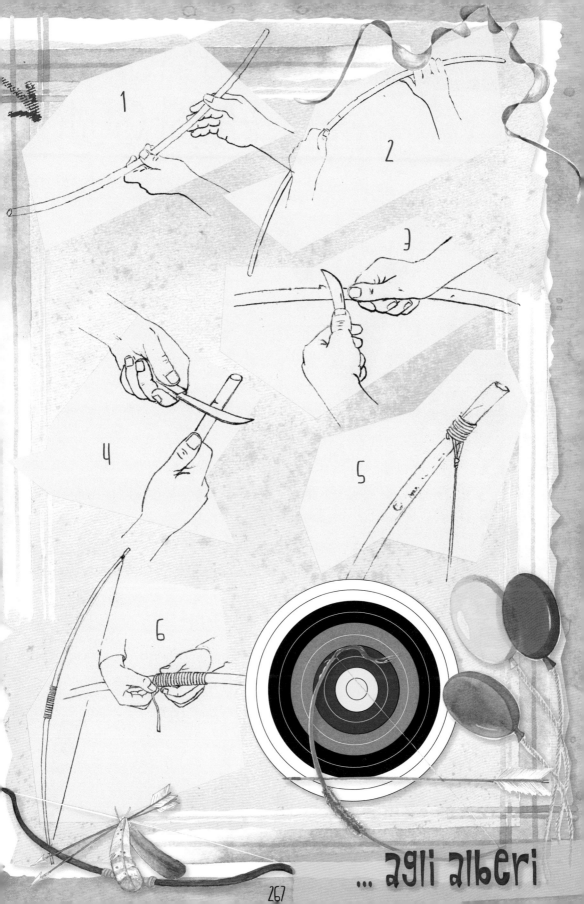

... agli alberi

Costruirsi un proprio BASTONE da PASSEGGIO

Un tempo esistevano bastoni... animati!
Erano bastoni che nascondevano
al loro interno una lama da spada
così il possessore del bastone poteva,
al bisogno, avere un'arma di difesa.

Un bastone è un alleato prezioso nelle camminate e costruirselo da sé è molto divertente e semplice.

IL BASTONE TI SERVIRÀ PER MOLTI SCOPI:

■ per appoggio in caso di camminate su terreni difficili;

■ per tastare il terreno in caso di erba alta o neve in cerca di eventuali fossi e vuoti;

■ per picchiare sul terreno in modo da far scappare eventuali animali pericolosi.

■ per cercare funghi quando è la loro stagione.

■ per salire e scendere pendii irregolari, usato come "terza gamba".

ECCO ALCUNI SEMPLICI PASSAGGI PER CREARE IL TUO BASTONE:

• in primavera, quando la linfa nuova sale verso i rami, taglia un ramo adatto di salice, di castagno, di bosso, di frassino o di nocciolo.

• Deve essere della dimensione giusta e preferibilmente diritto. La misura ideale è quella che ti arriva all'ascella. Non si tratta di un bastone da passeggio, che può arrivare semplicemente alla vita, ma di un bastone che userai in salita ma anche in discesa: se fosse troppo corto non ti servirebbe!

• Taglialo almeno una cinquantina di centimetri più lungo di quanto ti possa servire, perché devi considerare che farai il manico e la punta.

• Elimina tutti i rametti laterali.

• Per fare il manico un tempo si scaldava, senza bruciarla, una delle estremità e poi si metteva in piega, curvandola, con del filo di ferro.

Si teneva legato fintanto che il ramo seccava.

Questa operazione è da fare lentamente, perché il legno potrebbe facilmente spezzarsi.

• Puoi poi intagliare la punta in modo che penetri maggiormente nel terreno. Non farla troppo affusolata, altrimenti rischia di rompersi sul terreno.

• Decora il tuo bastone cesellando la corteccia e il legno in modo da renderlo unico e personale!

Fai attenzione a maneggiare il coltellino e fallo solo se un adulto è con te!

Come costruire

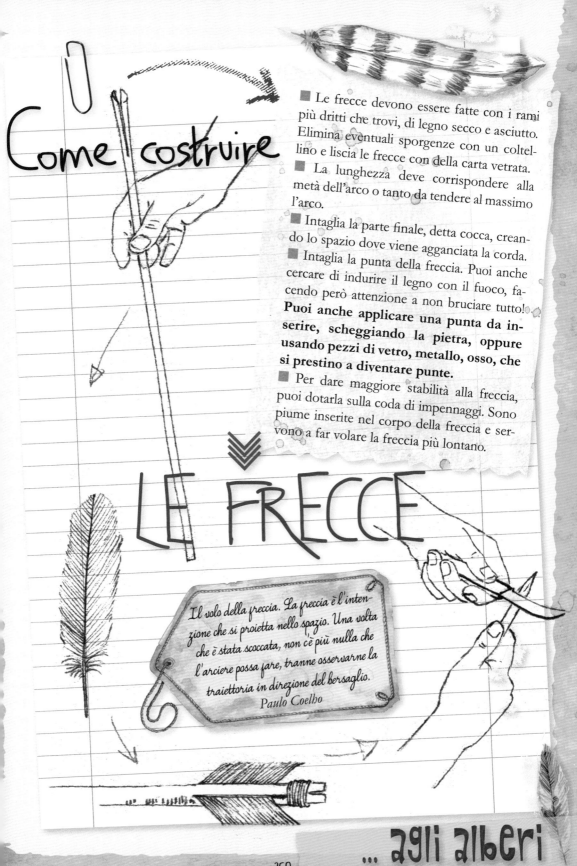

Le frecce devono essere fatte con i rami più dritti che trovi, di legno secco e asciutto. Elimina eventuali sporgenze con un coltellino e liscia le frecce con della carta vetrata.

La lunghezza deve corrispondere alla metà dell'arco o tanto da tendere al massimo l'arco.

Intaglia la parte finale, detta cocca, creando lo spazio dove viene agganciata la corda.

Intaglia la punta della freccia. Puoi anche cercare di indurire il legno con il fuoco, facendo però attenzione a non bruciare tutto!

Puoi anche applicare una punta da inserire, scheggiando la pietra, oppure usando pezzi di vetro, metallo, osso, che si prestino a diventare punte.

Per dare maggiore stabilità alla freccia, puoi dotarla sulla coda di impennaggi. Sono piume inserite nel corpo della freccia e servono a far volare la freccia più lontano.

LE FRECCE

Il volo della freccia. La freccia è l'intenzione che si proietta nello spazio. Una volta che è stata scoccata, non c'è più nulla che l'arciere possa fare, tranne osservarne la traiettoria in direzione del bersaglio.
Paulo Coelho

... agli alberi

Allevamento di farfalle

Allevare le farfalle può contribuire al benessere della vita. Spesso infatti l'uso di pesticidi in campagna e la scomparsa di erbe ritenute dall'uomo infestanti o dannose ha ridotto la presenza di bruchi e quindi di farfalle. Se non te la senti di allevarle, puoi sempre piantare, in terrazzo o in giardino, specie vegetali che possano accogliere e nutrire queste bellissime creature: lavanda, fiordaliso, ortica, agastache...

"Vivere non è abbastanza", disse la farfalla, "uno deve avere il sole, la libertà, ed un piccolo fiore."
Hans Christian Andersen

Le farfalle hanno una grazia incantevole, ma sono anche le creature più effimere che esistano. Nate chissà dove, cercano dolcemente solo poche cose limite, e poi scompaiono silenziosamente da qualche parte.
Haruki Murakami

ALCUNE SPECIE PIÙ COMUNI SONO:

I bruchi della Monarca: si trovano solitamente sulle piante di Asclepia.
I bruchi delle farfalle a Coda di Rondine: si trovano solitamente sulla Lindera.
Quelli delle farfalle Zebra: si trovano comunemente sugli alberi di Asimina.
I bruchi di farfalla Coda di Rondine Nera: si trovano di solito fra le erbe aromatiche, come il prezzemolo, il finocchio, l'aneto.
Quelli delle falene Luna: si trovano sulle foglie degli alberi di castagno e della gomma.
Quelli delle falene Cecropia, Viceré e Pezzata Rossa: si trovano sulle foglie dei ciliegi.

Quando raccogli i bruchi, usa dei guanti di lattice.
La loro peluria può essere irritante!
Meglio comunque trasportarli su un foglio di carta o su una foglia.

Crisalide

Larva di geometride

Le falene sono insetti che, come le farfalle, appartengono alla famiglia dei Lepidotteri. Sono generalmente animali notturni. Le loro antenne, invece che dritte e sottili come quelle delle farfalle, possono avere diverse forme e sono dotate di piume o peli. Anche le ali, invece che aperte o in posizione verticale, si chiudono a tetto sul corpo.

Lysandra bellargus (maschio)

Bruco

Papilio machaon

Lycaena virgaureae (maschio)

Colias croceus

Larva di nottuide

Vanessa cardui

Thecla betulae (maschio)

Argynnis niobe

... farfalle!!!

**Cerca dei bruchi
che facciano la crisalide.**

Il periodo migliore per cercare
bruchi è la primavera e l'estate,
quando le farfalle e le falene
depongono le uova.
Alcune specie si trovano
anche in autunno,
mai in inverno.

A

B

C

Ti serviranno:

un barattolo di vetro con imboccatura
larga e tappo di sughero, guanti di lattice,
una lente di ingrandimento,
dei bruchi, del terriccio povero misto a sabbia,
un vaporizzatore, dei bastoncini, foglie.

*Ciò che il bruco chiama fine
del mondo, il resto del mondo
chiama farfalla.*

LAO TZU

Allevamento di...

272

■ Metti all'interno del vaso terra mista a sabbia e poi il bruco con le foglie su cui l'hai trovato, indice che sono foglie di cui il nostro amico si ciba. Se hai più di un esemplare, calcola che a ogni bruco serve uno spazio tre volte più grande della sua lunghezza per sopravvivere.

■ Con un vaporizzatore bagna leggermente d'acqua la terra, per mantenere un po' di umidità. Non deve fare condensa ai lati del contenitore, perché i bruchi non sopportano l'eccessiva umidità.

■ La terra serve anche perché alcune specie sono solite trasformarsi in pupa sotto terra. Bastano 3-5 centimetri di terra mista a sabbia. (disegno A e B)

■ Apri il barattolo ogni giorno per un po', per far girare nuova aria. Se non vuoi avere questa incombenza, puoi chiudere l'imboccatura con una retina sottile.

■ Metti nel barattolo anche dei legnetti, dei bastoncini. Serviranno al bruco per arrampicarsi, per raggiungere il cibo oppure per decidere di appendere la crisalide a testa in giù.

■ Controlla che i bruchi abbiano sempre cibo in abbondanza. Sono grandi divoratori, anche se a volte mangiano solo un tipo di foglie! Se non trovi la foglia di cui il bruco si ciba, non sperare che se la faccia piacere! Dovrai provare a nutrirlo con altre piante, altrimenti morirà di fame! Il cibo deve essere sempre fresco: i bruchi non mangiano foglie morte o secche. Fai attenzione a non introdurre ragni o parassiti con le foglie del cibo. Potrebbero attaccare i tuoi bruchi.

■ Attendi con pazienza che passino i giorni. I bruchi diventeranno più grandi e cominceranno a perdere la pelle. In questo periodo sembrano essere mezzo addormentati.

Mangiano poco o niente e possono cambiare colore. Se invece si muovono in modo frenetico, stanno cercando un posto per trasformarsi in pupa.

■ Dopo un po' si trasformeranno in crisalidi. In questo momento non c'è bisogno che tu nutra l'insetto, che è dentro il suo bozzolo, ma dovrai sempre cambiare l'aria del barattolo. Non ti preoccupare se le crisalidi durano molto. Possono passare anche dei mesi prima che si aprano!

■ Quando finalmente la farfalla esce avrà le ali bagnate e spiegazzate. Nel giro di qualche ora potrai vedere che si espandono fino a raggiungere le dimensioni della specie. Lascia libera la farfalla non appena è pronta a volare via. (disegno C)

Non toccare mai le ali di una farfalla: esse sono composte da minuscole scaglie, poste l'una sopra l'altra come le tegole di un tetto. Anche un semplice sfioramento può causare la loro rottura!

Attenzione: a volte, invece di una farfalla, dalla crisalide possono uscire dei vermi! Ciò significa che il bruco è stato attaccato e, ahimé, mangiato, da insetti parassiti!

Arctia caia

Lycaena virgaureae (femmina)

Lysandra bellargus (femmina)

Thecla betulae (femmina)

... farfalle!!!

LE FATE-FARFALLE

Le **farfalle** vivono succhiando nettare dai fiori. Il loro apparato boccale lo succhia fin dalla profondità del calice. Poi questo lungo tubo in volo viene ripiegato a spirale sotto la testa.

Le farfalle non hanno una propria temperatura. PER QUESTO AL MATTINO PER POTER VOLARE DEVONO RIMANERE AI RAGGI DEL SOLE E ASSORBIRLI IN MODO DA ATTIVARE I LORO MUSCOLI.

Non appena esce dalla crisalide, la farfalla aspira dalla bocca aria che permette all'emolinfa, il sangue degli insetti, di scorrere attraverso le venature e distendere le ali. Queste si asciugano al sole nel giro di poche ore e già le farfalle sono pronte per scappare via!

Lo sai che le farfalle hanno ispirato agli uomini l'idea che ci possano essere degli esseri incantati che vivono nei boschi?

HAI MAI PROVATO A CERCARE UNA FATA? NO?!?

E magari vuoi dirmi che non l'hai neppure mai vista? Che strano!

Una fata è molto simile a una farfalla: nel bosco vicino a casa tua c'è il piccolo popolo delle Fatefarfalle... qui ti abbiamo messo alcuni loro ritratti.

Prova e vedere se riesci a scoprirle anche tu!

La farfalla non conta gli anni ma gli istanti: per questo il suo breve tempo le basta.

TAGORE

Allevamento di... ...farfalle!!!

Sapete che differenza c'è
tra una valigia
e una porta?

*La valigia si porta,
ma la porta non si valigia.*

Avventura in GIOCHI e ABILITÀ

per piccole mani

*Tutte le cose che sono veramente grandi,
a prima vista sembrano impossibili.*
Friedrich Nietzsche

MISSIONE NATURA

GRANDI PROGETTI PER PICCOLE MANI, ALLA RICERCA DEL RECUPERO INTELLIGENTE!

A casa tutti, anche i più meticolosi a far ordine, abbiamo oggetti che non utilizziamo più e che rischiano di finire, prima o poi, nella spazzatura. Ma sei proprio sicuro che non possano avere un'altra possibilità?

A volte basta davvero poco per creare qualcosa di nuovo, restituendo nuova vita a ciò che pensavamo inutilizzabile.

A volte, poi, pensi che solo avendo quel giocattolo tanto pubblicizzato potrai divertirti? Quante volte, dopo aver ottenuto il regalo che davvero volevi e che pensavi fosse il giocattolo più bello che potesse esistere, ti sei accorto che in realtà non era poi così divertente?

I giochi più divertenti sono anche quelli più semplici e spesso non c'è bisogno di andare a comprarli nei negozi, perché te li puoi creare da solo!

Giocare con carta, colla, forbici, colori, stoffe, fa bene a te e fa bene all'ambiente.

Sviluppa il tuo lato creativo: non è una perdita di tempo, ma un modo per impiegare il tuo cervello in qualcosa di fantasioso e utile!

La creatività, infatti, è sinonimo di genialità!

Ogni bambino che nasce è in qualche misura un genio, così come un genio resta in qualche modo un bambino.
Arthur Schopenhauer

276

Strumenti musicali con materiali di RECUPERO

le Maracas fai da te

RISO

COLLA

Ti serviranno:
vasetti di yogurt, riso,
colla adesiva per plastica,
stickers o colori permanenti.

■ Prendi i vasetti di yogurt, riempili di riso, sovrapponili e incollali l'uno sopra l'altro.

■ Decora i vasetti come più ti piace con stickers o colorandoli con i colori permanenti per plastica.

PIATTI SONORI

Puoi decidere di fare un concerto di... "piatti"!
Prendi tanti coperchi di pentole, scegliendo preferibilmente quelli che la mamma non usa più. Lega con fili di lana i "piatti", agganciandoli ai pomelli o ai manici, e assicurandoli a un bastone, in modo che pendano tutti alla medesima altezza e alla stessa distanza fra loro.
Usa poi un mestolo di ferro o un grande cucchiaio come battente: ogni "piatto" produrrà una vibrazione diversa e un suono particolare.

Strumenti... ...musicali

Strumenti musicali con materiali di RECUPERO

le Nacchere fai da te

In spagnolo le nacchere si chiamano castañuelas, perché tradizionalmente venivano create con il legno di castagno. Altri legni impiegati sono palissandro, ebano, rovere, tutti legni di particolare durezza per conferire alle nacchere il caratteristico suono forte e incisivo.

Ti serviranno:

due gusci di noce, cartoncino, colla, forbici.

Taglia il cartoncino in una striscia rettangolare lunga quanto la distanza tra indice e pollice, misurandolo nella mano che si chiude a becco. Incolla sulle estremità del cartoncino il guscio di noce spaccato a metà, rivolgendo la parte concava all'esterno. Ecco la tua nacchera, che suonerà quando i due mezzi gusci, premuti dalle tue dita, sbatteranno l'uno contro l'altro.

L'ARPA in scatola

Prendi una scatola, anche di scarpe, e toglile il coperchio.
Decora l'interno della scatola come più ti piace: con colori, con collage, con stickers...
Ora su due bordi opposti della scatola fai dei fori a distanze regolari.
Fai passare nei fori un cordoncino elastico, in modo da creare tanti fili paralleli tra loro che riempiano il corpo centrale della scatola.
Pizzica il filo elastico e ascolta il suono dell'arpa nella scatola.
Se vuoi renderla ancora più realistica, puoi tagliare il fondo della scatola e mantenere solo i bordi attorno.

Strumenti...

SONAGLIERA
di tappi d'alluminio

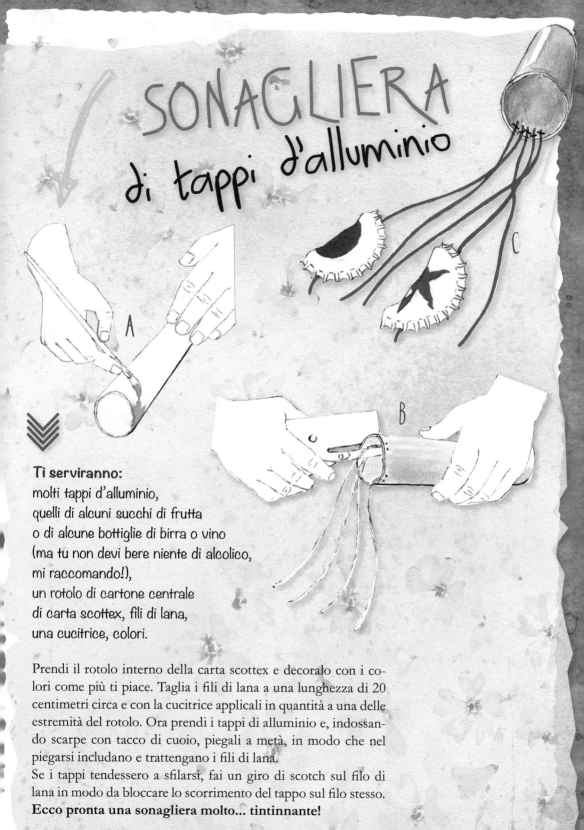

A

C

B

Ti serviranno:
molti tappi d'alluminio,
quelli di alcuni succhi di frutta
o di alcune bottiglie di birra o vino
(ma tu non devi bere niente di alcolico,
mi raccomando!),
un rotolo di cartone centrale
di carta scottex, fili di lana,
una cucitrice, colori.

Prendi il rotolo interno della carta scottex e decoralo con i colori come più ti piace. Taglia i fili di lana a una lunghezza di 20
centimetri circa e con la cucitrice applicali in quantità a una delle
estremità del rotolo. Ora prendi i tappi di alluminio e, indossan-
do scarpe con tacco di cuoio, piegali a metà, in modo che nel
piegarsi includano e trattengano i fili di lana.
Se i tappi tendessero a sfilarsi, fai un giro di scotch sul filo di
lana in modo da bloccare lo scorrimento del tappo sul filo stesso.
Ecco pronta una sonagliera molto... tintinnante!

... musicali

Strumenti musicali con materiali di RECUPERO

il GUIRO con i barattoli

Il guiro (si pronuncia ghiro) **è uno strumento tipico dell'America Latina**, dove viene costruito con canne di bambù o zucche essiccate e vuote che vengono rigate sulla superficie. Puoi costruire un guiro perfetto usando dei barattoli di alluminio che abbiano delle sporgenze ad anello e suonarlo con bastoncini. Anche quelli del gelato vanno bene.

Strumenti... ARMONICA a cristalli

Questo strumento è facile da costruire ma piuttosto delicato.

Si tratta di un insieme di bicchieri di cristallo, di diverse forme e dimensioni. Riempili di acqua a diverse altezze. Se sfiori i bordi con le dita inumidite, facendo dei cerchi lungo i bordi stessi, ti danno suoni dolci e penetranti. La bellezza è che, variando la quantità d'acqua, cambia anche il loro suono.

Una curiosità: questa armonica era molto in voga nei salotti del Settecento. Lo scienziato Benjamin Franklin ne costruì una su un vassoio che portava una ventina di coppe e che ruotava azionato dal piede di chi suonava.

CHITARRA
fai da te

Una chitarra per suonare deve avere un corpo cavo e delle corde che passano sopra la cavità per produrre il suono. Puoi costruirti una chitarra prendendo una bottiglia di plastica chiusa dal tappo. Incidi una finestrella nella zona centrale del corpo della bottiglia (va bene un rettangolo di 4x5 centimetri). Passa sulla fessura degli elastici, non troppo lunghi, in modo che stiano ben tesi.

Se pizzichi gli elastici, la loro vibrazione risuonerà nella cassa armonica della bottiglia e farà "suonare" la tua chitarra.

il BASTONE
della pioggia

Il bastone della pioggia è uno strumento che ha origini molto antiche. È diffuso in Australia ma è tipico delle popolazioni sud americane. In origine era fatto con un pezzo di cactus cavo in cui erano state conficcate le spine del cactus stesso, riempito con pietruzze o pezzetti di conchiglie. Era utilizzato nelle cerimonie religiose legate alla richiesta della pioggia, di cui imitava il suono.

Ti serviranno:

un tubo di cartoncino rigido (quello interno ai rotoli di carta pacco o regalo o quello per spedizioni di poster), plastica morbida (va bene anche quella di un palloncino sgonfiato), scotch da pacchi, chiodi lunghi poco meno del diametro del tubo, fagioli secchi.

■ Infila i chiodi creando una sorta di linea a spirale che corra attorno al tubo in tutta la sua lunghezza.

■ Ritaglia un cerchio dalla plastica qualche centimetro più grande del diametro del tubo e, con lo scotch, chiudi una della estremità del tubo.

■ Riempi il tubo di fagioli secchi.

■ Chiudi anche la seconda estremità del tubo con la plastica e lo scotch da pacchi.

Ecco pronto il tuo bastone della pioggia: se lo scuoti o lo capovolgi e chiudi gli occhi ti sembrerà di essere in una foresta tropicale durante un temporale!

... musicali

Strumenti musicali con materiali di RECUPERO

Ti serviranno:
delle scatoline di plastica o di cartone
non troppo grandi,
una asticciola di legno,
delle perle di plastica grandi
(quelle per collane da bambini piccoli),
spago.

Fai dei fori sui quattro lati intorno alla scatolina, come nel disegno, e infila nei fori lo spago a una lunghezza giusta affinché, girando il tamburello, la sua estremità finisca sul corpo della scatolina. Alle estremità dei quattro pezzi di spago annoda le perle di plastica per creare i tuoi batacchi. Infila la scatolina sull'asticciola di legno. Decora il tutto come più ti piace. Quando girerai tra le mani l'asticciola i battenti andranno a colpire la scatolina provocando un tamburellamento alternato.

TAMBURELL con batacchi

TAMBURO fai da te

Strumenti...

Ti serviranno:
un vaso da fiori in plastica, un pezzo di camera d'aria sufficiente a sopravanzare di qualche centimetro la larghezza dell'imboccatura del vaso, un trivellino, un anello da tendaggio in plastica o legno, spago.

Taglia la camera d'aria in un cerchio che abbia una circonferenza di qualche centimetro più larga di quella dell'apertura del vaso. Con il trivellino scaldato su una fiamma (fai attenzione a non bruciarti!) fai dei fori a distanza regolare lungo il bordo della camera d'aria, in modo che i fori si trovino sui bordi del vaso e non sull'imboccatura.
Ora stendi la camera d'aria a coprire il vaso e lega un capo dello spago all'anello da tenda, che andrà posizionato al centro sul fondo dello stesso. Capovolgi il tutto e passa lo spago alternativamente nei fori e attorno all'anello da tenda, in modo da creare una discreta tensione che tenga la camera d'aria tesa sul vaso. **Una volta finita tutta la legatura, ecco pronto il tuo tamburo!**

la SCATOLA del vento

In una scatola, che può essere di latta, di cartone o di plastica, racchiudi ritagli di materiali semirigidi tipo plastica, cartone, carta...
Facendo oscillare la scatola potrai sentire il rumore del vento e lo stormire delle foglie. **È davvero rilassante!**

il KAZOO

Il kazoo è uno strumento originario dell'Africa. È costituito da un corpo cavo che vibra quando vi si canta dentro, perché a una delle estremità è posta una membrana che risuona
È stato particolarmente utilizzato nel blues.
Puoi costruirne uno tutto tuo utilizzando un tubo di cartone rigido, di plastica o di metallo.
Applica con un elastico una membrana di carta da forno o di pellicola per alimenti a una estremità del tubo. **Usa l'altra estremità del tubo per cantarci dentro e far suonare il tuo kazoo.**

... musicali

Il TELEFONO senza fili

1

2

3

Come sarebbe stata diversa la storia di Romeo e Giulietta se avessero avuto un telefono!
Isabel Allende

Invenzioni...

Ti serviranno:
due lattine di metallo, un martello, un chiodo, spago.

■ Apri le lattine e, con la supervisione di un adulto, appiattisci i bordi dell'apertura, per non tagliarti, con l'aiuto di un martello. (disegno 1)

■ Ora chiedi a un adulto di creare con martello e chiodo un foro sul fondo delle lattine. (disegno 2)

■ Infila lo spago attraverso questo buco, in modo da introdurlo all'interno della lattina, e assicuralo con un nodo in modo che non si possa sfilare. Fai la stessa cosa con l'altro capo del filo e l'altra lattina.

■ Ora usa questo telefono tenendo una lattina e passando la seconda all'amico con cui vuoi comunicare. (disegno 3)

■ Se tu appoggerai la bocca parlando all'interno della lattina e il tuo amico appoggerà l'orecchio all'interno della sua lattina per ascoltare, potrete sentirvi!

ATTENTO: per funzionare bene, il telefono senza fili deve avere lo spago ben teso tra le due lattine.

Come costruire un CALEIDOSCOPIO

Ti serviranno:

un disco di plexiglass di 5 centimetri di diametro, sottile di spessore e trasparente, un disco di plexiglass uguale, solo leggermente più grande (5,5 centimetri di diametro), due tubi di cartone, quelli all'interno dei rotoli scottex, che siano uno più stretto dell'altro in maniera tale da poter infilare il più stretto nel più largo.

Per poter combaciare con le misure del plexiglass che ti abbiamo dato, il primo deve essere di 5 centimetri di diametro e lungo 20,5, il secondo deve essere di 5,5 centimetri di diametro e lungo 21.

Tre rettangoli di specchio, larghi a sufficienza da passare all'interno del tubo di carta più stretto e della stessa lunghezza di questo (cioè larghi 3,8 centimetri e lunghi 20). Un disco di cartone di 5,5 centimetri di diametro con un foro centrale, pezzi di plastica colorata, perline, bottoni, frammenti di vetro ecc.

◾ Unisci gli specchi con del nastro adesivo in modo da formare una figura triangolare, rivolgendo le superfici di specchio all'interno.

◾ Infila gli specchi nel tubo più stretto.

◾ Infila poi il tubo più stretto e gli specchi nel tubo più largo.

◾ Appoggia agli specchi, infilati internamente al tubo più stretto, il plexiglass più piccolo.

◾ Appoggia al plexiglass i vari elementi colorati.

◾ Copri gli elementi colorati con il plexiglass più grande, in modo che blocchi i vari frammenti colorati.

◾ All'estremità opposta del tubo attacca il disco di cartone per la visione.

Ora rigira il cartone esterno e osserva: il movimento farà scivolare i frammenti colorati trattenuti tra i due dischi di plexiglass e gli specchi rifrangeranno la loro immagine scindendola in mille forme!

... geniali !!!

Come prendere la MISURA con il SOLE

*C'è qualcuno seduto all'ombra oggi
perché qualcun altro ha piantato
un albero molto tempo fa.*
Warren Buffett

*Chi vede un gigante esamini prima
la posizione del sole e faccia attenzione
che non sia l'ombra di un pigmeo.*
Novalis

Se non sai la misura di qualcosa di molto alto (un albero, un edificio, un lampione ecc.) e hai un metro e un bastone a tua disposizione, puoi utilizzare l'ombra che il sole proietta in questa maniera:

■ misura la lunghezza dell'ombra della cosa di cui vuoi sapere l'altezza.

■ Misura l'ombra del bastone tenendolo perfettamente verticale.

Ora esegui questo calcolo:

■ moltiplica la lunghezza dell'ombra della cosa x la lunghezza del bastone.

■ Dividi il totale per la lunghezza dell'ombra del bastone.

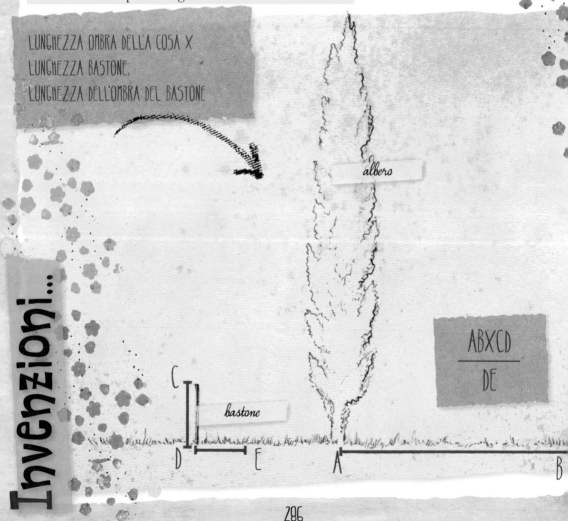

LUNGHEZZA OMBRA DELLA COSA X
LUNGHEZZA BASTONE.
LUNGHEZZA DELL'OMBRA DEL BASTONE

albero

$$\frac{AB \times CD}{DE}$$

bastone

Invenzioni...

Una volta non esistevano sistemi di misurazione così precisi e internazionali come li abbiamo oggi. Spesso per prendere le misure si usavano... le parti del corpo! Alcune misure hanno ancora, nel nome e nella proporzione, il ricordo della parte del corpo interessata alla misura.

il passo

Eccoti alcuni esempi:

■ **il piede:** corrisponde alla misura media di un piede adulto, circa 32 centimetri.

■ **La spanna:** corrisponde alla distanza che separa il pollice dal mignolo tenendo la mano bene aperta, con le dita divaricate. Si arriva a circa 23 centimetri.

■ **Il passo:** equivale alla lunghezza di un passo, circa 74 centimetri.

■ **Il cubito:** corrisponde alla lunghezza che va dal gomito al dito medio, tenendo il braccio piegato a 90°. Sono circa 44 centimetri.

■ **Il palmo:** è la misura del palmo, ovvero della parte interna della mano. Equivale a circa 8 centimetri.

■ **Il dito:** è l'equivalente della larghezza di un dito, circa 2 centimetri.

il piede

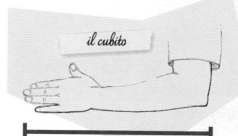

il cubito

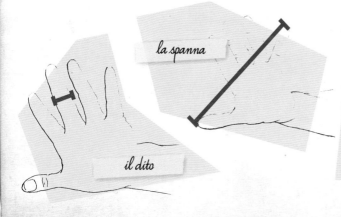

la spanna

il dito

il palmo

...geniali !!!

Come fare un copricapo da »TORO SEDUTO

"Lungo il cammino della vostra vita
fate in modo di non privare
gli altri della felicità.
Evitate di dare dispiaceri ai vostri
simili ma, al contrario, vedete
di procurare loro gioia
ogni volta che potete!"
Proverbio Sioux

Ti serviranno:
cartoncino ondulato, cartoncino, colori, scotch, colla, forbici, adesivi, brillantini, colla glitterata, decorazioni varie.

■ Taglia il cartoncino ondulato in una striscia di pochi centimetri, posizionalo in testa e prendi la misura adatta a formare un copricapo. (disegno 1)

■ Prendi un cartoncino bianco e piegalo a fisarmonica più volte. Disegna sul primo spicchio una piuma, quindi ritaglia l'intero cartoncino piegato in forma di piuma: ne verranno ritagliate tante quante sono le facce piegate. (disegno 2)

■ Colora le piume come più ti piace. (disegno 3)

■ Alla loro estremità attacca con lo scotch degli stuzzicandenti. Ora infila gli stuzzicadenti nel cartoncino ondulato fissando, se necessario, le piume con dello scotch. Decora infine il copricapo per renderlo davvero speciale! (disegno 4)

"Che cos'è la vita?
Lo sfavillare di una lucciola nella notte.
Il respiro sbuffante di un bisonte
nell'inverno. La breve ombra che scorre
sopra l'erba e si perde dentro il sole".
Piede di Corvo

DISCORSO DI TORO SEDUTO ALL'UOMO BIANCO

TORO SEDUTO è il nome tradotto di un grande capo indiano della tribù dei Sioux. In realtà il vero nome era **Bisonte** (maschio) **Seduto**.
Essendo fin da giovane uno dei saggi della sua tribù, si distinse soprattutto per aver guidato oltre 3500 guerrieri della sua tribù e dei Cheyenne nella famosa battaglia di Little Big Horn, dove le truppe dei coloni guidate dal generale Custer subirono una pesante sconfitta.

Quando avranno inquinato l'ultimo fiume, abbattuto l'ultimo albero, preso l'ultimo bisonte, pescato l'ultimo pesce, solo allora si accorgeranno di non poter mangiare il denaro accumulato nelle loro banche.

1

2

3

4

... geniali !!!

La nobile arte di fare e sciogliere nodi risale ai tempi più remoti della civiltà umana e il loro uso varia da una funzione pratica a quella semplicemente decorativa. Questo manualetto vuole essere un'introduzione a un mondo sconosciuto ai più. In realtà non è importante conoscere molti nodi. Chichester, uno dei più prestigiosi velisti dei tempi moderni, sosteneva che i nodi che è indispensabile conoscere si limitano a quattro, cinque. È utile dunque conoscere quei nodi che permettono di far fronte a qualsiasi situazione. È molto importante infatti saper eseguire un nodo ben fatto velocemente e in sicurezza. Per eseguire nodi ben fatti non sono necessari particolari requisiti, se non una discreta abilità manuale, che comunque viene acquisita con la pratica. È sempre bene iniziare utilizzando delle corde, non pezzi di spago o lacci, che non permettono una buona resa, e rendono difficoltosa la corretta esecuzione del nodo. Per i primi tentativi vanno benissimo le corde vendute dai ferramenta, per poi passare, una volta acquisita la destrezza sufficiente, a quelle proposte dai negozi specializzati. Il mercato offre una grande varietà di cordame: da quello in cotone, canapa o sisal, alle fibre sintetiche, che stanno sostituendo quasi completamente le fibre naturali. Le fibre naturali presentano alcune caratteristiche fondamentali: solidità, robustezza, grande resistenza all'usura e agli agenti atmosferici. Per contro, oltre a queste, le fibre sintetiche offrono in più degli innegabili vantaggi: non assorbono l'acqua, sono leggere e assorbono le sollecitazioni in modo eccellente.

Parti della corda

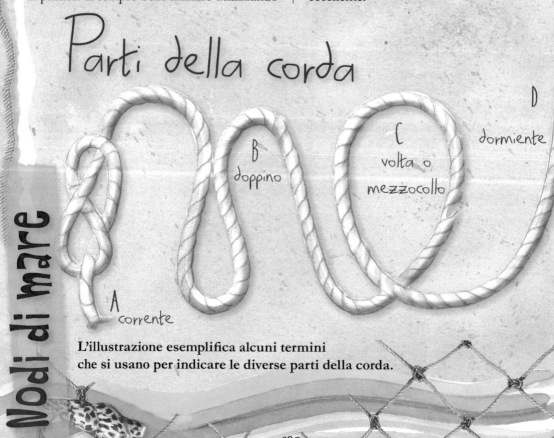

B doppino

C volta o mezzocollo

D dormiente

A corrente

L'illustrazione esemplifica alcuni termini che si usano per indicare le diverse parti della corda.

È necessario conoscere alcuni termini utili del mondo dei nodi. In questo manualetto si è cercato di utilizzare un linguaggio molto semplice, non strettamente tecnico e lontano dal gergo marinaro; di seguito vengono comunque proposti alcuni vocaboli che incontrerete nella descrizione dei nodi.

Categorie di nodi

I nodi vengono divisi per categoria in base alla funzione che svolgono. **Le principali sono:**

NODI A OCCHIO
Gassa d'amante, gassa doppia, Savoia doppio, nodo scorsoio, nodo delle guide.

Terminologia

ANIMA: la parte interna della corda, costituita dall'insieme delle fibre intrecciate

ASSUCCARE: stringere il nodo

CAVO: in generale indica la corda e ogni tipo di cordame

CIMA: utilizzato nel linguaggio nautico, sinonimo di corda

CORRENTE: estremità o parte della corda che si muove per formare il nodo

DOPPINO: corda ripiegata su se stessa, a formare una U

DORMIENTE: nell'esecuzione del nodo contrapposto a corrente, indica la parte della corda che rimane ferma

GOMENA: corda di grosso diametro

TIRANTE: parte della corda alla quale viene applicata la potenza

VOLTA: giro fatto con una corda, fondamentale nell'esecuzione dei nodi

NODI DI AVVOLGIMENTO
Bocca di lupo, due mezzi colli, parlato o barcaiolo, costrizione.

NODI DI ARRESTO
Nodo semplice, nodo Savoia, nodo francescano.

NODI DI GIUNZIONE
Nodo inglese, nodo vaccaio, nodo di scotta o bandiera, nodo Hunter, nodo piano, nodo di giunzione Savoia.

NODI DI ACCORCIAMENTO
Margherita, doppino.

LEGATURE
Legatura 1, legatura 2.

Nodi di mare

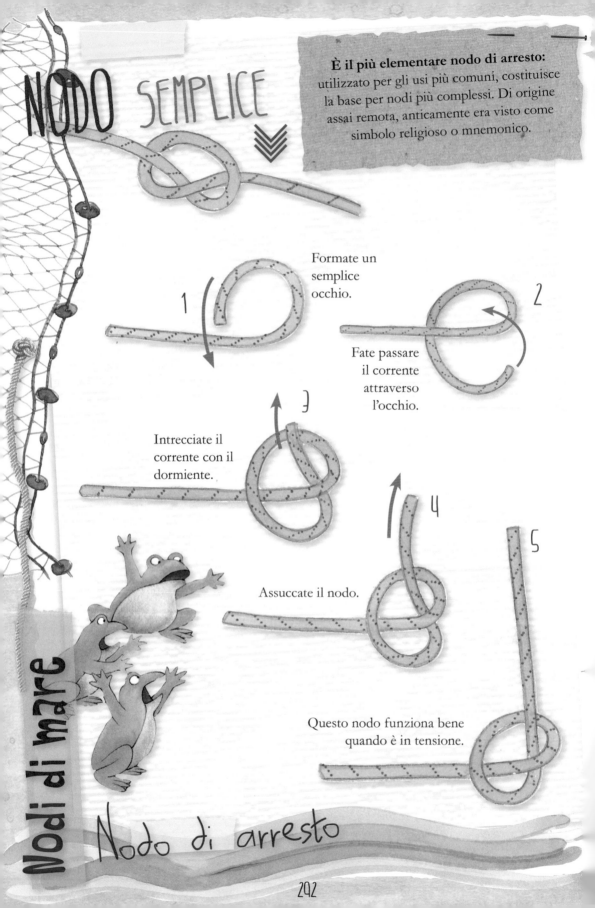

NODO SEMPLICE

È il più elementare nodo di arresto: utilizzato per gli usi più comuni, costituisce la base per nodi più complessi. Di origine assai remota, anticamente era visto come simbolo religioso o mnemonico.

1

Formate un semplice occhio.

2

Fate passare il corrente attraverso l'occhio.

3

Intrecciate il corrente con il dormiente.

4

Assuccate il nodo.

5

Questo nodo funziona bene quando è in tensione.

Nodo di arresto

292

NODO A OCCHIO

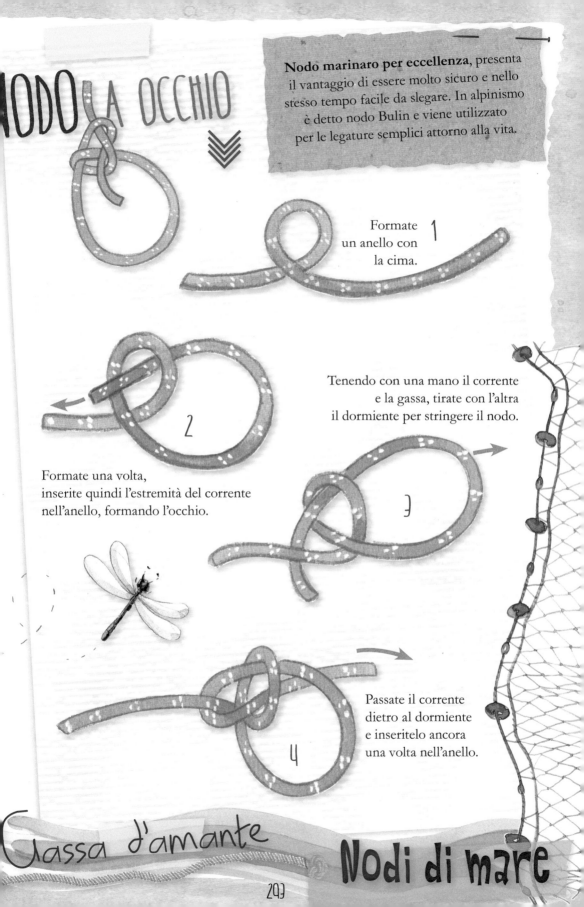

Nodo marinaro per eccellenza, presenta il vantaggio di essere molto sicuro e nello stesso tempo facile da slegare. In alpinismo è detto nodo Bulin e viene utilizzato per le legature semplici attorno alla vita.

Formate un anello con la cima. 1

Formate una volta, inserite quindi l'estremità del corrente nell'anello, formando l'occhio.

2

Tenendo con una mano il corrente e la gassa, tirate con l'altra il dormiente per stringere il nodo.

3

Passate il corrente dietro al dormiente e inseritelo ancora una volta nell'anello.

4

Gassa d'amante

Nodi di mare

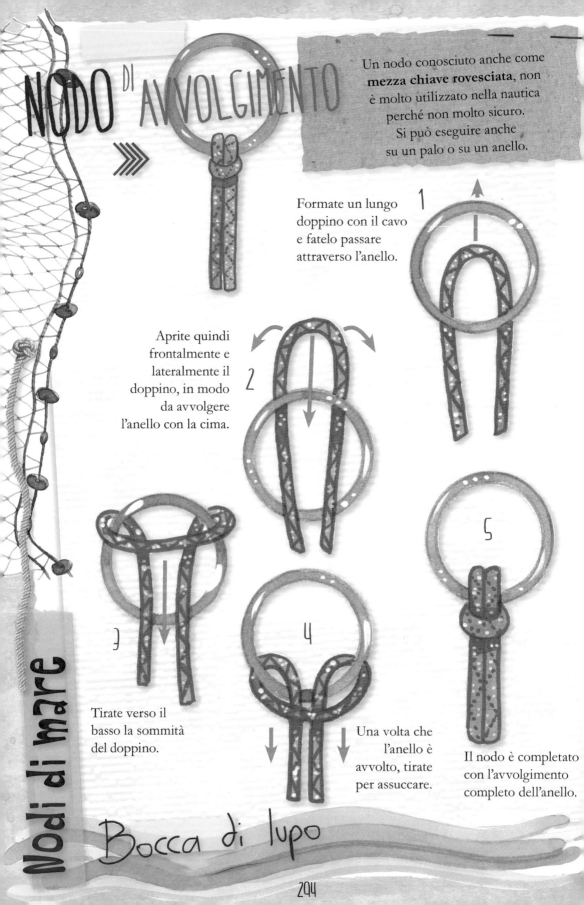

NODO DI AVVOLGIMENTO

Un nodo conosciuto anche come **mezza chiave rovesciata**, non è molto utilizzato nella nautica perché non molto sicuro.
Si può eseguire anche su un palo o su un anello.

Formate un lungo doppino con il cavo e fatelo passare attraverso l'anello.

1

Aprite quindi frontalmente e lateralmente il doppino, in modo da avvolgere l'anello con la cima.

2

3

Tirate verso il basso la sommità del doppino.

4

Una volta che l'anello è avvolto, tirate per assuccare.

5

Il nodo è completato con l'avvolgimento completo dell'anello.

Nodi di mare

Bocca di lupo

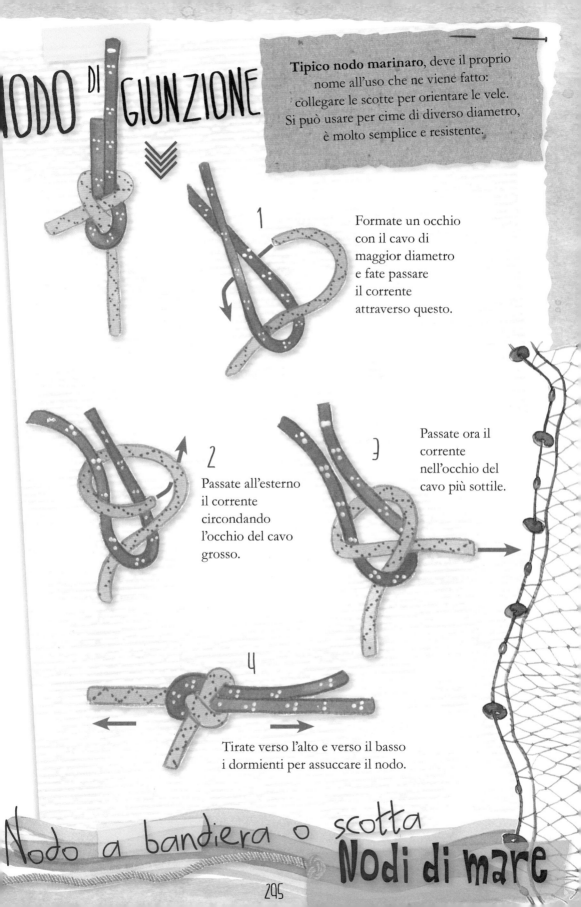

1 Formate un occhio con il cavo di maggior diametro e fate passare il corrente attraverso questo.

2 Passate all'esterno il corrente circondando l'occhio del cavo grosso.

3 Passate ora il corrente nell'occhio del cavo più sottile.

4 Tirate verso l'alto e verso il basso i dormienti per assuccare il nodo.

Nodo a bandiera o scotta

Nodi di mare

Come fare AQUILONI
LA LORO STORIA E IL LORO UTILIZZO. PICCOLO GIRO INTORNO AL MONDO.

Un aquilone in volo è la libertà... legata ad un filo, un gioco allegro e spensierato con il vento, una continua sfida contro la gravità.

Non sempre ricordiamo la millenaria storia che accompagna questi oggetti che possono essere estremamente semplici o straordinariamente complessi. Pare che i primi aquiloni siano stati utilizzati in Asia circa 2800 anni fa, probabilmente grazie alla presenza del materiale adatto alla loro costruzione: tessuto di seta per la velatura, fili di seta intrecciata per i cavi di ritenuta e legno di bambù, elastico e resistente, per il telaio. **Il loro scopo era quello di misurare le distanze, portare messaggi o segnali, capire il vento, spesso per utilizzi militari.**
Numerosi scritti parlano di aquiloni abbastanza grandi, utilizzati per trasportare persone. In alcuni paesi, come in Thailandia o in Polinesia, erano utilizzati nelle funzioni religiose per diffondere le preghiere agli dèi.

In Europa sono giunti relativamente tardi, importati da marinai, circa 500 anni fa e utilizzati nelle ricerche scientifiche relative al volo, alla meteorologia, alla trasmissione di onde radio, all'elettricità e alla fotografia.

Nel mondo sono chiamati: Kaghaz Paran (Afghanistan), Cerf volant (Francia), Drachen (Germania), Patang (India), Kite (Inghilterra), Cometas (Spagna), Drake (Svezia) e in tanti altri modi che spesso richiamano la forma di un animale o di una figura del cielo.

In India, Cina e Afghanistan sono utilizzati in gare e combattimenti, cui partecipano sempre numerose persone, in altri paesi si utilizzano per pescare (perché permettono un lancio molto lungo). In quasi tutto il mondo oggi si tengono festival e competizioni che appassionano e fanno sognare grandi e bambini.

Gli aquiloni possono essere classificati in base alla loro forma o alla loro funzione. In base alla forma ci sono quelli piani, che si sviluppano su un solo piano, convessi, il cui piano è arcuato, tenuto in tensione verso l'alto o verso il basso da un cavo, tridimensionali o cellulari, composti da più piani inclinati o perpendicolari all'assetto di volo, gonfiabili, cioè che si gonfiano con l'aria salendo in volo o rotanti, cioè che ruotano intorno a un asse. In base alla loro funzione ci sono quelli statici, che rimangono in aria in una posizione fissa, quelli combattenti in grado di compiere giri, picchiate, voli orizzontali e obliqui, adatti a recidere i cavi degli aquiloni avversari e quelli acrobatici, costruiti per poter compiere varie acrobazie nel cielo. Gli aquiloni sono costituiti generalmente da una vela, un telaio e una briglia, ed eventualmente da code; questi elementi possono essere di svariati materiali ed estremamente diversi. In queste pagine troverai alcuni modelli di aquiloni e di macchine volanti costruiti con materiali semplici e spesso di recupero, a volte con materiali naturali. Per tutte le stagioni: per costruire in inverno e far volare in primavera, raccogliere e inventare d'estate e sperimentare con il vento dell'autunno... e ora... **Buon lavoro!!!!**

Aquiloni

1

2

3

Ti serviranno:

un sacchetto di carta robusta a base rettangolare,
nastro adesivo robusto, colla stick,
lenza da muratori, forbici, carta crespa,
un'asta di legno sottile, un seghetto da legno,
una girella da pescatore (eventuale).

4

Aquilone a busta

Questo può essere considerato il più
semplice aquilone cellulare...
e vola anche molto bene!!!

5

■ Elimina le maniglie, apri la parte inferiore del sacchetto e incollala all'interno. (foto 1)

■ Taglia l'asta di circa 4 cm più lunga dell'apertura del sacchetto e fissala lungo il lato inferiore dell'apertura, lasciandola sporgere in parti uguali. (foto 2)

■ Taglia un pezzo di spago lungo 50 cm e fissa i capi alle estremità dell'asta. Fai un occhiello al centro. (foto 3-4)

■ Lega una girella all'estremità di una lenza lunga almeno 10 m e collegala all'occhiello.
Attacca le code fatte con le strisce di carta crespa agli angoli dell'apertura posteriore.
(foto 5)

Aquiloni

Apilone

Ti serviranno:
un bicchiere di plastica piccolo, nastro adesivo colorato (giallo e nero),
un sacchetto di plastica, pennarello indelebile, colla attaccatutto,
forbici a punta fine, un punteruolo, spago o lenza da muratore lunga 70 cm circa,
un'astina di legno (in questo caso è stata utilizzata una bacchetta per il riso).

■ Taglia il fondo del bicchiere e fai due fori opposti sul bordo superiore.
(foto 1-2)

■ Inserisci lo spago, decora con il nastro adesivo e disegna con il pennarello
gli elementi caratterizzanti. Ritaglia e
attacca le ali (fatte con l'involucro di
un pacchetto di fazzoletti di carta, o
un sacchetto di plastica). (foto 3-4)

■ Aggiungi la coda e collega lo spago
all'astina di legno. (foto 5)

Aquiloni

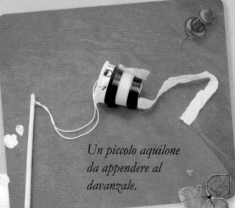

*Un piccolo aquilone
da appendere al
davanzale.*

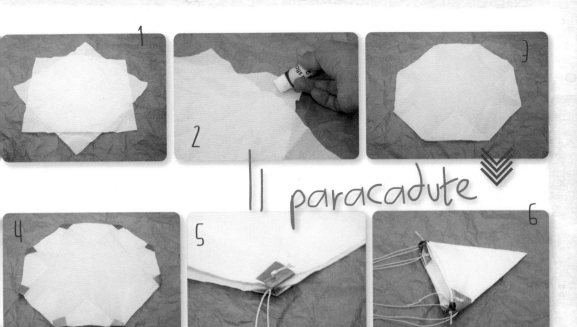

Il paracadute

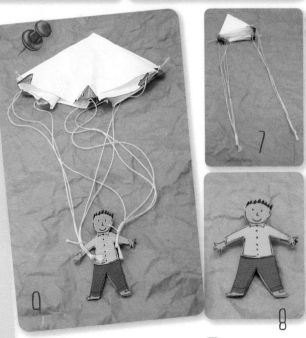

*Un classico dei giochi volanti,
da fare da soli o in compagnia.*

Sovrapponi i due tovaglioli, in modo a formare una stella. (foto 1)

Piega gli angoli per sovrapporli all'al-o foglio e incollali. (foto 2-3)

Rinforza gli otto angoli ottenuti. (foto 4)

Buca ogni angolo, infila in ognuno un pezzo di spago lungo 40 cm e fissalo con uno o due nodi. (foto 5)

Piega il paracadute in spicchi, lega i capi dei fili in due blocchi di quattro ciascuno. (foto 6-7)

Prepara un personaggio di cartone e "vestilo" con i cartoncini colorati, imbragalo nei due blocchi di fili, taglia due pezzi di filo e blocca le braccia nell'imbrago. (foto 8-9)

Per lanciare il paracadute piega le due pieghe opposte all'interno e ripiega il triangolo ottenuto su se stesso.
Pronti per volare!!!

Ti serviranno:
due tovaglioli di carta, matita, gomma, forbici, un punteruolo (eventuale), colla stick, lenza da muratore, nastro adesivo robusto, cartoncino spesso almeno 3 mm (recuperato da una scatola), cartoncini colorati per le decorazioni dell'omino, pennarello nero.

Aquiloni

Aquilone tubolare: il pesce volante

*Si dice che le carpe volanti, se legate vicino ad una casa, portino
buona fortuna ai suoi abitanti, ecco un modo semplice per farle.*

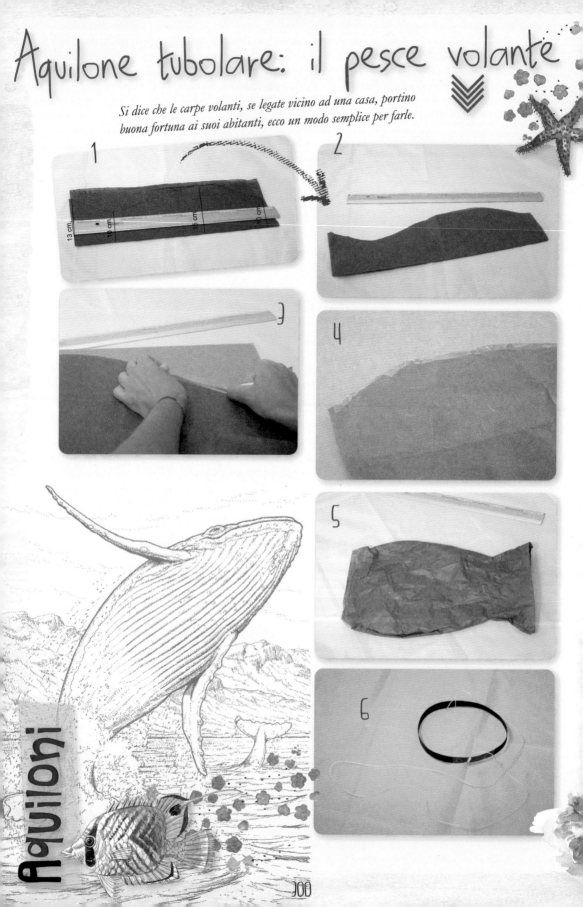

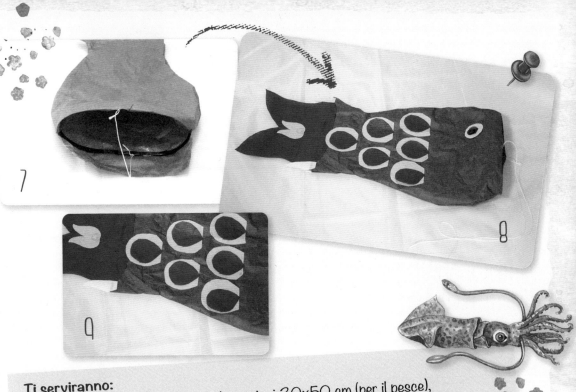

Ti serviranno:
2 fogli di carta di riso o velina di dimensioni 30x50 cm (per il pesce), vari fogli di carta di riso o velina per le decorazioni, matita, gomma, forbici, nastro adesivo e colla stick, una striscia di cartoncino (ad esempio quello delle scatole della pasta), della lunghezza doppia a quella della bocca del pesce, alta circa 5 mm, lenza da muratore, un'astina di legno lunga 50 cm e di diametro 5/6 mm, una girella da pesca (eventuale).

■ Piega a metà sulla linea longitudinale i due fogli, disegna mezza sagoma di pesce come da figura e ritagliala. (foto 1-2)

■ Unisci i due laterali utilizzando il nastro adesivo e rivolta la figura ottenuta. (foto 3-4-5)

■ Fai un cerchio con il cartoncino delle dimensioni adatte ad essere inserito nella bocca, collega due capi di lenza lunga 50 cm. (foto 6)

■ Infilalo e ricoprilo con una parte di carta, fai due piccoli tagli in corrispondenza del filo. Chiudi tutto con il nastro adesivo. (foto 7)

■ Decora il pesce come preferisci, fai un occhiello al centro dello spago e fissalo sulla cima dell'astina. (foto 8-9)

Aquiloni

MODELLO GRANDI ALI AEREI... in volo

1
Un foglio A4. Piegalo a metà lungo il lato maggiore. E piega i due angoli in alto sulla metà.

UN OTTIMO AEREO, MOLTO VELOCE.

2
Piega un'altra volta i lati sulla linea mediana.

3
Piega l'aereo a metà. Per ottenere le ali piega la carta verso l'esterno.

4
L'aereo inizia a prendere forma.

5
Per modellare gli alettoni piega le ali verso l'interno.

6
Lancia piano e con una leggera tendenza verso l'alto.

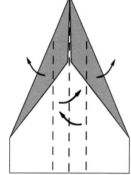

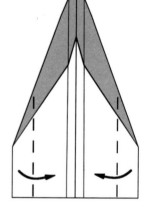

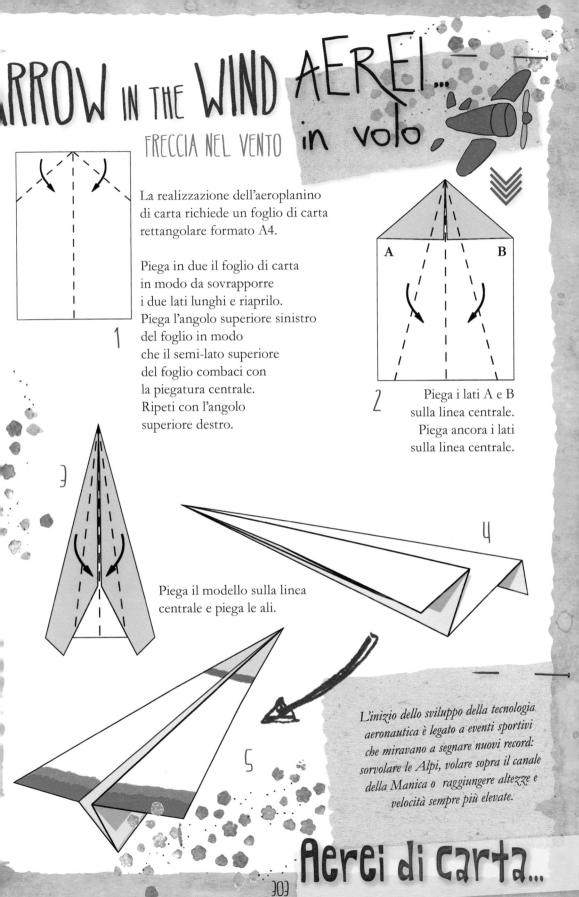

La realizzazione dell'aeroplanino di carta richiede un foglio di carta rettangolare formato A4.

Piega in due il foglio di carta in modo da sovrapporre i due lati lunghi e riaprilo. Piega l'angolo superiore sinistro del foglio in modo che il semi-lato superiore del foglio combaci con la piegatura centrale. Ripeti con l'angolo superiore destro.

1

2 Piega i lati A e B sulla linea centrale. Piega ancora i lati sulla linea centrale.

3

Piega il modello sulla linea centrale e piega le ali.

4

5

L'inizio dello sviluppo della tecnologia aeronautica è legato a eventi sportivi che miravano a segnare nuovi record: sorvolare le Alpi, volare sopra il canale della Manica o raggiungere altezze e velocità sempre più elevate.

Aerei di carta...

VENDAVAL

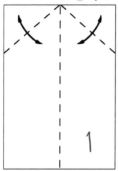

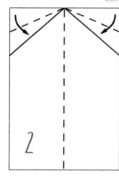

Prendi un foglio di
carta formato A4.
Piega i due angoli
superiori
sulla linea mediana.

Apri e piega
i vertici sulle
pieghe realizzate
precedentemente.

3 Modella le ali, piegando prima
a monte e poi a valle.

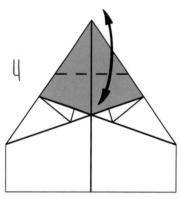

Piega a valle estraendo
e modificando le parti
sottostanti.

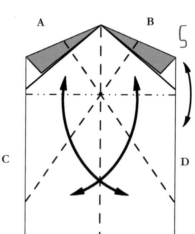

A   B

5

1 Piega la parte B
   sul lato C. Apri.
2 Piega il lato A
   sul lato D. Apri.
3 Piega sul lato
   la parte superiore
   sul retro. Apri.
4 Porta i punti E F
   sulla linea mediana.

*Parlare di Boeing equivale a
parlare di aereo civile. Ciò è
dovuto all'enorme successo dei
modelli 7n7, come sono chiamati
i velivoli di linea della Boeing.*

*Vendaval è una parola spagnola,
che significa vento forte con un
grande potere di distruzione.*

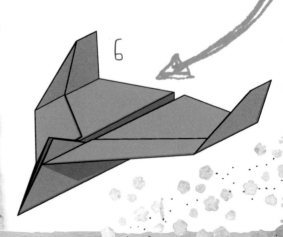

6

COME SI LANCIA UN AEREO DI CARTA

Lancia l'aereo afferrandolo nella parte anteriore.

È necessario che le ali siano rivolte verso l'alto.

Se l'aereo tende a cadere alza la parte posteriore.

Se l'aereo tende a ondeggiare abbassa la parte posteriore.

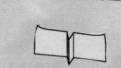

ICARO JUNIOR

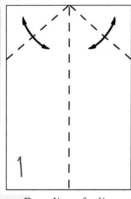

1 Prendi un foglio di carta formato A4. Piega a metà. Piega la metà del lato minore sulla mediana. Apri il foglio.

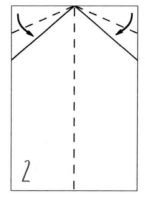

2 Piega la metà del lato minore sulla piega realizzata precedentemente.

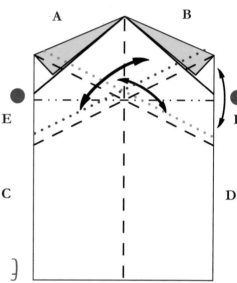

A   B
E   F
C   D

3

1 Piega la parte indicata dalla linea arancione sul lato C. Apri.
2 Piega la parte indicata dalla linea viola sul lato D. Apri.
3 Piega a monte sulla linea che unisce i punti E-F. Apri.

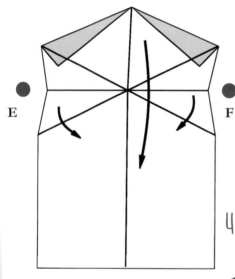

E   F

4 Porta i punti E e F sulla linea mediana.

5 Piega estraendo e modificando le parti sottostanti.

Aerei di carta...

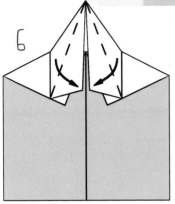

6

Piega a valle.

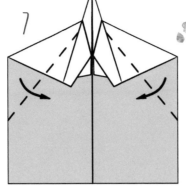

7

Piega a valle.

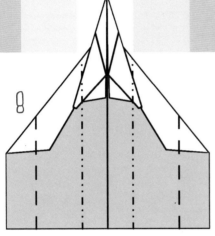

8

Modella le ali.
Piega prima a monte e poi a valle.

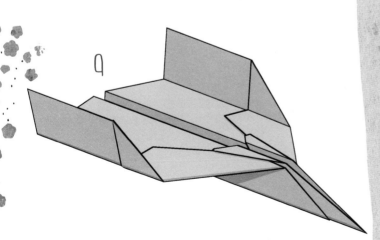

9

Il consorzio Airbus
Industries è nato dalla
fusione delle industrie
aerospaziali francese,
britannica, tedesca
e spagnola. Il primo
aviogetto dell'Airbus
è stato l'A300, seguito
da tutta una serie di
A-3n0 con impieghi
che coprono l'intera
gamma di trasporto
civile, dai voli
interni fino a quelli
intercontinentali.
Dall'inizio degli anni
2000 l'Airbus è il
rivale della Boeing.

Aerei di carta...

Scegli la tua medaglia

PROVETTO ESPLORATORE
ESPERTO ERBORISTA
AMICO DEGLI ANIMALI
DETECTIVE INFALLIBILE
GIOCATORE IMBATTIBILE
COSTRUTTORE PRECISO
INVENTORE SAPIENTE
SPERICOLATO AVVENTURIERO

> RITAGLIA LA TUA MEDAGLIA E PORTALA CON TE NELLA PROSSIMA AVVENTURA

PER PREPARARE LA TUA MEDAGLIA:

■ incolla dapprima la pagina seguente su un cartoncino piuttosto spesso.

■ Con un paio di forbici, ritaglia la medaglia.

■ Con l'aiuto della punta di una matita o di una penna, fora il cartoncino in corrispondenza di una parte della medaglia dove non ci siano scritte o immagini.

■ Procurati un nastro e fallo passare attraverso il foro prodotto.

■ Ora legalo dietro al collo: avrai addosso una medaglia che ti renderà subito riconoscibile per le tue doti speciali.

Il medagliere

Un regalo per te!!!

costruttore preciso

inventore
sapiente

spericolato avventuriero

amico degli animali

provetto esploratore

esperto erborista

detective
infallibile

giocatore imbattibile

Indice

di pagina in pagina

Indice

Indice

> Gli uomini comuni guardano le
> cose nuove con occhio vecchio.
> L'uomo creativo osserva le cose
> vecchie con occhio nuovo.
>
> *Gian Piero Bona*

> Il mondo è un libro
> e quelli che non viaggiano
> ne leggono una sola pagina.
>
> *Sant'Agostino*

AVVENTURA CON GIOCHI IN CASA

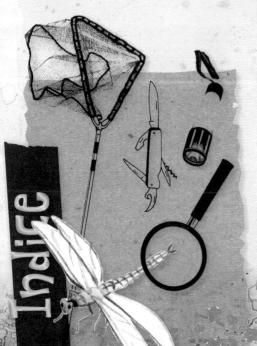

Indice

Sole splendimi sin dentro al cuore, vento caccia via pensieri e pene, non v'è al mondo diletto maggiore che andar vagando sconfinatamente.
Hermann Hesse

Indice

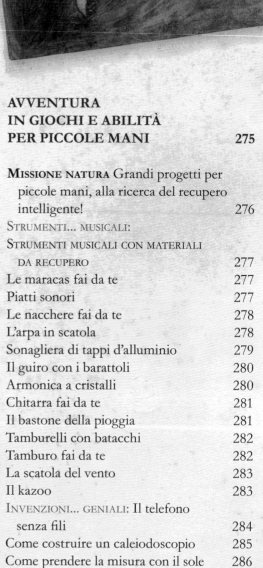

AVVENTURA
IN GIOCHI E ABILITÀ
PER PICCOLE MANI 275

Indice

A piedi e a cuor leggero prendo
la strada maestra, in salute, libero,
il mondo davanti a me.
Davanti a me la lunga strada
polverosa che porta dove voglio.

Walt Whitman

Indice

Notes